A ma femme, Casey Coburn, et à nos petits,
Cathleen, Krista, Lisa et Heather

Remerciements

A Ignatius Piscitello, au regretté Carl Velecca et à Don Kiley, Mary Ellen Evans, au commissaire Joe Fitzpatrick, à Norma Nathan, Ned Chase, Rosemary Ford, Peter Grose, Rose Moudis et Peter Skolnik, pour leur aide.

1

L'Ouest du Massachusetts était plongé au cœur de l'hiver le soir où deux jeunes, puant le cuir et la bouse de vache, se coulèrent dans la nuit glaciale, leurs visages dissimulés par des passe-montagnes, et firent irruption dans la ferme de Santo et Rosalie Gardella. A quatre-vingts ans passés, les Gardella formaient un couple fier et beau, animé par une vigueur qui trompait sur leur âge. Les cheveux de Santo, devenus rares et blancs, conservaient leur ondulation, et son épouse rappelait par son allure la jeune femme élégante qu'elle avait été. Trois jours plus tôt ils faisaient l'amour, sous leur édredon aux couleurs chaudes. A présent on les menaçait.

— C'est tout ce qu'on a, dit Santo Gardella en étalant cinquante-trois dollars sur la table.

Il était arrivé aux États-Unis à l'âge de huit ans et parlait l'anglais sans accent. Sa femme, qui en avait un léger, dit d'une voix franche :

— On vous le jure.

Les jeunes transpiraient sous leurs passe-montagnes. Installé dans la pièce d'à côté, le poêle à bois diffusait jusque dans la cuisine sa chaleur qui s'accrochait à leurs vêtements et faisait fondre la neige sale recouvrant leurs chaussures. A leurs yeux du même bleu profondément enfoncés dans leurs orbites, on devinait qu'ils étaient frères. Vifs de corps sinon d'esprit, ils avaient pour seules armes les jointures de leurs poings nus. Le plus grand des deux demanda :

— Où il est planqué ?

— Ne nous forcez pas à le répéter deux fois, ajouta le plus petit, avec son nez qui coulait sur son passe-montagne.

Tout le monde au village croyait à juste titre que les Gardella avaient de l'argent. Mais les frères se trompaient en s'imaginant qu'il était dissimulé quelque part dans la maison. « Menteur » s'écria le plus grand des deux quand Santo Gardella s'efforça de leur faire admettre la vérité, et le plus jeune vomit sur lui un flot d'insultes, la plupart à caractère raciste. Le vieil homme s'empressa de passer son bras autour de sa femme et la regarda d'un air impuissant qui paraissait rendre dérisoires toutes ces années passées à ses côtés depuis l'âge de vingt ans.

« Ils vont nous faire du mal » murmura-t-il, mais elle s'y attendait déjà. Elle plongea son regard dans le sien. Chacun voulait protéger l'autre.

— Elle d'abord, dit le plus grand des frères d'un air satisfait. A moins qu'vous crachiez le morceau en vitesse.

L'autre ajouta en soufflant :

— Ce vieux poêle là-bas doit être sacrément chaud.

— Vas-y !

Le vieil homme se jeta en avant. Il n'avait aucune chance. Le plus grand des frères était fort comme un bœuf. La vieille femme n'avait aucune chance non plus. Le plus jeune la tira par les cheveux et la fit virevolter jusqu'au poêle.

Les voisins n'entendirent rien ; il n'aurait pas pu en être autrement. Le plus proche habitait à un demi mile de là. Environ trente minutes plus tard cependant, un homme appelé Silas Rogers passa tranquillement dans le coin avec sa camionnette et vit une fenêtre s'embraser à l'étage. Au clair de lune il aperçut également deux jeunes qui grimpaient dans une Thunderbird rouillée et cabossée sur les côtés.

Tôt le matin des amoncellements de nuages emplissaient le ciel et le vent sifflait au-dessus de la petite ferme ravagée par le feu. Des volutes de fumée montaient des restes noircis du toit. L'air glacial était empli d'une odeur âcre. Une foule de badauds était arrivée, la plupart dans des camionnettes et des breaks, mais ils se tenaient à distance respectueuse, leurs visages tendus par un mélange de curiosité et d'effroi. Une heure auparavant une ambulance était venue chercher les corps. Les victimes avaient été rouées de coups de pieds et de poings, selon l'œil exercé du médecin légiste.

L'inspecteur principal Christopher Wade, de la police de l'État, avait été chargé de l'enquête alors qu'il était de repos ce jour-là. Il arriva dans une voiture banalisée et fut accueilli par l'agent Denton de la police de l'État, et par un flic local répondant au nom de Hunkins. Tournant le dos au vent, l'inspecteur Wade demanda :

— Le mobile, c'est le vol ?

— Ça en a tout l'air. La maison a été fouillée de fond en comble. Denton ajusta ses gants doublés de fourrure. On a ce qu'on pourrait appeler un témoin.

Hunkins, qui portait un bonnet de fourrure et une canadienne, l'interrompit :

— Ils ont assis la vieille sur le poêle à bois et ils lui ont rôti le cul. Vous vous rendez compte ?

L'inspecteur Wade releva le col de son pardessus noir. Il avait un visage mince, assez beau, des yeux gris-vert profondément enfoncés qui lui donnaient le regard plutôt sombre, et une grande carcasse dont la musculature fine et solide était mise en valeur par la bonne coupe de son manteau. Sa façon de faire, calme et précise, donnait l'impression qu'il était toujours maître de lui, même si à cet instant il avait les nerfs noués. Les meurtres sauvages l'avaient toujours écœuré, particulièrement quand ils frappaient une femme. Il avait alors l'impression que sa propre épouse et ses filles se trouvaient directement menacées. Il s'adressa à l'agent Denton :

— Quel témoin ?

— Un certain Rogers.

— Silas Rogers, intervint Hunkins. Il passait dans le coin et il a vu le feu et deux types qui se précipitaient dans une voiture. Il faisait trop noir pour distinguer leurs visages. C'était vers dix heures.

— La lune était levée, dit Wade. Il a dû reconnaître la marque de la voiture.

— Il dit qu'non. Hunkins abaissa les oreillettes de son bonnet. Son visage était taillé à angles droits comme l'insigne épinglé sur sa canadienne.

— Tout de même, il a pu les identifier, insista Wade. A leurs habits peut-être.

— Il avait plutôt en tête de donner l'alarme. Une bonne idée, sinon la maison ne serait plus debout.

Dans les arbres tout proches, des branches grinçaient au vent comme des portes. « Ces imbéciles se sont débrouillés comme des bleus, vous savez. Ils ont allumé le feu à l'étage et il est jamais descendu. J'ai découvert les Gardella dans la position où ils les ont laissés. Ça m'a soulevé le cœur ! »

Wade détourna le regard, comme s'il voulait éviter un reflet gênant de lui-même dans un miroir intérieur. Sa dernière affaire de meurtre, à trois villes de là, portait sur le viol et la strangulation d'un enfant. Il n'y avait pas de témoin et pas assez de preuves contre

13

l'homme que Wade savait responsable, et il avait dû lui rendre sa liberté.

Jetant un rapide coup d'œil à l'agent Denton, il demanda :

— Où est le témoin ?

Hunkins répondit :

— Chez lui. Je lui ai dit d'y rester.

— A quoi il ressemble ?

— Vieux Yankee, bouche cousue, vous voyez le genre.

— Le genre qui garde ce qu'il sait pour lui ?

Hunkins haussa les épaules.

— Qu'est-ce que vous en pensez ?

— Je pense qu'il a pu en voir plus que ce qu'il veut bien nous dire. C'est possible, n'est-ce pas ?

Hunkins haussa à nouveau les épaules.

— Bon sang, j'en sais rien ! C'est difficile à dire. Hé là-bas ! cria-t-il brusquement alors que des curieux commençaient à s'aventurer sur le sol gris et gelé de la cour où subsistaient quelques plaques de glace çà et là. Bon Dieu, qu'est-ce qu'y croient qu'ils sont en train de faire !

En agitant le bras il se dirigea vers eux d'une démarche pesante.

— Il prend les choses en main on dirait, laissa tomber Wade du coin des lèvres avant de se diriger vers la maison, Denton sur les talons. L'incendie avait laissé une odeur rance. La première des doubles portes, enfoncée par les pompiers, était pratiquement sortie de ses gonds. La porte intérieure était entrebâillée. Wade s'arrêta sur la marche du milieu en frissonnant. Je n'aime pas l'hiver, et vous Denton ?

— J'essaie de ne pas y penser, monsieur.

— La plupart des meurtres sont commis par temps chaud. Le froid est réservé aux suicides. Rien ne pousse, rien ne vient. Il y a aussi davantage de saignements de nez en hiver qu'en été, vous saviez ça ?

— Non, monsieur, je l'ignorais.

— Les statistiques le prouvent. Qu'est-ce que *vous* avez pensé du témoin ?

— Il est mort de trouille, dit le policier. Il n'a pas voulu me parler, seulement à Hunkins.

— Ne perdons pas de temps avec lui, dit Wade en s'avançant vers la porte. On va le passer au détecteur de mensonges.

— Monsieur, si vous entrez là-dedans, vous allez abîmer vos chaussures et vous geler les pieds. Les planchers sont détrempés.

— Vous m'en direz tant, lança Wade en entrant. Il manqua de

tomber en glissant sur le seuil où l'eau avait gelé. Il y avait du sang dans les flaques qui inondaient la cuisine ainsi que dans la pièce d'à côté dont le mobilier était saccagé. Le poêle à bois chauffait toujours.

L'inspecteur Wade ne parvenait pas à en détacher les yeux.

Rita Gardella O'Dea sortit de l'eau en rajustant son maillot de bain et en pestant contre les taches de goudron qui le salissaient. Le soleil de Floride avait bruni son visage à l'ossature forte et pratiquement grillé ses épaules. Elle avait de magnifiques yeux noirs et un robuste embonpoint. Ses pieds laissèrent de profondes empreintes dans le sable.

— On t'a demandé, dit le garçon de plage tandis qu'elle s'installait dans son transat. Elle avait un verre à sa portée, un cocktail exotique vert émeraude qui tremblait dans son support planté dans le sable.

— Qui m'a demandé, Alvaro ?

Alvaro, le garçon de plage, était un jeune cubain âgé d'une trentaine d'années, avec une courte barbe qui retenait contre son beau visage la chaleur du soleil. Son maillot de bain rouge fluorescent portait la marque de l'hôtel. Sans se soucier des regards autour d'elle, elle lui présenta son dos qu'il essuya.

— Il y a eu un coup de téléphone pour toi, dit-il. On a laissé un numéro pour que tu rappelles.

— Ça doit être mon frère, dit-elle d'un air distrait. C'est le seul à savoir que je suis ici.

— On a dit que c'était important.

Elle saisit le verre de cocktail et but une longue gorgée. Puis elle dit d'un ton sec : « Aide-moi à enfiler mon peignoir. »

Elle se retrouva dans l'ascenseur avec trois femmes d'un certain âge qui s'étaient reculées contre la paroi comme si elles se sentaient menacées par sa corpulence. Elle jeta un coup d'œil à leurs visages distingués puis les ignora. Le fait de savoir qu'avec tout son argent elle aurait pu les acheter et les revendre, avec tout ce qu'elles possédaient, lui procura une intense satisfaction et lorsque l'ascenseur s'arrêta en ronronnant elle les écarta du coude. « C'est mon étage », expliqua-t-elle bien que ce fût également le leur.

Dans sa chambre, assise sur le bord du lit aux couleurs vives, elle parla avec son frère qui voulait qu'elle prenne le premier avion pour Boston, sans lui donner d'explications. Sa main se crispa sur le combiné. Elle savait au son de sa voix qu'un malheur était arrivé et que sa famille était concernée.

— C'est m'man ? Quelque chose lui est arrivé ? Sa voix tremblait. C'est p'pa ? Réponds-moi, Tony !

— C'est tous les deux, dit-il.

Elle avait raccroché le téléphone mais elle était restée à la même place sur le lit, immobile, pâle, les paupières serrées, lorsque quelqu'un entra subrepticement dans la chambre et se figea. Elle battit des paupières, son regard redevint net et se posa sur la taille mince et droite d'Alvaro. Devinant sa détresse, il s'assit sans rien dire à ses côtés.

— Fais mes valises, dit-elle.

— Pourquoi ? Où pars-tu ?

— Fais ce que je te dis, ordonna-t-elle en le poussant comme si c'était un enfant.

— Rita, sois gentille.

Elle tendit le bras et fit semblant de tirer avec un revolver.

— Quelqu'un va payer.

Anthony Gardella vivait à Boston dans une maison en briques située à Hyde Park, loin des affaires qu'il dirigeait. Sa première femme était morte quatre années auparavant et sa seconde épouse, bien plus jeune que lui, se trouvait en vacances aux Caraïbes avec sa mère. Ses enfants, deux fils, ne vivaient plus sous son toit. Le plus jeune était en dernière année à Holy Cross et l'aîné était dans les Marines. Gardella se trouvait dans son salon avec un verre de St Raphaël à la main et plusieurs de ses hommes autour de lui qui attendaient ses ordres. Ils étaient prêts à partager sa douleur, à prendre soin de lui, à tout faire pour l'aider. Avec son costume gris anthracite taillé sur mesures il faisait impression parmi eux et forçait le respect. Alors qu'il était seulement âgé de vingt ans, à Providence, Raymond Patriarca lui avait donné une tape amicale sur la tête et l'avait embrassé sur la joue. Pour ses quarante ans, Don Peppino, plus connu sous le sobriquet de Bananas, lui avait fait l'honneur de lui envoyer une carte d'anniversaire de Tucson. Ici, à Boston, il partageait quatre ou cinq fois par an le repas de Gennaro Angello dont la bénédiction avait plus de poids que celle d'un prêtre.

Brusquement, il se mit à rire, d'un rire sinistre. « Je n'arrive toujours pas à y croire » lança-t-il. Autour de lui ses hommes sursautèrent. Seule une crispation de sa mâchoire trahissait la

16

douleur enfouie au plus profond de lui-même. « Des noms, dit-il à mi-voix, je veux des noms. »

Victor Scandura, son bras droit et proche ami, lui promit : « Tu les auras. »

Ses paroles furent accueillies par des murmures d'approbation.

Scandura s'avança, mince, le front dégarni, ses lunettes cerclées d'or comme vissées dans son visage terreux. Son sourire avait quelque chose d'inquiétant.

— Tu veux que je m'en occupe personnellement ?

— Oui, répondit Gardella en faisant tinter doucement les glaçons dans son verre. Ne me déçois pas.

— T'ai-je jamais déçu, Anthony ?

2

C'était un lundi matin, il faisait un froid de canard malgré le soleil éclatant ; on annonçait de la neige sur Boston d'ici la fin de la journée, ce qui ne dérangeait nullement Russel Thurston. Il prenait les choses comme elles venaient, s'efforçant simplement de les faire fructifier quand cela lui était possible. Il se trouvait dans un coin reculé du Kennedy Building, au cœur de Government Square, installé dans une pièce confortable qui donnait à travers une baie vitrée sur une salle étroite où étaient entassés plusieurs bureaux. C'était un homme grand, à l'apparence pondérée ; ses cheveux châtain terne étaient coiffés sur le côté et ses yeux d'un gris sans éclat étaient fixés comme des boutons sur un visage parcheminé qui trahissait rarement ses sentiments profonds, pas même à cet instant précis où l'excitation le gagnait.

Il appela en criant son adjoint, Blodgett, mais ce fut un homme appelé Blue qui lui répondit, le seul Noir d'une équipe spéciale d'agents placés sous son commandement. Il lui arrivait de se montrer courtois avec Blue mais la plupart du temps il adoptait une attitude doucereuse à son endroit. Blue apparut dans l'encadrement de la porte, élancé, la peau très sombre, tiré à quatre épingles comme si son domaine était la finance internationale et non les enquêtes policières.

— Où est Blodgett ? demanda Thurston.

— Il revient tout de suite.

— Ce n'est pas ce que je vous ai demandé.

— Il est aux chiottes.

— Allez le chercher.

Thurston regarda Blue faire demi-tour et avancer de deux pas. Au troisième il l'arrêta :

— Blue !

Blue se retourna et revint jusqu'à la porte.

— Oui ? demanda-t-il à Thurston qui lui adressa un sourire énigmatique.

— Je vous en fait baver. Vous vous êtes jamais demandé pourquoi ?

— Jamais.

— Vous vous êtes jamais demandé pourquoi je vous ai choisi spécialement pour faire partie de cette équipe ?

— Parce que je suis doué.

— Ça va sans dire. Mais la raison principale ?

— Je suppose que vous me la direz un jour.

— Je vous laisserai probablement la deviner tout seul.

— Je vais chercher Blodgett, dit Blue.

— Allez-y.

A nouveau seul, Thurston pivota sur sa chaise afin de contempler à travers l'unique fenêtre le ciel glacial de Boston. Il n'avait jamais regretté d'avoir été nommé ici. Il savourait les charmes et les contrastes de cette ville, l'architecture classique de la plupart de ses immeubles et l'originalité de ses rues, le petit monde fermé de ses quartiers et sa vic politique corrompue, allant jusqu'à aimer sa circulation anarchique qu'il affrontait comme un défi. Il adorait prendre de temps en temps son petit déjeuner au Ritz et son repas de midi à Maison Robert, dans une ville suffisamment petite pour y côtoyer de respectables personnes comme l'avocat Archibald Cox, des intellectuels échevelés comme William Homans et des beautés fragiles comme Joan Kennedy. Son plus grand souhait était que ces gens-là le reconnussent.

Pendant un long moment il réfléchit aux moyens à employer pour y parvenir.

Il finit par se retourner vers son bureau, fouilla dans un tiroir et en ressortit une grande paire de ciseaux. Il découpa soigneusement un article qui s'étalait sur deux colonnes dans le *Boston Globe* et le posa devant lui. Il l'avait déjà lu mais il le parcourut de nouveau, lentement, savourant chaque phrase et s'arrêtant après chaque paragraphe pour réfléchir. Puis ses yeux se reportèrent sur le titre. UN COUPLE DE PERSONNES ÂGÉES ASSASSINÉ À GREENWOOD. Il n'arrivait pas à croire en sa chance.

— C'est où, Greenwood ? demanda-t-il lorsque Blodgett arriva. Blodgett se creusa la cervelle.

— Dans l'ouest de l'État, je pense. Quelque part du côté de Lenox et de Lee. Le pays du bon Dieu.

— Vos connaissances géographiques sont bonnes. Lisez-ça.

Blodgett s'assit sur une chaise et lut l'article. C'était un homme trapu, carré d'épaules, avec une coiffure impeccable digne d'un businessman. Ses cheveux étaient blonds et son visage affable. Il inclina la tête pour lire avec une application qui fit rapidement perdre patience à Thurston.

— Sautez tout ça, regardez directement la fin. Ce qui reste de la famille. Le fils, Anthony. La fille, Rita O'Dea.

— Bon Dieu ! s'exclama Blodgett en buvant des yeux l'encre des mots. Le père et la mère de Tony Gardella.

— Vous y êtes. Et qu'est-ce que vous voyez d'autre ? questionna Thurston d'une voix tranchante. Réfléchissez, mon vieux, *réfléchissez* !

Blodgett fit travailler ses méninges. Son front lisse occupait une bonne partie de son visage. Il pinça les lèvres. Lentement il releva les yeux.

— Ça veut dire que Gardella va vouloir la peau des salauds qui ont fait ça.

— Continuez !

— Laissez-moi le temps de réfléchir !

Thurston affichait un sourire triomphant. Il avait posé les coudes sur son bureau et replié ses mains étonnamment longues sous son menton.

— Allez-y, prenez votre temps là-dessus.

— On lui facilite la tâche ?

— Ce n'est que le début. C'est comme ça qu'on va le coincer. Thurston s'humecta les lèvres comme un serpent qui s'apprête à cracher son venin. Je vais faire de tout ça un véritable opéra avec beaucoup de rôles de méchants. Une super-production. Vous me suivez ?

— Vous allez trop vite pour moi !

— Je vois grand. C'est ce qu'il faut que vous fassiez si vous voulez ma place. Le cerveau de Thurston était en ébullition. Qui c'est ce Wade ? Vous le connaissez ? Blodgett fit signe que non et commença à relire l'article.

Thurston l'interrompit :

— Faites-moi un rapport sur lui. Ils indiquent que c'est un inspecteur principal, alors il a probablement suivi les cours de formation à Quantico, ce qui nous fait une entrée en matière. Je veux tout savoir sur lui. Sa vie privée. Un dossier complet.

Blodgett était interloqué.

— Pourquoi lui ?

— Parce que j'ai une centaine d'idées qui se bousculent en ce moment même dans ma tête et que celle-là est la meilleure. Commencez à travailler dessus. Blue peut vous donner un coup de main.

Blodgett se leva de sa chaise et reposa la coupure de journal qui portait l'empreinte humide de son pouce. Avant de s'éloigner il murmura sur un ton confidentiel :

— Je suppose que moins on en dit à Blue mieux c'est.

— Vous supposez juste.

Thurston se carra dans son fauteuil pivotant et regarda fixement les deux photos encadrées qui étaient accrochées au mur. L'une d'elles était un portrait de Ronald Reagan et l'autre, sur laquelle son regard s'attarda le plus longuement, le montrait en train de recevoir une récompense des mains de J. Edgar Hoover, le directeur du FBI, un an avant sa mort. Il se souvint d'avoir été fier de ressembler, pour l'occasion au moins, à la vedette du feuilleton télévisé sur le FBI, Efrem Zimbalist Jr. Il se rappela également la crainte respectueuse que lui inspirait Hoover, comme si il était plus puissant que Dieu, avec des dossiers où étaient consignées les peccadilles de chacun.

Le frère et la sœur traversèrent tout l'État dans une Cadillac Eldorado conduite par un chauffeur, jusqu'à l'hôpital régional de Greenwood où ils durent se plier aux formalités qui les obligeaient à venir reconnaître les corps de leur père et de leur mère. Anthony Gardella ne voulait pas que sa sœur fût du voyage mais elle avait insisté. Dans le sous-sol étincelant de la morgue où le ronronnement du système de réfrigération avait quelque chose de presque apaisant, elle eut un haut-le-cœur en découvrant les visages inertes et tuméfiés. Elle ne pleura pas. Le médecin légiste alla lui chercher une chaise en métal mais elle ne voulut pas rester assise. Elle se releva de toute sa masse. Elle portait un épais manteau à col de fourrure et des cuissardes dont elle n'était pas parvenue à remonter la fermeture Éclair jusqu'en haut à cause de l'épaisseur de ses mollets.

— Je veux savoir tout ce qu'on leur a fait, le moindre coup, dit-elle d'une voix qui déconcerta le médecin.

— Je n'ai pas encore terminé mon examen, répondit-il avec tact.

— On en sait suffisamment, dit Anthony Gardella.

Rita O'Dea brandit le poing.

— Tu sais ce que je veux !

21

Son visage, recouvert d'un épais maquillage, prit une expression féroce. Son frère lança un rapide coup d'œil au médecin.

— Laissez-nous seuls, demanda-t-il, et le médecin se retira. Le ronronnement parut s'intensifier dans la pièce. Gardella dit tout doucement :

— Ressaisis-toi.

— Je veux savoir ce que tu comptes faire, dit Rita O'Dea d'une voix à présent mal assurée. Il faut qu'on en discute.

— Attends qu'ils soient enterrés.

— Tu devrais agir dès maintenant.

— Ne t'inquiète pas pour ça.

— Si tu ne fais rien, *moi* je ferai quelque chose.

— Tu ne feras rien du tout, répliqua Gardella d'une voix neutre. On est en train de s'occuper de tout.

Rita O'Dea plongea son regard dans le sien, avec une fixité intense et presque morbide. Elle chancela et son frère la rattrapa prestement par la manche de son manteau. Le médecin revint. Il y avait des papiers à signer dans son bureau. Tandis qu'ils s'y rendaient il leur dit : « Si j'étais vous je ne tarderais pas à reprendre la route. Il commence à neiger. »

Le lugubre ciel d'hiver était déjà obscurci par la nuit et la neige tombait dru et restait collée à la route de campagne. Le faisceau des phares surprit un lapin dans sa course folle que la roue avant gauche stoppa net. Confortablement installée dans la luxueuse Cadillac, Rita O'Dea rejeta ses cheveux en arrière.

— Je veux qu'on fasse un crochet par la maison.

— Non, dit Gardella. Il n'y a rien à voir.

— Il y a peut-être des choses qu'on aimerait emporter.

— Il n'y a rien à emporter.

— Parle pour toi-même.

— Je parle pour nous deux, dit-il en baissant la voix. Une vitre de séparation empêchait leur conversation de parvenir jusqu'aux oreilles du chauffeur qui faisait également office de garde du corps. Un panneau indiqua la direction de l'autoroute qu'ils atteignirent en quelques minutes. La voiture filait en silence. Il faisait chaud à l'intérieur mais Rita O'Dea frissonnait. Elle remonta le col de son manteau. Gardella ouvrit un compartiment aménagé dans le dossier du siège avant et en sortit une flasque et un gobelet. Il lui versa à boire.

Elle en prit une gorgée pour goûter.

— Je me souviens de l'époque où tu n'achetais que du vin rital.

— Ça c'est un apéritif.

22

— Je sais ce que c'est. Je préférerais un coup de gin.

— Voyons, un peu de tenue, Rita.

— J'ai tout ce que l'argent peut acheter.

Anthony Gardella examina ses mains. Son alliance était large d'un demi pouce. Ses ongles étaient manucurés. Avec une méchanceté voulue il demanda :

— Pourquoi t'as amené ce métèque ici ?

Il y eut un silence pesant. Rita O'Dea semblait ne pas vouloir répondre. Elle avait incliné sa tête brune sur le dossier du siège. Elle se sentait fatiguée.

— Ça t'ennuie ? demanda-t-elle, ses traits épais adoucis par l'ombre.

— Oui ça m'ennuie.

— Ça ne te regarde pas.

— Je ressens ça comme un affront, répliqua-t-il amèrement. Elle soupira.

— Qu'est-ce qu'il faut que je fasse, Tony ? Rester seule ?

— Tu peux trouver mieux que lui.

Elle eut un sourire d'une ironie amère.

— Non, Tony. Je ne peux pas.

Silas Rogers s'était esquivé à deux reprises, la première fois en feignant de ne pas être chez lui, alors qu'il apparaissait évident qu'il s'y trouvait, et la seconde en leur criant qu'il se sentait trop mal pour leur parler, ce qui d'une certaine façon était vrai. L'un de ses bâtards était malade et il se faisait du souci pour lui. Il possédait cinq chiens qu'il gardait à l'intérieur pendant l'hiver car ils apportaient un peu de chaleur dans la maison et dans sa solitude. Il était veuf. A présent, pour la troisième fois, les chiens l'avertirent que les deux hommes étaient de retour. Il les laissa frapper plusieurs fois avant d'entrebâiller la porte juste assez pour montrer son visage raviné.

— Vous avez pas besoin de me poser des questions, leur lança-t-il d'un ton faussement assuré. J'ai tout dit à Hunkins.

L'agent Denton glissa son pied dans la porte. L'inspecteur Wade dit :

— Vous avez cherché à nous éviter. De quoi avez-vous peur ?

— De rien. Les chiens se pressaient derrière lui, grattant le sol avec leurs pattes. Ils étaient de tailles et de couleurs curieuses, et s'agitaient de tous côtés comme s'ils manquaient d'air.

— Vous effrayez mes bêtes.

— Vous êtes prêt à parler ici ou vous voulez qu'on vous emmène au poste ? Rien ne nous empêche de le faire.

— C'est une menace ?

— Oui.

— J'ai vu ce que j'ai vu et rien de plus.

— Laissez-nous entrer, on va parler de tout ça.

— Si vous croyez que j'en sais plus, vous vous trompez !

— On verra bien.

Ils ne tirèrent rien de lui. Ils avaient pris place autour d'une table nue avec les chiens qui s'étaient réfugiés en dessous sans cesser de remuer. L'agent Denton formulait d'une autre manière des questions que l'inspecteur avait déjà posées à Rogers. C'était un truc pour le prendre en défaut mais il était trop malin pour se laisser avoir. Les mains sur les cuisses et la tête bien droite, il se contenta de donner des réponses insignifiantes, soit négatives, soit neutres. Il se leva un instant pour essuyer un pipi de chien par terre. L'inspecteur Wade orienta ses questions sur les Gardella eux-mêmes.

— Qu'est-ce que vous pensiez d'eux ?

— Ils n'étaient rien pour moi.

— Ils ont pourtant passé vingt-cinq ans dans ce village, à ce qu'on m'a dit.

— On se fréquentait pas.

— Et pourquoi ça ?

— Je ne fréquente personne.

— Surtout pas les Italiens ?

— C'est vous qui le dites. Pas moi.

— Vous ne dites pas grand chose, M. Rogers. Deux braves gens ont été assassinés par des sadiques et vous restez assis là à vous foutre de notre gueule.

Silas Rogers rougit.

— Et vous, vous venez chez les gens les menacer. C'est pas normal !

L'inspecteur se leva, imité par Denton, un colosse qui avait joué au football américain dans les rangs de l'équipe de l'Université du Massachussets. Leurs regards se fixèrent sur Silas Rogers qui caressait l'un de ses chiens d'un geste nerveux.

— Il ne fait qu'aggraver son cas, murmura l'inspecteur en aparté.

L'agent approuva :

— Il ne nous laisse pas le choix.

— Il ne nous reste plus qu'une solution, M. Rogers. Vous faire passer au détecteur de mensonges.

Silas Rogers se sentit défaillir et son visage eut une moue

24

enfantine. Lorsqu'il se mit debout il donna l'impression de ne plus avoir tous ses esprits. Puis il se raidit.

— Je connais mes droits, dit-il, et il s'en tint là.

— T'as la trouille ?
— Bordel non ! Toi ?
— J'peux pas m'empêcher de penser. Suppose qu'il a vu ?
— On aurait d'jà été arrêtés.
— Cinquante-trois putain de dollars !

Ils se parlaient dans l'obscurité, leurs visages pincés par le froid, et se repassaient une bouteille de whisky. L'un d'eux avait le hoquet. Le whisky et la présence des vaches dans l'étable les empêchaient de geler. Il neigeait à l'extérieur.

— Avant que ça s'arrête y aura un blizzard.
— Qu'est-ce que ça peut bien faire ?

Ils s'étaient blottis dans le foin, les genoux remontés sous leurs mentons. Les vaches ne tenaient pas en place et certaines d'entre elles souffraient par manque de soins.

— J'déteste cet endroit, grimaça le plus jeune des deux frères bien qu'il fût habitué aux odeurs et aux bruits de l'étable qu'il ne remarquait plus.

— Arrête ce hoquet !
— J'peux pas. Bon Dieu, ça caille. Rentrons à la maison.
— Pas question. Le vieux sait qu'il y a quelque chose et on va pas lui laisser deviner quoi.
— On va lui passer la bouteille. Ça va le faire roupiller.
— Secoue-la espèce de crétin ! Y'a plus rien dedans !

L'une des vaches poussa un mugissement de douleur qui se transforma en un cri rauque plus proche de celui d'un humain que d'un animal. De la neige s'engouffra sous les doubles portes.

— Leroy ?
— Quoi ?
— S'il fallait retourner là-bas et tout recommencer, est-ce que tu le referais ?
— J'm'y prendrais mieux.

Malgré les portes la bourrasque parvint jusqu'à eux et transperça leurs canadiennes. Ils se tassèrent davantage dans le foin à l'odeur âcre.

— N'empêche, dit le cadet, faut qu'on soit sûrs.
— De quoi ?
— De Rogers.

— Vous devriez pourtant le savoir, dit Thurston.
— Plus ou moins.

Il tomba un pied de neige pendant la nuit et une bonne partie de la matinée. L'après-midi était déjà bien avancé lorsque l'inspecteur Wade pivota sur sa chaise et jeta un coup d'œil par la fenêtre. Il occupait une petite pièce dans les quartiers de la police et son bureau en prenait la plus grande partie. Les bâtiments se trouvaient tout près de l'autoroute et étaient entourés de bouleaux et de pins. La neige tapissait les branches des pins et s'accrochait aux bouleaux. Des mésanges faisaient de brèves apparitions en sautillant. Wade ne voyait de sa fenêtre rien d'autre que la neige morne et des lames de glace qui étincelaient sous le soleil froid. Cela ne fit qu'augmenter son aversion pour ce coin perdu. Il détestait les hivers à la campagne qui submergeaient tout sous leurs épaisses congères entassées par des vents furieux comme pour effacer le souvenir des autres saisons qui n'auraient fait que perdre leur temps là, de la même façon qu'il lui semblait avoir gaspillé ses années de mariage. Son impression de solitude, qui lui donnait le cafard pendant la journée, empirait le soir venu quand il n'y avait plus pour troubler le silence que des aboiements de chien dans la nuit.

Un bruit le fit se retourner. Un homme qu'il n'avait jamais vu était entré dans son bureau sans s'être annoncé. L'inconnu portait son par-dessus plié sur le bras. Son costume sombre était taillé de façon à ce qu'il puisse dissimuler un revolver en-dessous.

— Vous ne me connaissez pas, dit-il.

— Bien sûr que si, rétorqua Wade. Vous avez le mot fonctionnaire écrit en gros sur votre front. Voyons, laissez-moi deviner... FBI ?

— Vous devinez vite.

— Vous avez quelque chose pour le prouver ?

Russell Thurston sortit ses papiers. Wade y jeta un coup d'œil et les lui rendit. Une chaise en fer était inoccupée mais Thurston resta debout.

— Je me suis laissé dire que vous avez été à Quantico ?

— C'est pas le cas de tout le monde ?

— Ravi de faire votre connaissance, collègue, dit Thurston en tendant la main. Sa poignée de main n'était ni chaleureuse ni froide. Elle était professionnelle et sèche comme l'homme lui-même. Chacun étudia l'autre tout en dissimulant son opinion. Wade n'avait pas beaucoup d'estime pour le FBI qui avait gardé la manie d'aider la police locale pour ensuite s'attribuer tout le mérite de l'opération en cas de succès.

— Vous devinez pourquoi je suis ici, dit Thurston.

— Plus ou moins.

Thurston posa son manteau sur le dossier de la chaise.

— Pour moi c'est une occasion à ne pas rater. Vous savez pourquoi ? Wade ne répondit pas, ne fit aucun signe d'acquiescement, et Thurston prit un autre angle : Je n'ai pas toujours appartenu au FBI vous savez... Pendant une courte période j'ai fait partie de la CIA. C'était le bon temps, ça je peux vous le garantir, mais j'ai été victime des restrictions budgétaires. Le jour le plus triste de ma vie.

— On dirait que vous êtes retombé sur vos pieds.

— J'ai cette faculté. A la CIA je luttais contre les communistes. Maintenant je me bats contre un autre genre de racaille.

— Ça paraît être une obsession.

— Chacun suit sa petite musique, inspecteur. J'ai l'impression que vous suivez parfaitement la vôtre — quand vous en avez l'occasion, cela s'entend. Ici, ça serait plutôt pour vous le pas cadencé !

Wade posa ses mains sur le bureau, l'une sur l'autre. Il ne portait pas d'alliance mais seulement une émeraude, sa pierre zodiacale. D'un air entendu il dit à voix basse :

— Vous voulez Tony Gardella ?

— J'ai sa photo dans mon portefeuille. Vous voulez la voir ?

— Je sais à quoi il ressemble.

— Je m'en doute.

— Il est à Boston et vous êtes venu jusqu'ici le chercher ?

— C'est ici que tout va se jouer, vous ne pensez pas ?

Wade préféra ne pas penser.

— Pourquoi ne vous asseyez-vous pas, Thurston, vous me rendez nerveux. Vous êtes en train de monter un coup tordu, n'est-ce pas ? Vous voulez faire tomber Gardella.

— Ce n'est pas ce que vous chercheriez à faire si vous étiez à ma place, dans mes propres chaussures ?

— Je ne suis pas dans vos chaussures. Les miennes ont déjà été ressemelées trois fois.

— Vous avez peur de vous mouiller ? Thurston était impassible et en l'écoutant, Wade eut la vision d'une araignée qui tissait sa toile.

— Je ne voudrais pas qu'un fédéral me dicte ce que j'ai à faire.

— Attrapez votre manteau.

— Comment ?

Thurston lui adressa ce qu'il pensait être un sourire même si son rictus ressemblait à tout sauf à ça.

— Je vous paye un verre.

Ils allèrent dans un endroit appelé l'*Anse du Chasseur*, burent de la bière brune et restèrent à dîner. L'énorme cheminée flamboyait, illuminant les visages des clients. Les serveuses portaient des ensembles en daim et l'orchestre jouait de la country music. Wade, qui avait l'habitude de venir dans ce restaurant, prit un steak. Thurston l'agaça par sa façon appliquée et presque maniérée de manger la soupe qu'il avait choisie. Ils discutèrent du manque d'indices dans cette affaire de double meurtre — pas d'empreintes exploitables, simplement la longue liste de toutes les brutes du coin capables d'une telle violence et un témoin peu coopératif entouré de chiens.

— Ce témoin m'intrigue, dit Thurston. Comment dites-vous qu'il s'appelle ?

— Rogers.

— Vous pensez qu'il cache quelque chose ?

— Une impression, rien de concret pour l'étayer.

— Ceux qui sont chargés de faire appliquer la loi ont des impressions particulières. Des intuitions.

La serveuse, pâle et petite, vint plusieurs fois à leur table sans raison autre que d'être aux petits soins pour Wade qui l'attirait par le charme de son visage robuste et la douceur de sa voix. Une fois il l'avait emmenée au cinéma et l'aurait bien ensuite fait venir dans sa chambre si elle n'avait pas laissé entendre qu'elle était mariée. Thurston observa son manège d'un air amusé et demanda ensuite à Wade :

— Vous êtes un homme à femmes ?

Wade ne prit pas la peine de répondre.

— Je ne pensais pas, dit Thurston avant de détourner son regard quelques instants sur les autres dîneurs, classant les hommes en fonction des femmes qui étaient assises à leurs côtés. La lueur du feu mettait en valeur la plupart des visages. Progressivement son regard revint vers Wade.

— J'aimerais savoir… Comment vous êtes-vous débrouillé pour vous faire nommer ici dans ce coin perdu ?

— Je vais où on me dit d'aller.

— En clair, ça veut dire que vous n'avez pas les appuis qu'il faut.

Dommage. Votre famille est restée du côté de Boston si j'ai bien compris. Wellesley, c'est ça ?

— Ma femme et moi nous sommes séparés.

— Je suis au courant. Vous avez deux filles qui vont à l'Université de Boston. Ça doit vous coûter la peau des fesses !

— Pendant qu'vous y êtes, pourquoi ne me dites-vous pas ce qui me reste sur mon compte ?

— Deux cent trois dollars sur votre compte courant et même pas dix cents sur votre compte épargne. Il est clôturé. Qu'est-ce que vous diriez d'un digestif ? J'aime l'Irish coffee. Thurston fit un signe de la main et la serveuse arriva aussitôt.

— Vous savez y faire, dit Wade quelques instants après.

— Non, précisa Thurston. Je sais faire juste ce qu'il faut.

— Tout ça va sur votre note de frais ?

— Bien sûr !

— Je fais partie de ces frais, un motif parmi d'autres.

— J'aimerais que vous en soyez un plus grand encore, glissa Thurston sur un ton qui se voulait plein de promesses. La serveuse leur apporta leurs digestifs, reportant à présent toute son attention sur Thurston qui l'ignora.

Wade le laissait venir.

— Continuez, dit-il, l'air rétif. C'est à vous de jouer.

— Tout d'abord, mettons les choses au point. Tony Gardella est une ordure, il ne vaut pas mieux que les voyous qui ont tué ses parents. A l'âge de seize ans, il a arraché d'un coup de dent l'oreille d'un gamin au cours d'une bagarre dans la rue. C'est un sauvage, pas un membre civilisé de notre société. A dix-huit ans il a entamé sa carrière d'homme de main au service d'un usurier. Il utilisait alors un pic à glace. La police de Boston l'a épinglé aussitôt, lui a flanqué une sacrée correction mais il n'a jamais dit un mot. Ça a fait très grosse impression sur les gens de Providence.

— Je connais assez bien son dossier, l'interrompit Wade. Souvent arrêté au cours de cette période, mais jamais condamné.

— Vous vous trompez, il l'a été une fois. Il a reçu une amende pour avoir vendu du porno sous le manteau, une quinzaine de jours après sa sortie de l'armée. Il a rapidement gravi les échelons de l'organisation. Un garçon intelligent. Il savait qui écraser et avec qui être bien. C'est à cette époque qu'il s'est découvert un goût pour les chemises sur mesures et les ongles manucurés.

Wade eut un haussement d'épaule ironique.

— Rien de mal à se donner un léger vernis...

— Il a du vernis comme un serpent a du brillant. Avec le temps il s'est un peu calmé mais il n'en demeure pas moins pour autant un tueur.

— Je ne sais toujours pas ce que vous attendez de moi, dit Wade sur un ton crispé.

— Je veux que vous rendiez à Gardella un service qu'il ne soit pas près d'oublier.

Wade se mit à rire.

— Ça sonne bien, du genre : une offre qu'on ne peut refuser ! Qu'est-ce que ça signifie ?

Thurston s'interrompit un instant. Un petit groupe quittait la salle. Il examina les femmes puis les hommes d'un œil sarcastique comme s'il était sur le point de les critiquer.

— Cela signifie que dès que Gardella aurait fait enterrer ses parents il vous contactera. Lui ou l'un de ses hommes. Vous pouvez en être certain. Cette affaire l'a atteint au plus profond de lui-même. Il ne pourra ni manger ni dormir tant qu'elle ne sera pas réglée. Son cerveau est bloqué parce que son émotion a pris le dessus. Rendez-lui service et il vous considérera d'une façon particulière. Et si vous vous débrouillez bien, vous deviendrez frères ! Vous me suivez ?

— Je peux le tenir au courant de l'enquête, dit Wade avec réticence. Qu'est-ce que je peux faire de plus ?

— Vous pouvez lui donner le témoin...

Wade pâlit et se troubla :

— Bon sang où voulez-vous en venir ?

— Vous connaissez le dicton : on ne peut pas faire saigner une pierre. Gardella, lui, il le peut !

— Assez discuté, je ne veux plus entendre parler de ça !

Mais ils continuèrent à discuter pendant une bonne demi-heure avec beaucoup d'arguments mais aucun terrain d'entente. A deux reprises Wade posa la main sur son front comme pour empêcher ses idées de s'envoler. Thurston de son côté faisait des effets de voix, baissant soudain le ton, ce qui laissait penser que le théâtre avait été sa première passion.

— Ce type a des amis à la mairie, au Conseil général et à l'Union Bank de Boston. Imaginez le plaisir que ça serait de le mettre tout nu !

— On doit pouvoir y parvenir avec des moyens plus propres, dit Wade. Avec votre méthode le témoin risque de se retrouver estropié.

— Vous vous mettez d'accord avec Gardella : pas de sang. Uniquement de l'intimidation. Thurston ramassa l'addition. Il l'examina minutieusement puis paya avec des billets neufs prélevés le matin même sur un fonds spécial. Nous ne nous attendons pas à ce que vous nous donniez un coup de main gratuitement. Nous sommes d'une générosité sans limites quand il s'agit de récompenser les gens qui nous aident.

— Qu'est-ce que vous comptez faire, m'acheter une nouvelle voiture ?

— Non. Mais on pourrait payer les études de vos enfants. Thurston esquissa un sourire placide en s'appuyant contre le dossier de sa chaise. Deux filles formidables à ce qu'on m'a dit. Beaucoup de filles se marient dès qu'elles ont leur diplôme, sans prévenir. On pourrait même payer leur mariage, jusqu'au dernier sou pour assurer leur bonheur.

Dans les toilettes ils se placèrent à chaque extrémité de la rangée d'urinoirs. Wade avait les yeux fixés sur le carrelage rose, ses longues jambes largement écartées et la main sur la hanche. Thurston lui jeta un coup d'œil : « Ce que je vous demande, c'est trop pour vous ? Si c'est le cas, dites-le. »

Wade demeura silencieux un moment. Il se souvenait d'un policier de sa promotion, un jeune rouquin qui pendant un ou deux ans avait accepté des pots-de-vin d'un petit mafioso de Boston Est. Un jour, pour prouver qu'il était toujours son propre maître, il avait arrêté son bienfaiteur pour un délit mineur. Deux semaines plus tard on a retrouvé son corps décapité dans un container à ordures à Wakefield, avec mille dollars en billets tachés de sang qui gonflaient la poche de son uniforme. On a jamais retrouvé sa tête.

— Oui, je pourrais le faire, dit Wade. Mais la question c'est : est-ce que j'en ai envie ?

Ils se dirigèrent vers les lavabos puis ils tendirent leurs mains sous l'air chaud soufflé par le séchoir accroché au mur. On aurait dit qu'ils esquissaient un pas de danse.

— Il y aussi autre chose que je puis faire pour vous, dit Thurston en soulignant au passage l'étendue de ses pouvoirs. Je peux vous faire revenir à Boston.

— Qui vous dit que j'ai envie de rentrer ?

Thurston abattit son atout :

— C'est là que votre femme se trouve.

Silas Rogers, qui allait d'un petit boulot à un autre, chargea sa camionnette avec des bouts de bois sec ramassés sur un chantier forestier et qu'il transporta seul, le long des routes sinueuses et enneigées, jusqu'à chez les Gillenwater. Il faisait nuit lorsqu'il eut fini de décharger sa camionnette et d'empiler chaque morceau soigneusement dans l'appentis de fortune qui flanquait la maison en bois à moitié affaissée entre les deux tas de neige qui la soutenaient. La vieille Mme Gillenwater, avec ses trois pulls sur le dos, passa sa petite tête dans l'entrebâillement de la porte et lui donna de l'argent. Elle voulait qu'il entre se réchauffer mais il marmonna un bref refus. Il n'ignorait pas que ce qu'elle voulait surtout c'était discuter du double meurtre. « Silas, attends ! » lui cria-t-elle, mais il ne l'écouta pas.

Il roula jusqu'au centre ville illuminé et se gara devant le self-service de Ned pour acheter de la nourriture pour ses chiens. Il ouvrit sa portière mais un pressentiment soudain le cloua sur son siège. Le froid pénétra à l'intérieur de la camionnette et le transperça. Il regarda sans pouvoir esquisser un geste les deux silhouettes massives qui venaient de sortir de l'ombre et se dirigeaient vers lui en faisant crisser sous leurs bottes la neige tassée. C'étaient les frères Bass, Leroy et Wally. Il aperçut derrière eux la Thunderbird.

— Comment c'est-y qu'vous allez, M'sieur Rogers ?

La voix qui s'adressait à lui le glaça bien davantage que le froid. C'était celle de l'aîné, Leroy, qui était également le plus grand de six pouces. En dépit du froid, ils avaient tous deux une boîte de bière ouverte qu'ils tenaient dans leurs mains nues aux jointures écorchées. Malgré leur jeune âge ils avaient le front ridé et des poches sous leurs yeux de fouines comme s'ils manquaient de sommeil. L'odeur des vaches de leur père, dont aucune ne donnait du bon lait, empestait leurs habits.

— Très bien, souffla Silas Rogers en priant pour que quelqu'un arrivât, n'importe qui. Les clients allaient et venaient à l'intérieur du self-service mais aucun n'en sortait.

— Vous v'lez une bière ? Y nous en reste dans la Bird...

Il secoua la tête en tremblant. Il aurait juré qu'ils s'évertuaient à lire dans ses pensées. Un sourire éclaira le visage du plus jeune, pâle à l'exception de son nez rougi par le froid. Il leva sa boîte de Budweiser et but une gorgée. Rogers les connaissaient depuis leurs années tumultueuses à l'école primaire de Greenwood dont il avait été le concierge et eux les cancres, les rois de l'école buissonnière, les vandales et les brutes. En se remémorant leurs méchancetés, il se mit à les craindre encore plus.

— Qu'est-ce qu'vous v'lez dans le magasin, M'sieur Rogers ? Wally qu'est là va aller vous l'chercher, pas vrai Wally ?

Le cadet s'approcha, contractant brutalement les traits de sa figure qui prit une expression barbare.

— Qu'est-ce qu'y veut ?

— L'a pas dit encore...

— Qu'est-ce qu'il attend ?

— Y réfléchit.

Silas Rogers ne voulait qu'une seule chose : s'en aller. Chez lui il avait un fusil de chasse mais il n'était ni graissé ni nettoyé et il n'était pas certain d'avoir des cartouches. Probablement pas, se dit-il avec l'envie de pleurer.

— De la nourriture pour mes chiens.

— Donnez lui d'l'argent, M'sieur Rogers. Y peut pas aller là-dedans sans argent.

Silas Rogers sortit à contrecœur des billets de la poche de son pantalon et en donna plus qu'il n'en fallait à Wally Bass qui tendait sa main dont l'un des doigts était tout déformé par une vieille blessure. Silas Rogers lui abandonna les billets sous l'œil de l'aîné qui tiqua.

— Ça suffira Wally ?

— J'pense pas.

— Les prix sont chers là-dedans, M'sieur Rogers.

Sans hésiter Silas Rogers lui laissa tout ce que Mme Gillenwater lui avait payé, prêt à tout pour satisfaire les deux frères. Leurs sourires lui indiquèrent qu'ils étaient contents. Wally Bass écrasa sa boîte de Budweiser et se dirigea vers le self-service en roulant les mécaniques. L'aîné balança sa boîte vide dans l'obscurité.

— C'est moche ce qu'y est arrivé aux Gardella. On m'a dit que vous étiez dans le coin quand ça s'est passé...

— Non ! hurla Silas Rogers d'une voix suraiguë en perdant toute contenance. Je faisais que passer sur la route !

— C'est ce que j'voulais dire.

— J'ai rien vu.

— Ah bon ?

— Mes yeux n'y voient plus très clair.

Leroy Bass sourit et laissa tomber avec une froide assurance :

— Je croyais que vos yeux étaient bons...

— Ils sont mauvais, insista Silas Rogers.

— Ma grand-mère avait la cataracte. Vous l'avez ?

— Oui !

— P't'être que c'est bien. Bien qu'ils soient mauvais, j'veux dire.

Le cadet sortit du self-service avec un petit paquet qu'il jeta à l'arrière de la camionnette où il retomba avec un bruit léger, contenant à peine de quoi nourrir un seul chien. Silas Rogers allait refermer sa portière mais Leroy Bass le stoppa. Ils se regardèrent les yeux dans les yeux. Le visage de Leroy Bass était rouge sang comme une tranche de beefsteak.

— Faudrait qu'vous donniez quèque chose à Wally pour l'déplacement, M'sieur Rogers.

Un peu plus tard, avachis dans la Thunderbird qui tournait au ralenti avec le chauffage en marche, le cadet compta l'argent et en laissa la moitié à son frère aîné. D'une petite voix mal assurée il lui demanda :

— Tu crois qu'y ment ?

— Qu'est-ce que ça peut foutre, répondit Leroy Bass.

— Ça peut foutre si y nous a vus, ça peut tout foutre par terre !

— Non, ça peut rien, assura Leroy Bass avec une confiance absolue. C'est comme à l'école, on lui fout toujours la trouille — maintenant encore plus. Son frère sourit. On a rien à craindre.

Wally Bass défit son manteau qui dégagea une odeur de draps restés trop longtemps sans être aérés. Il avait retrouvé sa bonne humeur.

— Tu te souviens dans le sous-sol de l'école quand je lui avais dit que j'allais lui foutre la tête dans la chaudière ?

— Non ! C'est *moi* qui lui a dit ! Tout ce que t'as fait c'est de lui tenir les bras.

— P't'être, mais j'l'ai fait, dit Wally Bass.

3

L'autopsie terminée, le médecin légiste rendit les corps de Santo et Rosalie Gardella à la famille et un corbillard les transporta à travers l'État jusqu'à Boston où ils furent placés dans l'entreprise de pompes funèbres de Ferlito, située dans le quartier Nord. Sammy Ferlito et son neveu firent de leur mieux pour rendre présentables les dépouilles carbonisées mais leur tâche était plus que délicate et le résultat fut sinistre.

— Tony, je ne vous le conseille pas, s'excusa Ferlito d'un air pitoyable auprès d'Anthony Gardella. Ils se trouvaient dans le bureau de Ferlito, recouvert de lambris sombres avec des ficus qui jaillissaient de pots chargés d'ornements, sous une lumière bleue spécialement destinée à les maintenir en forme. Gardella se montra compréhensif :

— C'est Rita qui veut que les cercueils soient ouverts.

— Vous voulez que je lui parle ?

— Je le ferai.

— Tony, je suis désolé.

— Ce n'est pas de ta faute.

— Augie est bien embêté aussi, dit Ferlito en faisant allusion à son neveu.

— Dis-lui de pas s'en faire.

— Peut-être qu'un jour vous aurez un travail pour lui... C'est un brave garçon.

— Tu dis que c'est un brave petit, alors je le crois, dit Gardella en tendant le bras pour attraper son manteau qui était sombre et lustré avec une doublure bleu-nuit. En raison de sa petite taille Ferlito dut se hisser sur la pointe des pieds pour l'aider à l'enfiler.

— Du cachemire hein ? On dirait qu'ça vaut un million de dollars !

— Mille tout au plus.

— J'm'y serais laissé prendre !

— J'espère que non, dit Gardella. J'espère que tu ne te laisses pas prendre facilement.

Plus tard au cours de cette même journée Gardella remonta l'allée dont on avait dégagé la neige et qui conduisait à la maison de sa sœur. Elle était à côté de la sienne, presque sa jumelle, construite par le même entrepreneur. Un peu plus petite cependant, offrant moins de sécurité : ni système d'alarme, ni judas sur la porte d'entrée, aucune grille en fer pour protéger les fenêtres qui donnaient sur la rue. Gardella entra sans sonner et se retrouva nez à nez avec le Cubain mince et barbu que sa sœur avait ramené de Floride. Irrité par sa présence, Gardella commença par l'ignorer avant de lui demander :

— Où est Rita ?

— Elle fait une sieste. Elle n'est pas arrivée à dormir la nuit dernière.

Gardella le toisa d'un air distant. Ils se faisaient face dans le vestibule au sol dallé. Des miroirs disposés symétriquement renvoyaient leurs images.

— Tu fais comme chez toi, Juan ?

— Mon nom c'est Alvaro.

— Pourquoi tu colles après ma sœur ? T'aimes les grosses ou quoi ?

Les yeux bruns d'Alvaro s'enflammèrent. Il portait une chemise fripée de couleur safran et des pantalons de coton faits pour Miami, pas pour l'hiver du Massachusetts.

— Je ne pense pas que ça plairait à Rita de vous entendre me poser ces questions. Elle m'a dit que ce qu'elle faisait ne vous regardait pas.

— T'es bien sûr de toi, pas vrai ? dit Gardella, et Alvaro haussa les épaules, nullement intimidé. Tu parles bien l'anglais. Où tu l'a appris ?

— A Harvard.

Gardella se rembrunit.

— T'es un sale petit futé !

— Je l'ai appris comme vous. J'étais bébé quand je suis venu aux States.

— Qu'est-ce que t'es, porto-ricain ? Mexicain ?

— Je suis cubain, comme vous ne le saviez pas.

Gardella leva les yeux. Sa sœur s'était arrêtée au milieu de l'escalier et se cramponnait à la rampe en chancelant. Sa robe ne lui allait pas et son visage bouffi indiquait qu'elle avait dormi, mais pas assez à en croire ses petits yeux. Il la contempla avec un frisson de dégoût. Elle descendit péniblement le restant des marches et dit :

— Tu ne lui as pas demandé comment il gagne sa vie. Dis-lui, Alvaro.

— Je suis garçon de plage au Sonesta.

— T'es quoi ?

— Tu l'as entendu, dit Rita O'Dea.

Gardella fronça les sourcils d'un air triste. Il se souvint du temps où elle était moins grosse et plus solide, même si elle n'avait jamais été raisonnable mais toujours complaisante vis-à-vis d'elle-même dans sa façon de choisir sans réfléchir ses partenaires et s'autodétruisant à un point qui l'avait toujours étonné. Mais en même temps, parce qu'un même sang coulait dans leurs veines, elle était la seule personne au monde en qui il eût totalement confiance.

Alvaro fit mine de s'esquiver mais elle l'arrêta net :

— Reste !

— Va. Je veux parler à ma sœur, dit Gardella.

Alvaro s'éclipsa avec un petit sourire résigné. Gardella conduisit sa sœur au salon où ils se tinrent debout face à face avec une certaine solennité, laissant de côté tous leurs malentendus. Avec tact et délicatesse il lui fit part des préparatifs de l'enterrement et ajouta que les cercueils seraient fermés. Les larmes lui montèrent aux yeux en même temps que des sentiments qu'elle avait tenus refoulés jusque-là.

— Ça veut dire que je ne pourrai même pas leur dire au revoir !

— Tu le feras à l'église, murmura-t-il. C'est là où nous le dirons tous.

— Ils vont tellement me manquer ! dit-elle au comble du désespoir. J'étais l'ange de p'pa !

— Tu lui as brisé le cœur des centaines de fois.

— Tony, ne sois pas méchant avec moi !

Il n'avait pas voulu l'être, surtout dans ces circonstances, et il passa le bras autour de ses épaules. Il avait quatorze ans de plus qu'elle. Elle avait été son ange à lui aussi, et lui avait été son héros. Baissant la voix, il lui demanda :

— C'est pour toujours, Rita, ce que tu éprouves pour le métèque ?

— Rien n'est pour toujours, Tony. Je suis suffisamment intelligente pour le savoir.

— Bien, dit-il. Alors je vais pouvoir supporter ça.

Le commissaire adjoint Scatamacchia des services de police de Boston dirigeait personnellement la circulation et quatre motards casqués de blanc ouvrait le cortège de plus de cinquante voitures. La procession serpenta dans les rues étroites du quartier Nord depuis l'établissement de pompes funèbres de Ferlito jusqu'à l'église Saint-Léonard dans Hanover Street qui avait été débarrassée de sa neige. Il faisait un froid vif, ce qui n'empêcha pas les curieux d'affluer. Le directeur Russel Thurston se tenait au premier rang, bien en évidence, avec les agents spéciaux Blodgett et Blue. Thurston était piqué au vif : « Regardez-moi ces flics sur leurs motos. On dirait une garde d'honneur ! » Blodgett acquiesça en jurant. Blue ne dit rien. Il scrutait la foule, lui le seul Noir dans un quartier qui n'en tolérait aucun.

— Qui c'est ce négro ? chuchota Rita O'Dea en s'extrayant péniblement d'une impressionnante voiture. Elle portait un vison qui la faisait paraître encore plus grosse. Il est mignon !

— C'est un fédéral, dit son frère d'une voix dure en mettant sa main en visière. Des fédéraux il faut s'y attendre, mais pas un bronzé. C'est une insulte !

Victor Scandura se glissa à ses côtés.

— Le grand c'est Thurston. On me l'a montré une fois.

— J'aimerais l'étrangler !

— Chaque chose en son temps, conseilla Scandura.

Les gens qui suivaient le cortège funèbre formèrent une file interminable qui envahit l'église où les membres de la famille avaient déjà pris place sur les premiers bancs pour assister à la messe solennelle. Le fils aîné de Gardella, celui qui était dans les Marines, était présent en grand uniforme, les cheveux coupés ras et les épaules carrées. Le cadet, qui poursuivait ses études à Holy Cross, se tenait assis la tête courbée. Sa peine était profonde. Rita O'Dea s'installa à ses côtés et lui tint la main. L'église n'en finissait plus de se remplir. Par respect pour Anthony Gardella, Carlo Maestrotauro de Worcester était là de même que Francesco Scibelli de Springfield, tous deux âgés mais encore actifs, toujours à la direction des affaires. Raymond Patriarca, souffrant, avait envoyé quelqu'un de Providence pour le représenter et Joe Bonomo en avait fait de même avec un de ses lieutenants de la Côte Ouest. Quant aux familles de Boston, elles étaient incarnées par Gennaro Angello et Antonio Zanigari qui avaient tenu à être là personnellement. Tout au fond de l'église, où il avait été le dernier à entrer, se tenait l'agent spécial Blue.

Dehors Russel Thurston et l'agent Blodgett tuaient le temps à côté du Café Pompei où l'écriteau FERMÉ était accroché à la porte, bien que des gens se fussent rassemblés à l'intérieur. A travers la vitre Thurston épia le policier de haut rang qui avait dirigé la circulation et qui à présent paraissait chez lui dans cet établissement. Il avait ôté sa casquette et buvait du café assis à une petite table, le pied posé sur une chaise.

— Qui est-ce ? demanda Thurston.

— Scatamacchia. On le surnomme Scat.

— On a un dossier sur lui ?

— Un petit.

— Faisons-le grossir, dit Thurston en gardant les yeux rivés sur le commissaire adjoint. Scatamacchia avait un visage viril, des cheveux gris-acier et un nez recourbé comme le bec puissant d'un perroquet. Chacun de ses yeux n'était qu'une fente et ses lèvres demeuraient serrées. Lorsqu'il sortit enfin du Café Pompei avec sa casquette enfoncée jusqu'aux oreilles, Thurston dit d'une voix qui portait :

— Pendant qu'il y est, il devrait courir à l'église pour embrasser le cul de Gardella !

Scatamacchia se figea. S'ils s'étaient trouvés à cet instant précis seuls tous les deux dans une rue sombre, il aurait été capable de tuer Thurston. Au lieu de cela il se contenta de hausser les épaules, préférant ne rien dire de peur d'aller trop loin. Il connaissait Blodgett de vue et devina tout de suite qui était Thurston. Sa réputation lui était parvenue aux oreilles, celle d'un fanatique, inflexible et arrogant, avec jamais un mot aimable pour les services de police de Boston.

— Hello Scat ! Tu connais mon patron ? demanda Blodgett.

Scatamacchia releva sa casquette à la visière filigranée d'or et dit à mi-voix en contenant sa colère :

— Garde-le pour toi !

— Qu'est-ce que tu dis, Scat ? J'ai pas bien entendu...

— Ça va pour cette fois mais je ne suis pas près d'oublier.

— On espère bien ! répliqua Thurston.

Avec une intense satisfaction ils le regardèrent s'éloigner. Les yeux de Thurston brillaient d'excitation comme s'il pouvait voir l'avenir, un futur fait uniquement de réussite, plein de réalisations grandioses et d'honneurs. Mais bientôt il se renfrogna. Le service funèbre était loin d'être terminé que déjà l'agent Blue quittait l'église pour les rejoindre.

— Je vous ai dit de rester jusqu'au bout, grogna Thurston.

— Ne vous servez pas de moi pour les provoquer, dit Blue après un instant de silence. Je n'aime pas ça.

— Je ne vous demande pas votre avis, rétorqua Thurston d'une voix insouciante et avec un petit sourire. Si vous avez un problème adressez-vous à la Commission des Droits civiques. Autrement retournez dans cette église !

— C'est un ordre ?

— Blodgett, dites-lui !

— C'est un ordre.

A l'intérieur de l'église un prêtre balança son encensoir au-dessus de l'un des cercueils puis au-dessus de l'autre, dégageant un parfum entêtant qui flotta vers les premiers bancs. Pendant un bref instant Rita O'Dea parut sur le point de s'effondrer en pleurs. Au lieu de cela, elle marmonna des prières à voix basse dont l'une devait s'adresser directement au diable.

Le commissaire adjoint Scatamacchia entra dans l'église d'une démarche étonnamment légère et se glissa sur l'un des bancs du fond où se tenait un homme trapu avec des bajoues, répondant au nom de Ralph Roselli. Au bout d'un moment Scatamacchia se pencha vers lui et murmura : « Dommage que vous autres vous ne dérouillez pas les fédéraux ! »

Le jour qui suivit l'enterrement de Santo et Rosalie Gardella à Boston, l'inspecteur Wade, qui s'était levé de bonne heure comme d'habitude, se rendit dans une cafétéria du centre de Lee. Il était le premier client de la matinée et en tant qu'habitué il avait sa place réservée. Il commandait presque toujours la même chose : des œufs au plat servis sur des toasts. D'autres clients arrivaient et il salua la plupart d'entre eux. Il en était à sa deuxième tasse de café quand un inconnu entra et inspecta tranquillement les lieux. Avec la même nonchalance l'homme accrocha son chapeau, son écharpe et son manteau près de ceux de Wade et lui demanda :

— Je peux ?

— Il y a plein d'autres tables, répondit Wade, mais l'inconnu, qui avait une démarche souple et des gestes étudiés, passa outre et s'assit à sa table. Avec ses cheveux rares et rêches, le haut de son crâne faisait penser à une noix de coco ; il portait un costume trois-pièces et des lunettes cerclées d'or qui paraissaient vissées sur son

40

visage. Il aurait pu passer pour un avocat ou une sorte de courtier.

— On m'a dit que vous preniez votre petit déjeuner dans cet endroit.

— Vous avez dû vous lever tôt pour arriver jusqu'ici.

— En effet. Je m'appelle Victor Scandura.

— Je vous connais. Je collectionne les photos, et j'en ai pas mal de vous. Wade, qui avait recommencé à fumer, ouvrit un paquet vert et blanc de Merit mentholées. Je ne suis jamais remonté jusqu'à vous mais j'ai mis fin à une affaire de paris dirigée par un de vos cousins.

— Vous n'y avez pas mis fin. Vous avez compliqué les choses, l'espace d'une journée.

Wade eut un sourire aimable.

— Vous avez probablement raison.

Scandura enleva ses lunettes, plissa les paupières jusqu'à ce que ses yeux ne fussent plus que deux points et souffla sur les verres. Il les essuya avec un mouchoir de soie. La serveuse lui apporta du café. Il ne voulait rien d'autre comme si il avait la nausée simplement à l'idée de manger quelque chose de si bon matin.

— Ulcère ? demanda Wade.

— Si j'avais un ulcère je ne boirais pas de café. Il remit ses lunettes, les ajustant soigneusement. Je viens de la part d'Anthony Gardella.

— Je m'en doutais.

— Vous pouvez imaginer par où il est en train de passer. Son père et sa mère étaient des gens formidables. Il avait acheté la ferme pour eux il y a vingt-cinq ans. Ils voulaient aller à la campagne, il la leur a offerte. Il comptait leur trouver un manoir mais ils ne souhaitaient rien d'autre qu'une petite maison. Le vieux Gardella, vous savez, n'a jamais trempé dans rien. Il était droit comme un i. Vous voyez où ça l'a amené...

Wade tirait sur sa cigarette. La serveuse lui remplit sa tasse.

— Que voulez-vous que je vous dise ? demanda-t-il en haussant les épaules.

Scandura baissa la voix :

— Pensez-vous mettre bientôt le grappin sur les salauds qui ont fait le coup ? Anthony aimerait bien le savoir.

— Vous voulez que je vous réponde franchement et je vais le faire. Il y a dans le coin plein de péquenots capables de l'avoir fait mais on n'a aucun indice sérieux. Peut-être qu'on va en trouver...

— Vous ne m'avez pas répondu. Parmi ces péquenots dont vous

parlez, il doit bien y en avoir qui ont davantage retenu votre attention. Vous avez dû trouver quelque chose.

— Rien !

Wade se tenait assis en arrière sur sa chaise, le menton baissé et son attention distraite par le souvenir de sa femme. La dernière fois qu'il l'avait vue, au cours d'une brève mais sincère tentative de réconciliation, il l'avait embrassée spontanément et passionnément mais elle s'était dégagée de son étreinte en disant que dans la vie on ne pouvait tout reprendre à zéro. On ne revient pas en arrière, lui avait-elle dit, tout ce qu'on peut faire c'est des détours. Il dit à Scandura : « Tout ce que j'ai c'est un vieux type qui passait dans le coin au volant de sa camionnette. Vous avez dû lire son nom dans les journaux. Peut-être que c'est parole d'évangile quand il dit qu'il n'a pas vu grand chose, mais je n'en suis pas certain. Je l'ai cuisiné autant que j'ai pu le faire... légalement.

Victor Scandura saisit aussitôt l'allusion :

— Ce que vous dites-là me plaît.

— Je n'ai rien dit, répliqua Wade. Vous et Tony Gardella ne m'intéressez pas. Mais ça me fait mal de penser qu'en ce moment même deux meurtriers débiles se balladent dans les rues.

— Il n'y a pas beaucoup de rues là-bas. C'est un autre monde. Comment faites-vous pour le supporter ?

— J'essaie de revenir à Boston. Ça va peut-être marcher.

— On peut peut-être vous aider, dit Scandura, l'air de rien. Wade lui lança un regard dur :

— Vous ne vous occupez de rien !

— Je pense qu'on vous doit quelque chose.

— Vous ne me devez rien, répliqua Wade. Il avait écrasé sa cigarette mais elle continuait à fumer dans le cendrier.

— Comment arrivez-vous à fumer ça !

— Je ne sais pas. J'les déteste !

Ils quittèrent la cafétéria ensemble, happés par la bise glaciale. De la neige sale qui paraissait aussi dure que de la pierre formait comme deux barricades de chaque côté de la rue. Wade aperçut la longue voiture noire dans laquelle Scandura était arrivé. Il remarqua également deux hommes assis devant.

— Vous pouvez flanquer la trouille au vieux, mais ne levez pas la main sur lui. Compris ?

— Je vous donne ma parole, dit Scandura.

Victor Scandura, qui ne serait jamais entré dans une maison où il y avait des chiens, resta dans la voiture. Les deux hommes qui étaient devant descendirent et se frayèrent un chemin dans le froid jusqu'à la porte d'entrée. On aurait dit des encaisseurs, du genre de ceux qu'envoient les sociétés de crédit. L'un d'eux était Ralph Roselli dont le gros visage bouffi rougissait au vent. Il avait de gros sourcils touffus et ses yeux lui donnaient l'air faussement endormi. C'était un homme robuste, d'une quarantaine d'années. L'autre homme était le jeune neveu de Ferlito, Augie, qui faisait son premier travail pour Gardella ce qui le rendait un peu nerveux. Il avait les traits anguleux et l'air furtif, des yeux petits et le menton fuyant. Ils frappèrent à la porte à coups redoublés et, comme personne ne répondait, Ralph Roselli l'enfonça d'un coup d'épaule.

Victor Scandura se voûta tandis que le vent se déchaînait contre la voiture pour essayer de s'y engouffrer. Il détestait l'hiver. Il y avait trente ans de ça en Corée il avait failli perdre ses pieds à cause de gelures ; dix ans plus tard, au cours de la guerre des gangs de Boston, son frère aîné avait été étranglé avec un garrot et on avait jeté son corps sur le passage d'un chasse-neige qui l'avait enseveli. Plissant les yeux, il scruta le paysage couvert de neige à l'infini et les arbres nus, puis il consulta sa montre. Il leur avait laissé dix minutes, considérant que c'était tout juste un peu court.

A l'intérieur de la maison Ralph Roselli avait arraché le vieux fusil des mains de Silas Rogers et, le dévisageant d'un air stupéfait, il lui demanda :

— Qu'est-ce que tu croyais que t'allais faire avec ça ? Les chiens se mirent à aboyer. Fais-les taire ! ordonna-t-il et Silas Rogers s'exécuta. Roselli procédait avec un flegme déconcertant. Après avoir fouillé dans les profondeurs de son manteau d'abord une poche intérieure puis l'autre, il finit par sortir un revolver nickelé de calibre 32 dont il appuya le museau contre le front de Silas Rogers. Soudain il fronça le nez : « Il fait dans son froc ! »

Augie fit signe que oui :

— J'en ai l'habitude. On a souvent ça avec les cadavres qu'on nous amène.

Baissant le revolver, Ralph Roselli grimaça de dégoût et se couvrit ostensiblement les yeux comme si le vieil homme ne méritait plus qu'on le regardât.

— Je vais te poser des questions. Tu réponds de travers et je tue un chien. Et si ça, ça ne marche pas, c'est toi que je tue.

Il posa ses questions.

Quand Silas Rogers se mit à parler, tout son visage s'anima, ses traits furent saisis de tremblements, ses rides se creusèrent, ses yeux larmoyants roulèrent au-dessus de ses lèvres sèches secouées par un mouvement frénétique. Il répondit à toutes les questions.

Dehors Victor Scandura appuya sur le klaxon. Les dix minutes étaient écoulées.

4

La mère et la fille étaient de retour des Caraïbes et Anthony Gardella les accueillit sur le pas de la porte. La mère, Mme Denig, dit sur un ton irrité :

— Je l'aurais ramenée tout de suite si vous nous aviez appelées.

Sa fille, la femme de Gardella, ajouta aussitôt d'un air suppliant :

— Oh ! Tony, pourquoi ne l'as-tu pas fait ?

Il aurait pu lui donner plusieurs raisons mais il se contenta d'une seule :

— Je voulais t'épargner.

— L'épargner ? Mais c'est votre femme !

Il supportait la mère car il adorait la fille qui à cet instant ne le quittait pas des yeux. Elle s'avança vers lui portée par ses longues jambes fines. Jane Denig Gardella, dont la beauté avait toujours attiré les regards depuis le jour de sa naissance, était grande et blonde, avec un cou gracile et une taille mince, des yeux bleu marine qui brûlaient de passion pour son mari. Elle était moitié moins âgée que lui.

— Tu n'avais pas besoin que je sois près de toi ? murmura-t-elle.

— Si, répondit-il, et elle se serra contre lui.

— C'est trop horrible !

— Oui...

— On aurait au moins dû être là pour l'enterrement, dit Mme Denig.

— Je ne pensais pas, répondit-il en regardant d'un air impassible sa belle-mère ajuster le col de son manteau. Elle portait des vêtements coûteux et des peignes pour maintenir ses cheveux grisonnants ; ses traits témoignaient d'une beauté que l'âge et certaines désillusions avaient malmenée. Une de ses grandes déceptions fut le mariage de sa fille avec un homme qui était non seulement un Latin mais encore un criminel notoire, avec un regard dont la douceur contrastait avec sa façon de faire. Elle avait accepté sans hésiter la pension qu'il lui versait chaque mois mais elle s'était senti le droit de garder ses distances. Elle recula et ouvrit la porte.

— Où allez-vous ? demanda son beau-fils.

— Devinez ! Chez moi. Je veux coucher dans mon lit ce soir.

— Je vais vous faire reconduire.

— Ce n'est pas la peine, dit Mme Denig avec fermeté. Le taxi attend. Embrassez votre épouse.

Quand la porte se fut refermée derrière elle, Anthony Gardella embrassa sa femme longuement et passionnément puis la tint à bout de bras afin de contempler l'ovale de son visage et ses cheveux blonds.

— Je t'aime tant, chuchota-t-elle, et il l'attira de nouveau contre lui, savourant son parfum. J'aurais dû être à tes côtés, lui dit-elle à l'oreille. Qu'est-ce que les gens ont dit ?

— Ils n'ont rien dit.

— Mais tu aurais dû me tenir au courant. C'est comme si je ne faisais pas vraiment partie de ta vie.

— C'est faux, murmura-t-il.

— Emmène-moi là-haut, Tony. Porte-moi ! Il hésita... Elle devina pourquoi : Nous ne sommes pas seuls, n'est-ce pas ?

— Ma sœur et Victor sont au salon. On doit parler d'affaires, ça ne prendra pas longtemps.

Elle s'écarta de lui et lui adressa un timide sourire. Sa poitrine se souleva sous son corsage.

— Je passe dire bonjour ?

— Non. Attends-moi là-haut.

Leurs yeux se levèrent vers lui lorsqu'il entra dans la pièce. Sa sœur était blottie sur un canapé et buvait du St Raphaël. Victor Scandura se tenait assis bien droit en face d'elle. Il n'avait pas l'air content. Gardella se laissa tomber dans un profond fauteuil et dit :

— Qu'est-ce qui ne va pas, Victor ?

— J'ai essayé de convaincre ta sœur mais elle non plus ne veut pas m'écouter.

— Si c'était arrivé à ta mère et à ton père, demanda Gardella sur un ton grave, est-ce que tu attendrais ?

Le visage de Scandura s'allongea.

— Anthony, écoute-moi. Une des raisons qui font que tu te trouves aujourd'hui là où tu es, c'est que tu es un homme patient. « Un homme patient évite les erreurs » — je te cite, Anthony, et je suis en train de dire qu'on devrait aborder cette affaire comme les autres. Attendre au moins six mois que les choses se tassent. Une année serait préférable. On laisse ces pourris croire qu'ils vont s'en tirer. Le plaisir n'en sera que plus grand le moment venu.

— Non ! l'interrompit Rita O'Dea. Six mois, un an, ils ont le temps de se faire écrabouiller par un train et les voilà tranquilles !

— Rita a raison, dit Gardella en brandissant le poing. Je veux qu'ils en bavent avant de mourir et je veux être là pour voir ça ! J'y tiens absolument !

— Non, tu ne dois pas, Anthony... Scandura était soucieux. Je ne le conseille pas.

— J'y ai droit.

— On sera là tous les deux, ajouta Rita O'Dea.

Scandura ajusta ses lunettes. Il tenta une dernière fois de les convaincre :

— Je n'ai rencontré ce Wade qu'une seule fois, c'est tout. Peut-être qu'il cache quelque chose. Il a l'air réglo mais je ne peux pas en jurer.

— Alors on va être prudents, dit Gardella, nullement ébranlé. Pas d'autres problèmes ?

— Anthony, il va me falloir du temps. Au moins un peu pour tout arranger.

Rita O'Dea finit son verre.

— Alors mets-toi au boulot, ordonna-t-elle sur un ton qui ne manquait jamais d'humilier Scandura.

Jane Gardella avait baissé les stores pour oublier la morne lumière de l'hiver ; elle fit de la place à son époux sur le lit douillet. Elle se tenait allongée en cambrant les pieds afin de les mettre en valeur ; sa taille était d'une minceur surprenante. Il la dévorait des yeux et sa main épousait les lignes de son corps.

— Tu m'as manqué, lui confia-t-il.

— J'espère bien, renchérit-elle en s'offrant toute entière à ses regards.

— Qui as-tu rencontré sur ces plages de sable fin ?

— Serais-tu jaloux ?

— Tu m'as déjà connu autrement ?

Elle roula sur lui, glissant doucement un genou entre ses jambes et lui sourit en approchant son visage du sien.

— Tu aurais adoré les Européens ! Les femmes, même les grosses, portaient des bikinis dont elles enlevaient le haut !

— Comment ta mère a-t-elle pris ça ?

— Pas très bien !

— Et toi ?

— Je l'aurais fait si tu avais été là... On aurait nagé tout nus, certains l'ont fait !

— On n'aurait pas fait ça.

— Oh ! si ! dit-elle avec certitude.

— Tu ne me connais toujours pas.

— Tu te trompes, Tony. Complètement. Elle parlait lentement, plongeant ses yeux dans les siens tandis que ses mèches blondes se déroulaient sur lui. Ses doigts parcoururent son corps. A moi, murmura-t-elle, à moi de te toucher.

Il l'étreignit avec fougue, les mots s'étranglaient sur ses lèvres, des mots intimes et brûlants comme il n'en avait jamais chuchoté à sa première femme. Elle était profondément dévote, avec au-dessus de son lit un Christ d'argile entouré de Saints et dans son cœur les stigmates du martyre chaque fois qu'il l'avait touchée, ce qu'il avait cessé de faire longtemps avant sa mort bien qu'il eût continué à la chérir plus qu'elle n'aurait jamais pu l'imaginer. Sa deuxième épouse était d'une génération différente, d'un autre monde. A califourchon sur lui elle haletait :

— Oui, Tony ! Oui !

Plus tard, vêtus de robes de chambre en soie assorties, ils se rendirent en bas ; la maison était pour eux tout seuls, ce qui arrivait rarement. Elle s'installa sur le canapé occupé un peu plus tôt par sa belle-sœur et le regarda verser du St Raphaël dans deux verres. Il ajouta du soda et un zeste dans celui qu'il lui destinait puis le goûta afin de s'assurer qu'il était bien dosé. Il l'était toujours. Il la rejoignit sur le canapé ; à cet instant précis seule l'intéressait la réalité du moment, heureux qu'il était de la voir de retour. Rester comme ça assis à côté d'elle, avec un bras autour de ses épaules, lui aurait suffi mais elle remit sur le tapis le drame de ses parents :

— Qu'est-ce que tu comptes faire, Tony ?

Il l'aimait passionnément mais pas aveuglément. Il y avait des choses qu'il ne lui aurait jamais dites.

L'inspecteur Wade était rongé par le doute. Il s'en voulait. Tout en jouant avec les crayons sur son bureau, qui avaient tous besoin d'être taillés, il déclara à l'agent Denton :

— Et si je vous disais que je n'étais qu'une merde ? Pensant qu'il plaisantait, l'agent Denton se contenta de sourire. Quand je pose une question, pourquoi ne répondez-vous pas ?

— Qu'est-ce qui ne va pas inspecteur ? demanda Denton.

— Rien que le bourbon ne puisse soigner. Allez vite m'en chercher une bouteille !

— Boire ce n'est pas votre genre...

— Je ne fume pas non plus mais qu'est-ce que je fous avec ça ? Il extirpa une Merit et l'alluma. J'ai une devinette à vous poser, Denton. Qui est-ce qui parle dans les toilettes et fait une proposition que vous ne pouvez pas refuser ? Si vous ne savez pas, je vais vous le dire : un fédéral.

L'agent Denton ne savait pas quoi dire. Il admirait beaucoup Wade, l'adorant presque comme un héros.

— Vous êtes sur un gros coup, inspecteur ? demanda-t-il et Wade grimaça avant de répondre :

— Rien qui vous concerne. Tout ce que je vous souhaite, c'est de ne jamais avoir à passer par là !

— Vous voulez que je vous laisse ?

— Je pense que c'est une bonne idée...

Dès que Denton eut refermé la porte derrière lui, Wade décrocha le téléphone et composa rageusement un numéro à Boston. Russell Thurston finit par répondre au bout d'un moment, sur un ton officiel et guindé. Sans se présenter, Wade déclara :

— Et si je vous disais que je suis en train de changer d'avis ?

— Qui est-ce ?

— Wade.

Il y eut un bref silence.

— Je dirais que c'est trop tard car vous avez déjà tuyauté Scandura sur Rogers. Bon sang qu'est-ce qui vous arrive, inspecteur ?

— Peut-être que j'ai des scrupules... Ça vous étonne ? J'ai l'impression que je vais tomber au niveau de Gardella et il se peut que vous vous y soyez déjà.

— Allez, Wade, on ne demande pas aux flics d'être des saints ! On fait ce qu'on a à faire, sinon la société serait invivable. Seigneur, est-ce qu'il faut que je vous fasse un sermon ?

— Je suis un flic d'État, vous êtes un fédéral. La règle du jeu n'est peut-être pas la même pour nous deux.

— Les règles dépendent de l'enjeu. Ça a toujours été comme ça et ça le sera toujours, vous ne croyez pas ?

— Je ne crois pas en ce qu'on est en train de faire.

Thurston cette fois prolongea son silence.

— Vous aimez votre femme, Wade ?

— Qu'est-ce que ça peut vous faire ?

— Contentez-vous de me répondre, comme si j'étais votre confesseur.

— Oui, je l'aime.

— Si vous voulez qu'elle vous revienne vous feriez bien de vous dépêcher. J'ai cru comprendre qu'elle voit un type régulièrement.

Wade fit un trait sur son bloc-notes et transperça deux épaisseurs de papier avec la pointe émoussée de son crayon.

— Comment avez-vous bien pu savoir ça ? demanda-t-il à Thurston qui lui répondit d'une voix susurrante :

— Croyez-moi, je le sais.

Wade se tut. Il laissa tomber son crayon et se frotta l'œil au point de se faire mal.

Thurston ajouta :

— Je ferai comme si vous ne m'aviez jamais appelé.

Deux semaines plus tard dans Hyde Park l'agent spécial Blodgett se trouvait dans une cabine téléphonique de Cleary Square qu'il emplissait de sa silhouette trapue, tournant le dos au flot des voitures ralenti par l'hiver.

— Je crois bien que c'est parti, j'parierais mon dernier dollar là-dessus. Il approcha les lèvres du combiné : J'en ai vu cinq monter dans une voiture. Blue les a suivis jusqu'à l'autoroute du Massachusetts.

— Cinq ! s'exclama Russell Thurston à l'autre bout du fil. On dirait qu'ils partent pour une véritable extermination !

— Il y a Victor Scandura avec deux tueurs — Ralph Roselli et un jeune que je ne connais pas, bien que j'aie l'impression de l'avoir déjà vu quelque part ; simplement il me reste à trouver où.

— C'est parfait. C'est magnifique. Ce jeune pourra nous être utile un jour. Qui sont les deux autres ?

— J'ai gardé ça pour la fin ! Le visage d'ordinaire impassible de Blodgett s'animait de plus en plus. On dirait que Gardella et sa sœur sont de la ballade.

— Merveilleux ! rugit Thurston. Tout à fait merveilleux !

— J'imagine que du coup vous allez changer vos plans ?

— Non ! dit fermement Thurston. S'ils nous sentent dans les parages ils laisseront tout tomber, à la moindre alerte.

— Patron, c'est un cadeau que le Ciel nous envoie ! On pourrait attraper un hélicoptère et arriver à Greenwood avant eux. On pourrait...

— Vous ne m'avez pas entendu, Blodgett. Ou alors vous ne m'avez pas compris. Je ne veux pas simplement Gardella et sa sœur. Je veux toute la combine. Je veux le plus beau coup de filet que Boston ait jamais connu ! Flics, politiciens, banquiers, tous ceux avec qui Gardella traite. Vous me suivez à présent ?

Blodgett ne sut que répondre.

— Je veux que ça passe à la télé dans les informations nationales et que Ted Koppel en parle dans son magazine *Nightline* où je serais invité avec le grand boss, Webster. Vous voyez le tableau ?

— Oui patron, dit Blodgett, et il raccrocha.

L'auberge était comme une oasis dans la nuit, hérissée de néons criards sur une route de campagne que bordaient des remblais de neige. Sur le parking déblayé des voitures et des camionnettes entouraient l'auberge ; parmi elles, une Thunderbird rouillée ainsi qu'une Cadillac sombre, pas l'Eldorado mais un vieux modèle sans aucun signe distinctif. Rita O'Dea occupait le siège arrière aux côtés de son frère. Elle déballa un sandwich au poulet dégoulinant de mayonnaise et Gardella lui dit de faire attention. Il s'écarta d'elle.

— Tu as une serviette j'espère ?

— Ne t'inquiète pas pour ça, répondit-elle.

Gardella se pencha et murmura à l'oreille de Victor Scandura :

— Ils vont peut-être rester là-dedans pendant des heures.

— Je ne pense pas. Scandura se tourna vers lui. Il était assis devant entre les silhouettes immobiles de Ralph et d'Augie. Ils essaient de draguer mais ils ne savent pas y faire. Alors ils finissent par devenir dingues et ils s'en vont.

L'attente n'en finissait plus. Rita O'Dea termina son sandwich et se nettoya les doigts à grands coups de langue, ce qui eut le don d'agacer son frère comme autrefois lorsqu'elle était enfant. Il tiqua également quand elle chiffonna le papier et le tassa dans le cendrier. Elle lui chuchota quelque chose à laquelle il répondit machinalement, les yeux rivés sur la porte de l'auberge. Des gens étaient entrés mais personne n'était reparti. La porte finit par s'ouvrir pour laisser sortir deux silhouettes qui s'éloignèrent à pas traînants. « Alors ? » demanda Gardella.

Scandura plissa les yeux derrière ses lunettes. Les silhouettes paraissaient flotter. L'une d'elles vacillait. Puis elles se plantèrent brusquement au coin de la bâtisse, jambes raides et canadiennes grandes ouvertes.

— C'est eux, dit Scandura.

Le cœur de Gardella s'arrêta de battre.

Rita O'Dea les regarda souiller la neige et dit entre ses dents :

— Les porcs !

— Tu en es certain ? demanda Gardella à Scandura d'une voix parfaitement maîtrisée. Scandura acquiesça :

— Aucun doute.

Le plus grand se dirigea vers la Thunderbird. L'autre, toujours occupé, tarda à le rejoindre. Rita O'Dea lança à son intention :

— Secoue-là bien mon gars ! C'est la dernière fois de ta vie que tu pisses !

La Cadillac conduite par Augie filait sans bruit dans la nuit loin derrière la Thunderbird qui roulait à tombeau ouvert et dont les feux arrières étaient comme deux langues de feu qui allaient en s'amincissant.

— Ils conduisent toujours comme ça ! dit Scandura par-dessus son épaule. Bande de débiles !

Gardella ne tenait pas en place.

— On va les perdre. Rattrape-les !

— On va arriver à un embranchement, annonça calmement Scandura. S'ils prennent à gauche, ça veut dire qu'ils rentrent chez eux, enfin pas directement à la maison. Ils iront d'abord se mettre dans la grange.

— Et si ils prennent à droite ?

— Je crois savoir où ils iront.

Ils tournèrent à droite et disparurent.

La Cadillac les suivit et s'engagea bientôt sur une route qui grimpait. Le ciel paraissait s'ouvrir, dévoilant toutes ses étoiles. Rita O'Dea devina dans l'ombre qui masquait le visage de son frère qu'il était à la fois triste et impatient. Elle ressentit son énorme soulagement lorsqu'ils rejoignirent la Thunderbird. Les lumières éteintes et le moteur tournant avec un ralenti irrégulier, elle était garée sur une aire dégagée juste à côté de la route. La neige à cet endroit était tassée et miroitait sous le halo métallique de la lune avant de glisser vers un abîme de ténèbres. Gardella se pencha en avant.

— Qu'est-ce qu'il y a là-bas ?

— Rien, répondit Scandura tandis que la Cadillac s'immobilisait pour former un angle droit avec la Thunderbird. Les camions de

52

la voirie viennent là balancer la neige dans le trou. Ça fait une sacrée dégringolade avec des tas de rochers en bas !

— Qu'est-ce qu'ils viennent faire là ?

— Picoler.

— Drôle d'endroit pour faire ça !

— Peut-être qu'ils se tapent une branlette, susurra Rita O'Dea d'une voix sépulcrale.

— Eh les gars ! Vous avez l'intention de rester assis là ? dit Gardella. Aussitôt Augie ouvrit la portière et descendit. Ce faisant il glissa quelque chose dans sa bouche et l'avala d'un seul coup. Gardella le surprit mais ne dit rien. Augie tremblait. Ralph Roselli le rejoignit et lui glissa :

— Fais pas dans ton froc, petit !

La Cadillac ronronnait tous feux allumés. Augie et Ralph soulevèrent le capot. Aussitôt les portes de la Thunderbird s'ouvrirent en grand et les frères Bass apparurent, leurs visages faiblement éclairés par le plafonnier. Ralph les interpella sur un ton qui se voulait perplexe :

— Eh les gars ! Vous vous y connaissez en mécanique ?

Les frères s'approchèrent d'une démarche traînante qui dénotait à la fois leur je-m'en-foutisme et leur insolence. Leurs bras pendaient. Le plus grand des deux, Leroy, demanda :

— On se salit pas les mains pour rien.

— On vous donnera quelque chose, assura Ralph.

Les frères s'intercalèrent entre lui et Augie.

— On dirait un corbillard, dit Leroy d'une voix épaisse. Son frère Wally n'arrivait pas à parler car son nez était bouché. Leroy plongea la tête sous le capot pour la retirer aussitôt. Dordel y tourne ! Qu'est-ce que vous voulez d'plus ?

Ralph sourit, avec sur son gros visage une expression indéchiffrable. Augie se rapprocha de Wally qui devint soudain nerveux. Leroy, qui était sur ses gardes, jeta un coup d'œil à droite et à gauche et demanda ;

— C'est qui ces gens ?

Scandura, Gardella et Rita O'Dea étaient sortis de la Cadillac et s'étaient alignés avec Rita O'Dea au milieu. Avec sa fourrure on aurait dit un ours ; elle fumait une cigarette. Gardella se tenait bien droit. Scandura sourit et ses dents étincelèrent, certaines plus que d'autres.

— Moi je ne suis rien, dit-il. Mais ces personnes viennent d'enterrer leurs parents, Santo et Rosalie Gardella. Peut-être que ça vous dit quelque chose.

Gardella et Rita O'Dea proférèrent des malédictions en italien. Les frères n'en comprirent pas le sens mais le son de leurs voix les terrorisa. Leroy Bass se dressa sur la pointe des pieds et se figea tandis que Wally demeurait sans réaction ; on aurait dit qu'il ne savait pas quoi faire. Ralph et Augie sortirent de longs objets de sous leurs manteaux d'un geste presque machinal. Les frères ne bronchèrent pas comme si ils se croyaient victimes d'une hallucination.

— Au revoir les gars ! leur lança Victor Scandura.

Ralph abattit son démonte-pneu sur le visage de Leroy Bass, arrachant la chair au passage, puis il frappa à nouveau et lui fracassa le crâne. Augie rata son coup, réussissant simplement à briser l'épaule du plus jeune. Ralph finit le boulot à sa place, frappant à chaque fois plus fort jusqu'à ce qu'il ait fait taire le dernier gémissement.

— Laisse-en au moins un bout qu'on puisse cracher dessus, lança Rita O'Dea.

Scandura fit un signe. Ralph et Augie savaient ce qu'il leur restait à faire. Il leur avait donné des consignes. Ils traînèrent les corps jusqu'à la Thunderbird et les entassèrent sur le siège avant. Ralph tenait le volant de l'extérieur en passant le bras par la portière, avec la boîte automatique enclenchée sur la marche avant et le moteur qui ronflait tandis qu'Augie poussait de l'autre côté en dérapant à cause de ses chaussures de ville qui le firent tomber à deux reprises. Le crissement des pneus sur la neige faisait un bruit étrangement harmonieux. Les deux hommes s'écartèrent d'un bond en arrivant au bord du précipice. La voiture s'écrasa au fond avec un bruit étouffé.

Gardella et sa sœur remontèrent dans la Cadillac, pressés de partir. Ils se sentaient terriblement frustrés et déçus. Scandura attendit dehors le retour de Ralph et d'Augie qui arrivèrent tout essoufflés. En ouvrant la portière, Scandura leur lança : « Tirons-nous ! » Mais personne ne bougea. Une voiture de la police quitta la route dans un tourbillon de lumières bleues et rouges et s'immobilisa derrière eux. « Occupe-toi de ça Victor » dit Gardella d'une voix empreinte de fatalité et qui paraissait remonter des profondeurs de la Cadillac.

La portière de la voiture de patrouille s'ouvrit. L'homme qui s'en extirpa portait un bonnet de fourrure et un insigne luisant accroché à sa canadienne. Scandura murmura : « Un municipal, tout seul. » Ralph était prêt à agir mais pas Augie qui avait porté la main à sa gorge. Son menton fuyant plaçait sa bouche trop bas et lui donnait à cet instant une expression abjecte. « Rentre dans la voiture » lui lança entre ses dents Scandura d'un ton furieux. « On n'a pas besoin de toi ! »

Les mains dans les poches de son pardessus Scandura se dirigea aussitôt vers l'agent de police qui se tenait sur la défensive. Scandura le salua d'une voix claire et lui fit croire à un accident.

— Bon Dieu ! Ils étaient combien dedans ? s'exclama l'agent Hunkins.

— Deux, on dirait, répondit Scandura l'air faussement coopératif. Comme j'étais en train de le dire, ils fonçaient à une vitesse dingue !

Ils se mirent en marche sur la neige dure, précédés par la vapeur de leur respiration. Hunkins déclara d'une façon terre-à-terre :

— C'est la falaise de Steuben. S'ils sont passés par-dessus, ils sont morts à l'heure qu'il est ! Soudain il s'arrêta. Il alluma sa torche et balaya le sol de son faisceau. Où sont les traces de dérapage, j'en vois aucune ?

Scandura sortit la main gauche de son manteau et laissa subrepticement tomber quelque chose.

— Ils ont dû rater le virage, dit-il. C'était des jeunes, je crois. Probablement saouls.

— Quel genre de voiture ?

— Ça ressemblait à une vieille T-Bird.

— Toute rouillée ?

— Possible.

L'agent Hunkins haussa les épaules.

— Je crois connaître ces crétins. Des gosses durs à la tâche mais un peu sauvages. Il prit subitement un ton officiel et grave : Vous et vos amis allez devoir rester dans les parages.

Scandura fit un pas de côté l'air de rien. Il remit sa main dans sa poche et regarda par terre en feignant la surprise :

— Qu'est-ce que c'est que ça ?

Hunkins se pencha aussitôt puis se redressa lentement.

— Merde, quelqu'un a perdu son fric ! Un sacré paquet ! Il regarda Scandura qui ne dit rien. Ça doit bien faire dans les mille dollars !

— Au moins.

Hunkins commença à compter d'une main fébrile puis abandonna.

— Plus de mille !

Il y eut un silence.

— C'est à vous, dit Scandura.

— Qu'est-ce que vous voulez dire ?

— C'est à celui qui l'a trouvé. Scandura eut un petit sourire sans équivoque. Il fit tranquillement demi-tour. Je dois m'en aller maintenant.

Hunkins n'hésita qu'une fraction de seconde.

— Bien sûr, pourquoi pas !

A trois heures et demie du matin le téléphone sonna dans l'appartement où Russell Thurston vivait en célibataire. Un bras nu s'allongea en direction de la table de chevet pour le décrocher. « Laisse ! » cria Thurston. « Je t'interdis de répondre à ma place ! » L'appel venait d'un de ses informateurs dont le nom de code était Chérie. « Ils sont de retour » dit la voix au bout du fil.

Quelques heures plus tard, dans son bureau de Kennedy Building, Thurston appela à l'autre bout de l'État. L'agent Denton répondit. « Ce n'est pas vous que je veux, c'est votre patron » dit Thurston. Au même moment il adressa à Blodgett un sourire qui se transforma en grimace lorsqu'il aperçut Blue. Ce dernier n'avait pas été mis au courant de grand chose mais il avait deviné pas mal de choses comme Thurston l'avait prévu dès le départ car c'était là une de ses façons de s'amuser. Son petit secret c'était qu'il faisait davantage confiance à Blue qu'à Blodgett, ce que tous deux ignoraient.

Quand l'inspecteur Wade finit par répondre, le sourire de Thurston s'élargit. « Je crois savoir que justice est faite » dit-il.

5

Dans un bar de l'aéroport international de Miami deux hommes étaient assis autour d'une table basse. L'un d'entre eux, Ty O'Dea, avait un visage rougeaud d'ivrogne irlandais et des cheveux prématurément blancs séparés par une raie bien droite. Le bout de son nez s'allongeait comme si on lui tirait dessus et son sourire était forcé. Il y avait dans ses yeux bleus un mélange de vulnérabilité et de méfiance. L'autre homme, Miguel, à moitié porto-ricain et à moitié américain, avait la taille d'un jockey avec des yeux noirs qui semblaient trop grands pour leurs orbites. Il parlait mal l'espagnol et couramment l'argot américain. Ses yeux étaient rivés sur deux silhouettes qui avaient marqué un temps d'hésitation devant l'entrée grande ouverte du bar.

— Qui c'est ce mec qui ressemble à l'acteur Cesar Romero ?

— C'est lui, souffla O'Dea en sursautant. C'est Tony Gardella.

— Et la gonzesse pendue à son bras ?

— Ça doit être sa femme. Regarde derrière lui, il y a son garde du corps Ralph Roselli.

Miguel fronça les sourcils.

— Appelle Alvaro. Essaie de savoir ce que signifie cette merde !

— Si je bouge y va me repérer !

— T'as la trouille ? Miguel eut un bref sourire sardonique. C'est sa sœur qui avait l'habitude de te foutre des trempes, pas lui !

O'Dea baissa la tête.

— J'peux pas appeler. Rita reconnaîtrait ma voix.

— Si c'est elle qui répond, tu raccroches. Qu'est-ce que ça a de compliqué ?

Anthony Gardella et sa femme s'éloignèrent, suivis de Ralph Roselli. O'Dea leva son verre et le vida. Il buvait son whisky sec.

Brusquement il se leva et se dirigea vers le fond du bar. Il portait un costume bleu ciel avec un gilet assorti et une chemise imprimée dont le col était rabattu par-dessus sa veste. Ses chaussures étaient blanches. Il resta moins de trois minutes au téléphone. Lorsqu'il retourna s'asseoir, il déclara :

— Il est ici pour affaires.

— Des affaires ? Miguel parut quelque peu sceptique. Et il amène sa femme avec lui ?

— Elle voulait pas rester seule.

— Je croyais que Victor Scandura s'occupait de négocier pour lui. Scandura est malade ou quoi ?

— Parfois Tony aime bien prendre les choses en mains.

— Drôle de famille. Il y avait de la suffisance et de la complaisance dans les manières de Miguel. Son visage était doux, sa voix presque féminine. Et Alvaro, qu'est-ce qu'y fout ?

— Il a dit que tu te tracasses pas. Ça sera fait.

L'inspecteur Wade descendit à l'hôtel Howard Johnson's au centre-ville de Boston. Il se trouvait dans sa chambre depuis moins d'une demi-heure quand il reçut la visite d'un inconnu. C'était un Noir, grand et mince, tiré à quatre épingles. Wade referma la porte derrière lui et dit :

— Vous ne ressemblez pas à un agent spécial. Vous avez plutôt l'air de personnifier la réussite de la politique d'intégration raciale. Comment dois-je vous appeler ?

— Blue suffira.

Wade s'assit au bord du lit et Blue s'installa dans un fauteuil en skaï. Ils s'observèrent pendant quelques instants. Sous sa fine moustache impeccablement taillée, les lèvres de Blue esquissèrent une moue dubitative.

— J'espère que vous savez ce que vous faites.

— Pas vraiment, répondit Wade. En fait j'éprouve une sensation désagréable dont je n'arrive pas à me débarrasser. J'imagine qu'il faudra que vous en parliez à Thurston.

Blue haussa les épaules.

— On vous a loué un appartement, quelque chose de convenable mais en rapport avec vos revenus.

— Merci les gars, c'est gentil de votre part. Comment savez-vous qu'il me plaira ?

— Ça vaut mieux que ce que vous occupiez jusqu'à présent.

— Qu'est-ce que vous en savez ?

— On a fait un tour dans votre appartement, répondit Blue. Wade rougit, à la fois choqué et gêné. Vous pouvez emménager dès le premier mars, dit Blue sur un ton dégagé. C'est à cette date que vous serez officiellement muté. On a déposé de l'argent sur votre compte en banque pour les études de vos filles l'an prochain à l'Université de Boston. Vous serez content d'apprendre que cette somme comprend leur pension, les livres ainsi que leur habillement.

Wade essaya de se détendre un peu. Il éprouva le besoin d'allumer une cigarette.

— Dois-je vous considérer comme mon contact ?

— Ça peut aussi bien être quelqu'un d'autre, répondit tranquillement Blue. Thurston a de nombreux atouts dans son jeu.

— J'ai pu le constater. Pendant qu'on y est, vous pouvez peut-être me dire ce que vous pensez sincèrement de lui ?

— Je ne suis pas du genre bavard. Mais j'écouterai attentivement ce que vous avez à me dire sur lui.

— Vous êtes un petit futé, Blue. Tout lisse et insaisissable.

— Ça va avec le costume. Blue se leva. Il avait dit tout ce qu'il avait à dire.

— Voilà une visite éclair, dit Wade en se levant à son tour pour le raccompagner à la porte. Avant de l'ouvrir, Wade demanda :

— Au fait, vous et vos amis vous m'avez déjà choisi un nom de code ? Blue fit signe que oui.

— Cœur Tendre.

Wade quitta Boston pour se rendre à Wellesley, dans une rue calme en fer à cheval à l'écart de la rue principale, là où il avait habité. Les lampadaires scintillaient dans le froid. Il possédait toujours une clef de la maison mais n'avait plus le droit de s'en servir. Par habitude, il l'utilisa quand même. Sans faire de bruit il ouvrit la porte et pénétra dans l'entrée éclairée par la lumière du salon. Rien n'avait changé. Aucun meuble nouveau n'avait été ajouté et le mobilier ancien demeurait à la même place. Pourtant il se sentit comme un étranger. Mais pas comme un intrus. Il avança jusqu'au pied de l'escalier recouvert d'un tapis et appela sa femme, la faisant sursauter.

— Chris, qu'est-ce que tu fais ici ?

Sa voix trahissait une certaine contrariété mais pas de colère. Elle était en train de se coiffer devant les miroirs éclairés de la salle de bains. Manifestement elle se préparait à sortir. Parvenu à la moitié des marches il put l'apercevoir.

— Ne monte pas, lui lança-t-elle mais il passa outre. Elle lui fit face d'un air courroucé, vêtue simplement d'un chemisier de couleur crème et d'un panty à pois. Son visage fin ne manquait pas de charme et sa silhouette indiquait qu'elle surveillait de près sa ligne. Elle avait les yeux bruns et le regard grave.

— Je ne suis pas d'accord avec ça, dit-elle.

— Tu as l'air en pleine forme, murmura-t-il.

— Et toi tu as l'air fatigué. Qu'est-ce que tu veux, Chris ? Il sourit.

— Toi.

— Arrête, dit-elle en commençant à se brosser les cheveux. Arrête de jouer à ce petit jeu.

Il s'appuya contre le montant de la porte et épia le moindre de ses gestes. A ses yeux les années qu'ils avaient passées ensemble n'avaient pas de prix, surtout au début quand ils avaient décidé de s'acheter une maison et mettaient de côté le moindre sou pour réaliser leur rêve. Leur premier enfant avait vu le jour cinq mois après leur mariage. Ils installèrent son berceau dans leur chambre, ce qui ne les empêcha pas de continuer à faire l'amour avec la même ardeur qu'auparavant. Il lui semblait qu'il n'aurait jamais pu se rassasier d'elle. Il se remémorait ses mille et une façons d'accommoder un simple steak haché et sa façon méticuleuse de classer des montagnes de bons de réduction. Il se souvenait de son habitude de promener un doigt autour de sa cheville quand ils regardaient la télévision ensemble et il revoyait son visage radieux lorsqu'elle faisait pour eux des projets d'avenir. Son but à lui c'était de se frayer un chemin jusqu'au grade d'inspecteur qu'il décrocha l'année où ils signèrent pour l'achat de cette maison. Son nouveau poste faisait sa joie tandis que la maison était tout pour elle. Un jour elle finit par lui dire qu'il ne lui consacrait plus qu'un cinquième de son temps, le reste étant englouti par son travail car il s'investissait totalement dans chacune de ses enquêtes. Elle lui reprocha ses horaires irréguliers, ses absences prolongées, les semaines qu'il passait à rechercher des pistes, les mois qu'il consacrait à une opération secrète, toutes ces heures à se demander s'il était toujours vivant. Lorsqu'elle s'imagina que ses filles qu'il ne pouvait se résigner à voir grandir, lui étaient devenues indifférentes, ce fut pour elle la goutte d'eau qui fit déborder le vase. Il ne pouvait lui reprocher sa décision de le quitter mais il ne pouvait non plus accepter qu'elle fût définitive.

— Je suis de nouveau nommé à Boston, dit-il en retenant son souffle dans l'attente d'une réaction favorable de sa part.

60

— Je suis contente pour toi, dit-elle. Je sais que tu ne te plaisais pas là-bas.

— Susan, écoute…

— Non, coupa-t-elle. Ne dis rien. Elle posa la brosse et jeta un coup d'œil à sa montre. Chris, il faut que je me dépêche.

Il devinait à sa voix qu'elle ne voulait pas lui faire du mal mais qu'elle ne souhaitait pas non plus lui donner de faux espoirs. En fait il souffrait déjà et aurait préféré se faire des illusions. Il voulait lui poser une question mais n'arrivait pas à la formuler.

— Descends, lui dit-elle. Je te rejoins tout de suite.

Près de dix minutes s'écoulèrent avant qu'elle ne descendît habillée d'un boléro gris-perle sur une jupe ajustée du même ton. Il leva lentement les yeux vers elle de son fauteuil et lui demanda :

— Qui est-ce Susan ? Quelqu'un que je connais ?

— Non Chris, personne que tu connais.

— Quelqu'un de ton travail ?

Elle hésita. Elle travaillait à l'agence de voyages Benson Tours.

— Oui, acquiesça-t-elle. Quelqu'un de mon travail.

— Un chic type ?

— Oui, un chic type.

— Peut-être que je pourrais rester afin de le rencontrer, suggéra-t-il. Ça serait finalement la moindre des corrections.

— Je ne crois pas que cela soit nécessaire, Chris.

Il se leva du fauteuil en s'efforçant à grand peine de dissimuler son émotion.

— Tiens, c'est pour toi, dit-il en lui tendant le chèque qu'il avait libellé pendant qu'il l'attendait. C'est pour les études des enfants l'an prochain.

Ses yeux s'agrandirent lorsqu'elle lut le montant et elle lui lança un regard soupçonneux.

— Où est-ce que tu as trouvé une telle somme tout d'un coup ?

Il haussa les épaules et lui servit une fable qu'il savait dure à avaler. Si elle avait eu le temps elle aurait exigé une autre explication. Au lieu de cela elle consulta brièvement sa montre.

— Je peux le déposer à la banque ou il faut que j'attende ?

— Dépose-le, dit-il.

Il rentra à l'hôtel Howard Johnson's et laissa sa voiture dans le parking au sous-sol. Refermant son pardessus, il remonta les quelques rues qui le séparaient de Combat Zone où il se fraya un chemin dans la foule bigarrée qui encombrait l'étroite Washington

Street, jetant au passage un coup d'œil aux arcades de couleurs criardes, aux cinémas, aux sex-shops et autres bars à filles. Malgré le froid l'ambiance était au carnaval. Des prostituées aux jambes nues dont certaines étaient mineures mais toutes insensibles au froid, balançaient des sourires comme du grain aux pigeons. Un petit groupe de maquereaux avec de grands chapeaux de fourrure ou de feutre qui complétaient leurs costumes, entrèrent à la queue leu leu dans un bar comme si ils se rendaient à un meeting. Le dernier de la file lança à Wade un regard torve. Wade remonta la rue et pénétra dans une boîte où il savait qu'Anthony Gardella possédait des intérêts.

C'était une des boîtes de Washington Street les plus bondées, peut-être la plus bruyante, avec trois bars circulaires en enfilade, chacun bordant une piste de danse minuscule où une fille se trémoussait au son d'une musique trop synthétique pour Wade, trop assourdissante aussi et qui mettait ses nerfs au supplice. Mais il resta là. Il se dégota un siège au second bar et se fit une place entre deux Noirs qui lui lancèrent des regards furtifs du coin des yeux. La strip-teaseuse remarqua son arrivée et le salua d'un brusque déhanchement. Sa peau était d'un blanc laiteux et elle avait quelques vergetures sur un ventre par ailleurs joli. Wade commanda de la bière en bouteille.

Il en était à sa seconde lorsque l'homme qui était assis à sa droite ramassa ses cigarettes et partit, ce qui lui permit de se dégourdir les bras et les épaules. A deux reprises il repéra du coin de l'œil des hommes à Gardella. Ils avaient leurs photos parmi d'autres dans un dossier que Thurston lui avait donné. Ils étaient là principalement pour surveiller les tiroirs-caisse et accessoirement les strip-teaseuses. Wade retira son coude pour faire de la place à une jeune Noire qui se percha sur le tabouret libre et lui sourit, clignant ses paupières dorées et secouant d'un même mouvement les tresses de sa coiffure rasta. Elle lui dit quelque chose qu'il ne put entendre à cause de la musique. Soudain il sentit son souffle tout contre son oreille.

— Eh, t'es un flic ? Y'a des gens ici qui disent que t'es un flic.
Il se pencha vers elle.
— Oui, je suis un flic, mais ne t'en fais pas. Je suis ici pour me détendre. Je t'offre un verre ?
— D'accord, dit-elle en lui touchant la main pour le remercier du bout de ses ongles brillants. Mais on s'entend pas ici. On devrait aller dans un box.
Il emporta avec lui sa bouteille de bière à moitié vide. Elle le

conduisit dans une obscurité presque complète. Bien qu'il fût impossible de voir l'intérieur des boxes, tous paraissaient complets. Elle finit par en trouver un de libre au bout de la rangée et s'écarta pour le laisser entrer le premier. Il se cala dos au mur afin de lui faire de la place sur la banquette. Il ne pouvait pas distinguer son visage, seulement ses yeux et ses dents.

— On attend une seconde, d'accord ?

— On attend quoi ? demanda-t-il tandis que quelqu'un se penchait à l'intérieur du box. On lui servit une autre bière. Il savait que la bouteille pleine se trouvait là en la touchant ; il devina également qu'on avait apporté un verre pour elle car quelque chose brillait dans le noir.

— T'es certain que t'es pas ici pour coffrer des gens ?

— Je te donne ma parole.

— Tu veux te relaxer comment ? lui demanda-t-elle en glissant la main sur sa cuisse. Je peux te faire des trucs incroyables ici-même. Le tarif c'est selon ce que t'auras choisi.

— Il me faut trop de choses, murmura-t-il. Ici ça ne suffirait pas.

— On peut aller dans un coin tranquille, c'est à trois minutes à pied.

Wade secoua la tête. Ses yeux s'étaient faits à l'obscurité et il pouvait à présent deviner ses traits.

— Pas ce soir. Une autre fois. Ce soir je n'ai pas le moral, il y a trop de choses qui se bousculent en moi.

— C'est quoi ton problème ?

— Un problème de femme. Ma femme me trompe.

Le sourire de la fille étincela.

— Il y a une façon d'arranger ça : tu la trompes et comme ça vous vous retrouvez à égalité et vous serez à nouveau heureux ensemble. Qu'est-ce que t'en penses, hein ?

— J'en pense que t'as tout compris. Si seulement j'avais pu en faire autant ! Quelqu'un passa devant le box. Il ne fit que l'entrevoir mais il devina que c'était un homme. Ça te coûte du fric de m'écouter parler comme ça...

— J'ai l'habitude, répondit-elle.

— Je m'en doute.

Avant de partir il posa un billet de dix dollars sur la table pour les consommations et en glissa un plus gros dans la main de la fille. Elle le regarda avec des yeux de lynx et chuchota :

— T'es un type bien.

En sortant d'un pas détendu il jeta un coup d'œil aux hommes de Gardella. Il sentait leurs regards inquisiteurs dans son dos ainsi qu'il l'avait escompté en venant dans cet endroit. Il savait que tout ce qu'il avait dit à la fille serait répété.

Victor Scandura se pencha au-dessus de son *cappuccino*, accoudé à l'une des minuscules tables du Café Pompei. Il avait ôté ses lunettes et ses yeux, qui n'étaient plus que deux points, paraissaient aveugles. Il dit à Augie :

— Il faut que je te demande quelque chose, ça serait sympa que tu me répondes franchement. Qu'est-ce que tu prends comme came ?

Augie devint pâle.

— De quoi tu parles ?

— Tu ferais mieux de tout me dire, continua Scandura en frottant les marques rouges laissées par ses lunettes sur son nez. Anthony veut savoir.

Augie hésita puis il finit par avouer :

— Ouais je me défonce un peu et alors, y a rien de mal à ça ? Ça ne m'a pas empêché de réussir des tas de gros coups. Celui de l'entrepôt Skelly c'était moi tout comme le camion de viande sur l'autoroute I.

— Tu te défonces. Avec quoi ?

— Des amphés, OK ? De temps en temps.

— Tu me demandes ce que ça fait de mal, je vais te le dire. T'as pas été à la hauteur à Greenwood. Si Ralph avait pas été là je ne sais pas ce qui se serait passé. Tu saisis ce que je suis en train de te raconter ? Tu te bousilles avec la came et tu deviens dangereux pour nous. Si Anthony n'avait pas des égards pour ton oncle je ne serais pas ici en train de te parler. Tu ne serais plus là.

Le visage déjà pâle d'Augie, avec son menton fuyant, devint blanc comme de la craie. Il voulut soulever sa tasse de *cappuccino* mais sa main tremblait trop.

— Ne t'inquiètes pas à cause de moi, j'ai compris.

— Si tu commets une erreur dans ce genre de boulots, dit Scandura d'une voix égale, des tas de gens devront la payer. Alors plus d'amphés...

— Je te jure ! Dis-le à Anthony, OK ?

— D'accord. Scandura remit ses lunettes. Maintenant tire-toi.

Rita O'Dea descendit les escaliers sanglée dans un grand peignoir, le visage moite et luisant après le bain qu'elle venait de prendre. Elle appela Alvaro et finit par le trouver dans la cuisine où il venait de se faire un jus de fruit dans le mixer et était en train de le verser dans un grand verre. Son regard se concentra sur lui.

— A qui c'est que tu parlais au téléphone ?

— A personne, répondit-il. Juste quelqu'un qui demandait si on voulait pas acheter un paquet d'ampoules électriques pour les handicapés. J'ai répondu qu'on en avait plein d'ampoules, plus qu'on ne pouvait en utiliser.

— Arrête tes conneries ! C'était qui ?

Le jus de fruit qu'il s'était préparé était à base de banane, d'ananas, de noix de muscade, de concentré de vanille et de lait écrémé. Il en but une longue gorgée et déclara :

— Délicieux !

— Ça venait de Miami ? C'était une femme ? demanda-t-elle.

— Une seule femme à la fois, Rita. C'est ma règle.

— C'est une bonne règle. Si tu l'oublies tu te souviendras de moi.

— Eh là ! lança Alvaro avec un magnifique sourire. C'est toi qui oublies une chose : je t'aime !

— Ouais, je t'aime aussi... répliqua-t-elle sans modifier l'expression dure de son visage. Amène-toi et embrasse-moi.

Dans l'une des plus luxueuses résidences de Key Biscayne, Anthony Gardella goûtait la fraîcheur de l'air conditionné tout en dégustant un café composé des meilleurs crus. Il était l'invité de Sal Nardozza, un lointain cousin du même âge que lui. Un attaché-case noir avec des serrures chromées était posé sur une table de marbre. Il était bourré de billets de banque, des coupures de cinquante et de cent dollars, dont la moitié devaient être blanchis par l'intermédiaire d'une banque de Miami, le reste étant destiné à financer un achat de cocaïne à des cubains et des colombiens. Quelques instants plus tôt un homme était entré discrètement dans la pièce pour compter l'argent de façon à ce qu'il n'y eût pas de malentendus par la suite. Il avait également présenté un livre de comptes à Gardella que celui-ci avait parcouru attentivement de l'œil exercé d'un comptable avant de lui rendre sans faire de commentaires.

A présent qu'ils avaient réglé leurs affaires, Nardozza alluma un cigare et se carra dans son fauteuil en osier. Il était habillé de façon décontractée, style Floride, et sa chemise était largement ouverte sur la toison argentée qui recouvrait sa poitrine. Il s'exprimait d'une voix âpre :

— Je suis surpris que tu sois descendu ici en personne mais je suis content de te voir. Tu reste à dîner j'espère ? On va préparer un repas digne de toi.

Gardella secoua la tête.

— Ma femme m'attend à l'hôtel.

— Dis-lui de nous rejoindre, pourquoi pas ? Si j'avais une femme comme la tienne, je ne la laisserais jamais seule !

— On a réservé des places dans un petit restaurant. Ce sera notre seconde lune de miel.

Nardozza sourit avec respect.

— Tu es un sacré veinard, Anthony !

Gardella reposa délicatement sa tasse, veillant à ce qu'elle fût bien au centre de la soucoupe.

— Il y a un cubain qui prétend s'appeler Alvaro, un ancien garçon de plage du Sonesta. Renseigne-toi sur lui pour moi, tu veux ?

— Pas de problème. Quoi d'autre ?

— Comment va mon beau-frère ?

— Ty ? J'imagine que tout va bien pour lui. J'ai rien entendu de mauvais à son sujet. Il est toujours fourré avec ce métèque, Miguel, mais je crois que t'es au courant...

— Oui, dit Gardella. Je le suis. Mais ce que j'ignore c'est ce que Miguel lui veut.

— Tu veux que je m'occupe de ça aussi ?

— Non, répondit Gardella. Mon beau-frère a une grande gueule. S'il était en train de manigancer quelque chose, tu en aurais entendu parler.

Nardozza prit un air grave.

— Je ne t'ai jamais demandé mais comment Rita a-t-elle pu se laisser mettre le grappin dessus par ce type ?

— De la même façon qu'elle se trouve tous ses mecs, Sal. C'est une femme seule...

— Si elle maigrissait de cinquante livres elle deviendrait magnifique !

— Dis plutôt soixante-quinze.

— Elle est quand même superbe. Quand elle était adolescente j'avais le béguin pour elle, tu te souviens ?

— Je me souviens.

— Transmets-lui mes amitiés, Anthony.

— Je le ferai, dit Gardella en se levant.

Il retourna à son hôtel dans la voiture qu'il avait louée et qui était conduite par Ralph Roselli. Ce dernier avait deux revolvers

66

dissimulés sous sa veste, l'un dans un holster à son aisselle et l'autre passé dans sa ceinture. Ces armes étaient également louées, au même homme qui leur avait remis les clefs de la voiture. Ralph resta dans le hall de l'hôtel tandis que Gardella prit l'ascenseur qui le déposa au quinzième étage. La porte de sa chambre était ouverte et Jane Gardella l'attendait, belle à couper le souffle et tirée à quatre épingles.

— On est en retard, dit-elle.

— Ils nous garderont la table, assura-t-il. Laisse-moi t'admirer...

Elle se tourna d'un côté puis de l'autre et lui demanda :

— Je te plais comme ça ? Il trouva la question superflue.

— Avec toi je me sens dix fois plus important que je ne le suis réellement, dit-il.

Ils se tinrent par la main dans l'ascenseur. Lorsqu'ils débouchèrent dans le hall elle stoppa net en apercevant Ralph.

— Tony, est-ce qu'on est obligé de l'emmener avec nous ?

— Oui, répondit Gardella avec circonspection. C'est drôle mais ici je ne me sens pas trop en sécurité...

De sa chambre à l'hôtel Howard Johnson's Christopher Wade composa le numéro personnel de Russel Thurston. Il était minuit passé. Après que Wade se fut présenté, Thurston lui déclara :

— Ça ne me dérange pas que vous m'appeliez chez moi mais pas à cette heure — j'espère que c'est important !

— Vous disposez d'un appui à la police d'Etat. Je veux dire, vous l'avez prouvé pas vrai ? Qui est-ce, le directeur lui-même ? Le vieux copain du FBI...

— Que voulez-vous Wade ?

— Là-bas à Greenwood il y a un agent de police appelé Denton, un grand gars pataud. Il devrait être promu brigadier. Il le mérite. Pourquoi ne vous en occuperiez vous pas ?

— Je ne suis pas sûr d'avoir bien compris !

— C'est une requête légitime.

— Y'a pas de doute !

— C'est important pour ce jeune et je lui dois bien ça.

Thurston soupira d'impatience.

— Ce que vous me demandez est insignifiant. On aura l'air de quoi vous et moi aux yeux du directeur quand on ira le déranger pour lui demander une chose pareille ?

— Vous voulez dire que vous ne pouvez pas le faire ?

— Bien sûr que si je peux le faire, mais je n'en ai pas l'intention.

— Je vous en prie, Thurston. Faites-moi ce plaisir.

Thurston ne répondit pas tout de suite.

— J'espère que ça ne va pas devenir chez vous une habitude !

— Je vous le promets. Wade s'éclaircit la voix. Pendant que je vous tiens au bout du fil, laissez-moi vous demander quelque chose. Faut-il que je vous fasse une liste détaillée de tous mes frais ou vous contenterez vous du total chaque semaine ?

— Chaque mois... Bien sûr qu'il me faut le détail ! Wade vous essayez de me baiser ou quoi ?

— Oui, répondit Wade. C'est un peu comme un défi pour moi. A la prochaine !

— Attendez une seconde. Wade entendit que Thurston faisait passer le combiné dans son autre main. Après tout je peux vous dire quelque chose que je gardais pour plus tard. Une rumeur qu'un de mes gars a ramassée mais peut-être qu'elle ne vaut rien...

— Allez-y, dit Wade. Je suis tout ouïe.

— Il se peut qu'il y ait un contrat sur Gardella.

Wade leva un doigt jusqu'à ses lèvres où il l'appuya avant de le laisser lentement retomber.

— Ils ne le toucheront jamais, dit-il.

— Je parie là-dessus, déclara Thurston.

6

L'agent Blue habitait avec sa femme dans Beacon Hill, du côté de Cambridge Street, à trois minutes à pied du Kennedy Building. L'hôpital régional du Massachusetts où son épouse travaillait était encore plus près. Assis à table pour le petit déjeuner, il s'attardait devant son café tandis que sa femme feuilletait le *Globe*. Son regard se promena sur la photo d'un homme puis revint se fixer sur le nom écrit en-dessous. Poussant le journal vers Blue elle lui demanda : « C'est pas le type dont tu me parlais ? »

La photo était celle de l'inspecteur Christopher Wade. Elle illustrait un entrefilet où on annonçait son transfert du service des enquêtes du commissariat de Lee aux bureaux du procureur du Comté de Suffolk « où ce vétéran de la police de l'Etat, qu'il sert depuis vingt ans, assumera les fonctions d'enquêteur spécial notamment dans le secteur du grand banditisme. »

— Je plains ce pauvre type, Thurston n'en fera qu'une bouchée, déclara Blue.

Sa femme reprit le journal et examina la photo.

— Il a une bonne tête. J'aime ses yeux.

— Ça serait mieux pour lui s'ils étaient fixés derrière sa tête, dit Blue.

— Tu vas l'aider ?

— Je ne sais pas s'il en vaut la peine.

Ce même article attira l'attention d'un homme au physique agréable installé dans les locaux de l'agence Benson Tours à Wellesley. Il apporta le journal dans le bureau de Susan Wade où il attendit avec vaguement l'air de s'excuser qu'elle ait raccroché

69

le téléphone. Puis, pliant le journal afin de ne laisser paraître que l'article, il le glissa sur son bureau.

— Tu étais au courant de ça ?

— Oui, admit-elle en se rejetant en arrière contre le dossier de son fauteuil. Il hésita.

— Qu'est-ce que ça signifie pour nous ?

— Absolument rien.

Son visage aux rides distinguées s'éclaira ; il fit le tour du bureau et pencha vers elle sa tête allongée qui lui donnait une allure très britannique. Il se flattait de cultiver les meilleures choses de la vie et parmi elles les femmes belles et intelligentes.

— Quel est ton programme ? demanda-t-il en prononçant le mot « programme » à l'anglaise.

— Si tu me demandes si je suis libre pour déjeuner, la réponse est oui.

Anthony Gardella et Victor Scandura étaient également intéressés par la nouvelle de la réintégration de Christopher Wade dans les services de police de Boston. Ils étaient installés dans le bureau du fond de la société immobilière appartenant à Gardella et qui se trouvait dans Hanover Street, à un pâté de maison de l'église Saint-Léonard. Gardella lut deux fois l'entrefilet, la seconde à haute voix pour Scandura qui déclara :

— Ça ne me surprend pas tant que ça. Quand je l'ai rencontré il m'a laissé entendre qu'il était en train de goupiller quelque chose. Il devait savoir ce qui se préparait.

— Ça n'empêche qu'il m'a rendu un service.

— D'une certaine façon on lui en a rendu un. On l'a débarrassé de deux débiles.

Gardella réfléchit quelques instants.

— Il y a deux façons de voir les choses. Soit c'est un type régulier, soit c'est un malin. Qu'est-ce que t'en penses ?

— Je suis comme toi, Anthony. Je choisis toujours la pire hypothèse et je raisonne à partir de là.

Gardella était assis dans le plus grand de deux fauteuils en cuir installés dans la pièce. Sur une petite table se trouvait un paquet de gâteaux confectionnés le matin même dans la pâtisserie italienne du coin. Gardella en mangea un.

— Tu ne l'aimes pas.

— Je n'ai pas dit ça.

70

— Son nouveau poste, Victor, ça peut signifier que ça va chauffer pour nous.

— Qu'est-ce qu'il peut faire contre nous ? Rien.

— Il peut vouloir tout casser ou bien y aller doucement. Je préférerais qu'il y aille doucement, pas toi ? Qu'est-ce qu'on sait sur lui ?

— Je sais qu'il a des histoires de femme. Il a été dans une de nos boîtes pleurnicher sur l'épaule d'une des filles.

— Vérifions ça pour voir si c'est vrai, dit Gardella, soudain intéressé. Une mauvaise femme peut foutre un gars en l'air.

Scandura acquiesça. Il avait été marié à une femme qui ne lui accordait son plaisir que le vendredi. A présent il n'en éprouvait plus le besoin. Il croisa les jambes, allongeant une chaussure surpiquée sur les côtés et perforée au bout.

— Tu n'as rien dit depuis ton retour de Miami, dit-il. Il y a quelque chose qui ne va pas ?

— Je ne sais pas. Gardella était pensif. Ce qui se trame là-bas ne me plaît pas beaucoup. Mon cousin Sal... j'ai l'impression qu'il prépare quelque chose. Je peux me tromper car je n'ai personne en face de moi pour me dire que j'ai raison.

— Tu as rarement tort, Anthony, dit Scandura d'une voix lugubre.

— Je vais te dire ce qui m'a fait tiquer, dit Gardella en tendant le bras pour prendre un autre gâteau. Tu te souviens quand ma sœur a eu seize ans et que Sal, qui avait mon âge, bandait pour elle ?

— Je me souviens que tu m'en as parlé.

— Ça m'a rendu tellement dingue que j'ai failli lui faire sa fête. Enfin toujours est-il que nous voilà dans sa villa de Biscayne et lui qui raconte comment il avait eu le béguin pour elle. Tu te rends compte ? Il me raconte ça, ça veut dire que sa trouille s'est envolée !

— Peut-être qu'il avait oublié que tu étais sur le point de lui faire sa fête ?

— Non. Un gars n'oublie *jamais* une chose pareille.

— C'est vrai, reconnut Scandura.

— Va mettre un peu ton nez là-dedans, Victor. J'ai besoin de savoir.

Le nouvel appartement de Christopher Wade était situé au 3e étage d'un respectable immeuble en briques au bord de Commonwealth Avenue. Il comprenait une kitchenette, une chambre, une grande salle de bains et un immense salon avec un balcon qui donnait sur la promenade bordée d'arbres. Le temps était doux, presque printanier, et Wade imaginait, penché à son balcon, les arbres se recouvrant subitement de feuilles et les oiseaux voletant autour du balcon pour picorer la nourriture qu'il leur apporterait, mais il lui vint à l'esprit qu'il n'attirerait que des pigeons. En rentrant au salon il entendit quelqu'un marcher dans l'appartement du dessus.

Il vérifia si le téléphone était branché. L'Université de Boston n'était pas loin et il songea à appeler ses filles avec l'espoir vague de pouvoir déjeuner avec l'une d'elles. Elles étaient toutes les deux logées à la même cité universitaires, celle de Warren Towers. Il composa le numéro de la chambre de sa fille aînée mais il n'y eut pas de réponse et il n'obtint pas davantage de résultats avec sa cadette. Il avait tendance à ne garder présentes à l'esprit que des images d'elles enfants, quand elles n'étaient que des petites filles avec des nattes, aussi cela lui faisait-il toujours un choc quand il se retrouvait devant les sveltes jeunes femmes plutôt sophistiquées qu'elles étaient devenues, l'aînée en licence de psychologie de l'enfant et la cadette lancée dans des études de journalisme. La sonnerie stridente du téléphone retentit alors qu'il s'en éloignait.

Il fit volte-face et saisit le combiné en se demandant si elles avaient deviné ses pensées et même son numéro qui ne figurait pourtant pas sur l'annuaire.

— Salut Cœur Tendre ! lança Russell Thurston. Il faut qu'on se voit.

Ils se rencontrèrent au nord de Boston sur une aire de repos de l'autoroute 93. Thurston descendit d'une Dodge d'un modèle indéfinissable et se glissa dans la Chevrolet Camaro de Wade vieille de cinq ans, un petit plaisir qu'il s'était offert à l'époque où il avait promis à ses deux filles qu'il leur apprendrait à conduire, une promesse qu'il n'avait jamais tenue. Thurston le regarda longuement.

— Pourquoi faites-vous une tête pareille ?

— Venez en au fait, dit Wade.

— Entendu, répondit Thurston sans se démonter. D'abord je voudrais être sûr que vous sachiez quelles sont les activités de Gardella en dehors du jeu, du racket, de la prostitution et de la pornographie. Il négocie des contrats avec l'Etat pour sa société immobilière et s'occupe de l'élimination de déchets toxiques. Chaque fois qu'il pleut il empoisonne la moitié du New Hampshire avec ses camions pleins de fuites qu'il envoie sur les routes là-haut. Il est aussi mouillé dans...

72

— Thurston, je sais dans quoi il est mouillé.

— Ecoutez-moi bien car vous ignorez la moitié de ce que vous croyez savoir. Récemment il a fait pas mal d'affaires à Miami. Lui et son cousin Sal Nardozza ont financé des trafics de drogue sans risques autres que financiers et en prenant bien soin de ne jamais apparaître directement dans les transactions. Selon nos estimations les bénéfices sont fantastiques. Ils opéraient avec un intermédiaire appelé Miguel mais ils l'ont viré. Thurston claque soudain des doigts pour attirer l'attention de Wade qui semblait avoir l'esprit ailleurs. Vous êtes toujours là ?

— Je vous écoute.

— Gardella blanchit également beaucoup d'argent en Floride, la plupart pour son propre compte mais aussi pour des amis et notamment des politiciens. Il trempe dans toutes les combines.

— Qu'est-ce c'est cette histoire de contrat sur lui dont vous parliez ?

— Ça peut être complètement bidon alors oubliez la jusqu'à ce que j'en apprenne davantage.

Wade regarda à travers le pare-brise le ciel plus laiteux que bleu.

— Comment pouvez-vous être certain que Gardella me laissera l'approcher de près ?

— Ça c'est la partie la plus facile de notre plan, dit Thurston avec suffisancc. Puisque vous lui avez déjà donné un coup de main il va se dire que vous pouvez le faire encore mais cette fois pas pour rien. Laissez-le vous rendre des petits services, rien d'important, et vous vous faites pareil de votre côté. Arrangez-vous pour que ça se transforme en une sorte d'amitié.

Vous parlez de ça comme si c'était du tout cuit.

— Je vous fais confiance.

— Gardella n'est pas un imbécile.

— Vous non plus.

— Il ne va pas se confier à moi quel que soit notre degré d'intimité.

— N'en soyez pas si sûr. Et même si cela n'était pas le cas il vous reste vos yeux et vos oreilles. Thurston mit la main dans la poche intérieure de son manteau et en ressortit une feuille de papier pliée. Voici la liste de tous ceux, politiciens et hommes d'affaires, qui sont proches de Gardella. Vous y trouverez aussi les flics qui reçoivent de lui plus que de l'argent de poche. Quand cette affaire sera terminée, je les aurais tous coincés.

Wade parcourut la liste.

— Je suis étonné de trouver certains noms là-dessus !

— Rien ne doit vous surprendre. Apprenez ces noms par cœur. Il y a un flic qui m'intéresse particulièrement. Scatamacchia. Vous le connaissez ?

— On s'est déjà rencontrés.

Un semi-remorque quitta l'autoroute et passa en grondant près d'eux, faisant siffler ses freins pneumatiques et trembler le sol. Le conducteur arrêta son camion une vingtaine de yards plus loin et sauta en bas de la cabine. Avant de marcher d'un pas pressé vers les bois il regarda la Camaro d'un drôle d'œil.

— Il se demande ce que nous sommes en train de faire, dit Wade avec le sourire. Je crois deviner ce qu'il s'imagine.

Thurston, que ça n'avait pas l'air d'amuser du tout, lui demanda :

— Comment trouvez-vous votre appartement ?

— Très bien. Wade durcit sa voix : C'est qui dans l'appartement du dessus ?

— Vous n'avez pas mis longtemps à découvrir ça, dit Thurston l'air impressionné.

— Je n'ai pas eu de mal. Pas de tapis ou de moquette sur le plancher. Quelqu'un qui habiterait là pour de bon en aurait mis. Qui est là-haut Thurston ?

— Quelqu'un pour vous protéger.

— Et bien sûr pour protéger vos intérêts par la même occasion.

— Pourquoi pas ? dit Thurston avec bon sens. Quand le chauffeur du camion ressortit du bois il lança un nouveau coup d'œil à la Camaro. Thurston lui fit un bras d'honneur.

— Me voilà de bonne humeur pour la journée grâce à vous, lui dit Wade.

Alvaro referma le rideau. De la salle à manger de Rita O'Dea il avait une vue dégagée sur la maison d'Anthony Gardella et sur le grand jardin derrière où la femme de Gardella était en train de se promener, inspectant les dégâts causés par le gel aux arbustes et regardant de temps à autre le ciel doux. Elle était coiffée d'un bandeau, portait une veste de survêtement et des jeans de bonne coupe enfilés dans des bottes de cuir. Ainsi habillée elle ne faisait même pas ses vingt-trois ans. Ses cheveux bouclés flottaient librement. Alvaro adorait les blondes.

D'un pas léger il se dirigea vers une porte fermée et appuya son oreille contre. Rita O'Dea était au téléphone, elle discutait chiffres avec quelqu'un de la société de traitement des déchets toxiques

G & B. Il savait qu'elle allait rester un bon moment encore au téléphone car elle adorait s'écouter parler. Il se glissa silencieusement hors de la maison.

Jane Gardella lui jeta un regard perçant lorsqu'il s'approcha d'elle et se campa devant lui. Elle le dépassait d'un pouce, ce qui ne l'intimidait pas du tout. Au contraire, ce fut lui qui la contraignit à se mettre sur la défensive avec ses yeux sombres qui la parcouraient lentement et son sourire qui tranchait sur sa barbe soignée et semblait insinuer qu'il en savait plus qu'il n'aurait dû sur son compte.

— Nous n'avons jamais eu l'occasion de faire connaissance, lui dit-il d'une voix lente. Je suis l'ami de Rita.

Jane Gardella croisa les bras et réprima un sourire. Quelque chose en elle lui disait de se méfier.

— Alvaro, dit-il.

— Comment ?

— C'est mon nom. Mon prénom plus exactement. J'ai trop de patronymes pour que vous vous en souveniez. Son sourire était mielleux, sa voix encore plus. Rita m'a dit que l'épouse de son frère était jeune mais elle a oublié de préciser qu'elle ressemblait à une vedette de cinéma. Elle aurait dû le faire pour m'éviter un choc !

Jane Gardella se tourna légèrement de côté. La brise fraîche fit voleter ses mèches blondes. Quelque chose la faisait tiquer ; elle avait l'impression d'avoir déjà vu cet homme ou quelqu'un qui lui ressemblait beaucoup, deux ou trois ans auparavant.

— Vous m'excuserez, lui dit-elle.

— Pourquoi cette hâte ? lui lança-t-il avec une intonation qui la retint. Elle était brusquement si familière qu'elle l'effraya pour une raison qu'elle ne parvenait pas à éclaircir. Les yeux d'Alvaro brillaient. Comment a-t-il fait pour rencontrer une femme aussi belle que vous ? C'était ici, à Boston ?

Elle baissa les bras et le dévisagea, notant sa façon de remuer la bouche et ses dents qui luisaient dans sa barbe.

— Miami. C'était à Miami ?

Elle lança un coup d'œil derrière lui.

— Je crois que vous allez avoir des ennuis.

Une ombre s'abattit sur lui. Il fit volte-face mais pas assez rapidement pour éviter la main de Rita O'Dea qui l'agrippa en un éclair.

— T'as un sacré culot, Alvaro, lui souffla-t-elle.

Il fit amende honorable bien plus tard, à la nuit tombée. Debout devant les miroirs de la salle de bains principale, il se passa de la crème et des huiles sur le corps puis de l'eau de Cologne. Il se mit du déodorant un peu partout et se poudra, se rafraîchit l'haleine avec de la menthe et frotta sa courte barbe jusqu'à ce qu'elle luise comme la fourrure de l'animal le plus noir. Ses yeux étincelaient comme ceux de la femme la plus amoureuse. Il foula d'un pas alerte une enfilade de tapis jusqu'à l'imposant lit de Rita O'Dea dont il retira le couvre-lit et s'allongea sur la couverture pour l'attendre et la surprendre.

— Espèce de petite putain, lui murmura-t-elle quelques instants plus tard, penchée sur lui dans une robe qui prenait sur elle des allures de tente. Elle lorgnait avec gourmandise certaines parties de son corps.

— On a besoin de laisser les lumières allumées, Rita ?

— Oui, dit-elle, parce que tu es fou et moi encore plus. Sans le quitter des yeux elle se redressa et libéra sa chevelure luxuriante, d'un noir aussi vif que la barbe de son amant. La lampe de chevet éclairait harmonieusement le corps d'Alvaro. Ne recommence plus à faire le malin avec la femme de mon frère. T'es stupide au point de pas le comprendre tout seul ?

— Tu te trompes toujours sur mes intentions, Rita, toujours ! J'ai pas le droit de parler aux gens ?

Elle ne prit pas la peine de répondre. Elle ôta ses bijoux puis sa robe en la tirant par-dessus sa tête ; elle ne garda que sa combinaison qui paraissait gonflée comme une toile de parachute.

— Tu n'es pas heureux ici ? demanda-t-elle. T'aimes pas l'argent que je te mets dans la poche, la carte de crédit que je te permets d'utiliser tant que tu veux, les habits que je t'achète ? Tu veux vraiment laisser tomber tout ça ?

— Viens ici, Rita.

Elle s'assit au bord du lit et passa son bras par-dessus lui. Ses cheveux lui effleuraient la figure. Il leva la main et caressa son visage replet.

— Ne me force pas à prendre des décisions pénibles, Alvaro, car on en souffrirait tous les deux, toi plus que moi.

— Tu n'auras pas à te plaindre de moi.

— T'as de la chance que je t'aime, lui dit-elle d'un ton brusque.

Au cours de la première soirée qu'il passa dans son appartement Christopher Wade écouta attentivement ce qui se passait au-dessus mais il n'entendit aucun bruit, ce qui ne le convainquit pas pour autant que l'appartement était vide. Quelques minutes plus tard il grimpa silencieusement les marches et frappa discrètement à la porte. Il attendit un long moment et frappa à nouveau. Puis il essaya d'ouvrir mais sans succès. Il plaça sa bouche contre la fente dans le coin de la porte et dit : « Si vous n'ouvrez pas je vais me servir de mon épaule ! »

La porte s'ouvrit.

L'homme qui le laissa entrer était costaud, blond, avec un air sévère et une voix réduite à un simple filet : « C'est drôlement idiot de votre part ! » Puis, sans transition, il tendit la main : « Mon nom c'est Blodgett. »

Wade lui serra la main et entra. L'appartement était identique au sien mais paraissait plus grand en l'absence de mobilier. Il découvrit l'équipement électronique qu'il cherchait. Deux téléphones étaient posés sur le sol. Il jeta un coup d'œil dans la salle de bains qui ne contenait qu'un lit de camp avec un couchage empilé dessus. Une petite table pliante et deux chaises en fer avaient été installées dans la cuisine. On avait posé sur le comptoir un appareil à café du genre de ceux que Joe DiMaggio vantait à la télé.

— Pendant que vous êtes là, vous en voulez une tasse ? demanda Blodgett.

— Non. Wade alluma une Merit mentholée. Il en souffla une bouffée. Vous pourriez mettre un tapis.

— On va s'en procurer un. Du calme, inspecteur. Vous me regardez comme si vous vouliez me bouffer !

— Je me doutais que mon téléphone serait sur table d'écoute mais je ne pensais pas que vous vous arrangeriez pour espionner tout ce qui se dirait dans mon appartement.

— On a tout mis sur écoute sauf la salle de bains, dit Blodgett. Si vous voulez avoir une conversation discrète il vous suffit de vous y enfermer.

— Je ne vous crois pas.

— OK... Alors vous n'avez qu'à tirer la chasse et ouvrir la douche. On ne risquera pas de vous entendre avec ça !

— Et question vidéo ?

— Possible, si on pense en avoir besoin. Mais on vous préviendra d'abord.

Wade alla dans la kitchenette où il se versa une tasse de café. La tasse était en polystyrène, une matière dont il détestait le toucher. Il mit un morceau de sucre dedans et décapsula un pot de crème fraîche qui le fit grimacer quand il s'aperçut qu'elle était pasteurisée. Il la laissa de côté.

— Vous allez vous faire remarquer à force d'entrer et de sortir de l'immeuble. Vous avez davantage une allure de flic que moi.

— Je ne serai plus là, dit Blodgett d'une voix tranquille. Un gars et une jeune fille vont prendre la relève — ne vous en faites pas, ils ne seront pas là sans arrêt. Ils passeront pour des jeunes mariés, c'est des professionnels de ce genre de mise en scène. Ça vous plaît mieux comme ça ?

Wade buvait son café en grimaçant et tirait des bouffées de sa cigarette entre deux gorgées. Il ne savait pas trop quoi penser de Blodgett dont le sourire avait quelque chose de porcin mais qui était par ailleurs décontracté et ouvert.

— Si vous les croisez dans l'escalier saluez les comme des voisins mais ne cherchez pas à entrer en contact avec eux. Par principe ils ne savent de cette opération que ce qu'ils doivent en connaître. Il faut que ça reste comme ça. Ça veut dire qu'il ne faut plus que vous montiez ici.

— Et en ce qui concerne l'autre agent que j'ai rencontré, Blue ?

— Blue est un brave type. Vous pouvez lui faire confiance à cent pour cent. Moi vous pouvez me faire confiance à cent-cinq pour cent !

Wade, le cœur barbouillé, jeta le restant de sa tasse de café dans l'évier. Il ne s'était pas préoccupé de son déjeuner ni de son dîner.

— Vous avez encore une consigne importante à me passer ?

— Pas vraiment, répondit Blodgett d'un air détaché. A part peut-être que j'ai entendu dire que Gardella avait une femme intéressante, moitié moins âgée que lui. Regardez où vous mettez les pieds avec elle : il paraît qu'il est plutôt du genre jaloux !

— Je vais me graver ça dans la cervelle.

— Une chose encore, fit Blodgett d'une voix soudain devenue grave. Méfiez-vous de sa sœur comme de la peste.

7

Victor Scandura quitta l'aéroport de Miami en taxi sous une pluie d'orage. Des trombes d'eau se déversaient sur le pare-brise où les essuie-glaces virevoltaient commes des fléaux. En jetant un coup d'œil dans son rétroviseur le chauffeur lui dit : « Vous avez pas le genre. Le genre de ceux qui vont là où vous voulez aller, je veux dire. C'est pas l'endroit le plus chic du monde. Si je peux vous donner un conseil, faites attention à votre porte-monnaie ! »

Scandura acquiesça d'un petit signe de tête tandis qu'il regardait à travers la vitre ruisselante. Dehors le paysage avait l'air d'être emporté par un tourbillon, les arbres se tordaient, les voitures glissaient comme des fantômes. Le chauffeur se retourna une seconde :

— Si vous voyez ce que je veux dire.

— Je vois, dit Scandura.

Lorsqu'ils atteignirent le quartier des docks plongé dans l'obscurité par l'orage, le taxi dut se frayer lentement un chemin à travers les flaques profondes qui se rejoignaient pour former des lacs sombres. Entre les bâtiments des semi-remorques qui paraissaient à l'abandon émergeaient de derrière des sacs d'ordures oubliés en tas sur le bord du trottoir. Certains sacs étaient éventrés et leur contenu s'était répandu dans le caniveau. « Là-bas » dit Scandura au chauffeur qui répliqua : « Je sais où c'est mais ce qu'y a c'est que j'aime pas aller dans ce coin ! » C'était plus une ruelle qu'une rue, avec la pluie qui s'engouffrait dedans. Le taxi s'y avança prudemment et s'arrêta devant une sorte de hangar bas qui paraissait être en zinc. Sur une enseigne à moitié allumée on pouvait lire : CHEZ DINTY. Le chauffeur dit d'une voix inquiète :

— Ne me demandez pas de vous attendre !

— C'est exactement ce que j'allais faire, répliqua Scandura en détachant d'une liasse un billet de cinquante dollars qu'il déchira en deux.

Il se précipita chez Dinty avant que la pluie n'ait eu le temps de le clouer sur place ou de l'emporter au loin mais elle lui trempa quand même le dos au passage et c'est en frissonnant qu'il referma derrière lui la porte avec un bruit sourd. Il eut un mouvement de recul en respirant cet air froid, puant le renfermé, qui n'avait pas dû être renouvelé pas plus que le décor n'avait changé depuis sa dernière visite qui remontait à environ deux ans. Le barman était obèse et le serveur boiteux. La plupart des clients étaient alignés devant le comptoir et il repéra tout de suite les mouchards aux airs cachottiers qu'ils prenaient même quand ils n'avaient probablement aucun secret à garder... ou à trahir. Seul l'un d'entre eux l'intéressait.

Il se sentit soudain mal à l'aise. Un projecteur l'éclairait en plein. Il s'écarta de son faisceau et se dirigea vers une table chromée placée dans un coin où l'on ressentait le courant d'air du climatiseur. Cinq minutes s'écoulèrent avant que le serveur ne s'approchât en traînant la jambe. Sans le regarder Scandura dit : « J'ai mal au crâne. Apportez-moi une aspirine avec un verre d'eau glacée. »

Il lui fallut attendre à nouveau près de trois minutes pour voir le serveur revenir avec son aspirine en train de se dissoudre dans le verre qu'il cogna contre la table en le posant.

— Le petit mec au bout du bar, il s'appellerait pas Skeeter ? demanda Scandura.

Le serveur jeta un coup d'œil.

— Ouais, c'est Skeeter.

— Je me disais aussi... Il a pas mal changé. Allez le voir, dites-lui de venir ici, je veux lui payer un coup.

— D'accord, j'y vais, dit le serveur.

Skeeter ne tarda pas à arriver avec une dose de whisky dans une main et un verre de bière dans l'autre. Il salua Scandura et s'installa à sa table. C'était un petit bonhomme fébrile avec rien que la peau sur les os, un nez busqué, les oreilles pointues et qui paraissait vivre continuellement sur les nerfs. Sa voix sembla monter des profondeurs d'un costume à l'odeur aigre, trop grand pour lui d'au moins deux tailles :

— Qu'est-ce que tu lui as raconté que j'avais changé ? J'suis exactement pareil qu'la dernière fois qu'on s'est vu.

— Fallais bien que je lui raconte quelque chose, pas vrai Skeeter ?

80

Skeeter était né à Boston dans Prince Street. C'était un ami d'enfance de Gardella. A cause de ses poumons il avait dû fuir le climat de la Nouvelle Angleterre quand il était jeune et se réfugier au sud où il s'était ramassé un peu d'argent de poche en faisant des petits boulots pour des amis de Meyer Lansky. Pour fêter son retour en forme il se mit à boire et ne s'arrêta jamais, perdant la confiance des hommes de Lansky qui durent se passer de ses talents de tireur. De casses en paris truqués il finit progressivement par devenir un mouchard, l'un des meilleurs. Le fait qu'il soit toujours en vie était une énigme pour bien des gens et Scandura, qui n'avait jamais eu recours à ses services, n'était pas le dernier à s'en étonner.

— Anthony t'envoie le bonjour.

— Comment y va ?

— Bien.

— Quand y descend par ici, y vient jamais me voir. Y'a que toi pour venir me voir.

Scandura sentit l'humidité sur ses coudes et frissonna. Sa veste lui collait au dos. La dernière fois qu'il était venu dans cet endroit le barman avait assommé un Mexicain qui voulait le payer en pesos.

— Tu deviens chauve, Victor. Je me souviens quand t'étais gosse t'avais les cheveux blonds. On t'appelait Victor le Boche. La plupart des gens récoltent comme ça des surnoms qui leur collent après toute leur vie. Pas le tien...

— Peut-être c'est parce qu'il ne me plaisait pas, suggéra Scandura.

— Ça doit être ça. Les gens se risquaient pas à t'emmerder.

— Ils s'y risquent toujours pas.

Skeeter esquissa un sourire ; le bas de son visage pendait comme s'il lui manquait un os.

— J'aurais dû rester dans le sillage d'Anthony. Comme ça je serais devenu moi aussi quelqu'un d'important.

— Maintenant que t'as fait une croix là-dessus, dit Scandura, on peut peut-être discuter tous les deux.

— Vas-y, raconte.

— Qu'est-ce que Sal Nardozza est en train de magouiller ?

— Comme d'habitude tu me poses pas la bonne question. Skeeter se tortilla dans son costume comme si il était en train de l'escalader de l'intérieur. Puis il lampa son whisky et attrapa son verre de bière en tremblant de tout son corps.

— Questionne moi sur Miguel Gilberto, je sais un truc sur lui qui pourrait t'épater. Il est à nouveau dans le trafic de came.

— Du petit boulot, on est au courant. Il a Ty O'Dea avec lui ce qui veut dire que ça va pas chercher loin.

— Il monte des gros coups, crois-moi.

— Il a pas d'argent pour ce genre de deal. On lui a coupé les vivres.

— Pas Sal.

Scandura rejeta la tête en arrière de façon à être complètement dans l'ombre.

— Tu veux dire que Sal le finance toujours ?

Skeeter eut un sourire triomphant.

— Il faut que je te l'épelle espèce de couillon ?

Scandula sentit un frisson lui parcourir le ventre. Les conspirations, les intrigues, les trahisons avaient toujours fait une drôle d'impression sur lui comme si quelqu'un l'effleurait du doigt juste en-dessous du nombril. La petite tête de Skeeter branlait dans le col de son costume.

— Combien Victor ? Combien tu vas me donner ?

Scandura avait déjà sorti l'argent, une petite liasse moite qu'il lui passa sous la table. Il était debout avant que Skeeter ne se fût aperçu qu'elle était posée sur ses genoux et il franchit la porte avant même que Skeeter ne commençât à compter les billets. La pluie s'abattit sur lui. Il dut taper du poing contre la vitre du taxi pour que le chauffeur lui ouvrît en disant :

— Bon Dieu c'est la dernière fois que je fais ça !

— C'est la seule façon de vivre, répliqua Scandura.

Ty O'Dea qui habitait dans une petite caravane en tôle à l'extérieur de Miami, se sentait patraque ; pour se remonter il s'envoya une grande rasade de bourbon mais cela ne changea rien. Il finit par s'allonger sur sa couchette et écouta le bruit de la pluie. Bercé par son battement régulier contre la caravane il s'endormit. Quand il se réveilla quatre heures plus tard, la pluie avait redoublé de violence. La bouche pâteuse il prit une nouvelle lampée de bourbon et attendit que la crampe qui l'avait tiré du sommeil passât. Il était assis au bord de la couchette quand la femme qui vivait avec lui revint de son travail. Elle secoua son parapluie et le referma d'un coup sec tandis qu'il la regardait faire avec un pâle sourire. Il prenait toujours plaisir à la voir et se faisait du souci lorsqu'elle était en retard.

— Je me suis senti mal foutu alors je me suis couché, lui dit-il.

— Et maintenant comment te sens-tu ?

82

— Mieux, répondit-il en la regardant fouiller dans son porte-documents pour en ressortir un peigne qu'elle passa rapidement dans ses cheveux bruns qui grisonnaient et perdaient de leur éclat. Elle avait une trentaine d'années. Les ouvrages qui étaient tombés de son porte-documents étaient des livres de poche écornés. Elle enseignait la littérature anglaise et à l'occasion vendait de la marijuana à l'Université Régionale de Dade.

— Si ça s'arrête de pleuvoir, dit-il, je t'emmène au restaurant.

— Je peux préparer quelque chose ici, dit-elle. Réfléchis-y et tu me diras ce que tu préfères.

Elle alla dans la salle de bains qui se réduisait à un compartiment juste assez grand pour qu'une personne pût s'y glisser et ferma la porte. Pendant ce temps là il réfléchit tranquillement au menu du dîner, tout content à l'idée de le partager avec elle. Elle était la première femme avec qui il se sentait réellement bien et la première qui lui manquait quand elle n'était pas là. Il se leva et lui parla à travers la porte de la salle de bains :

— Je t'ai manqué ?

— Oui, répondit-elle. Tu me manques toujours.

— Je me sens veinard tu sais ça ? Pour la première fois de ma vie je sens que tout va comme il faut. Il balaya ses cheveux blancs de devant ses yeux et esquissa un sourire. Il avait de l'argent à la banque, un compte commun avec elle — il fallait leurs deux signatures pour les retraits. Sara, chuchota-t-il en appuyant son épaule contre la porte.

— Qu'y-a-t-il Ty ?

— Je t'aime.

— C'est une bonne chose, dit-elle, car je crois que je suis enceinte. Son visage s'éclaira tout à coup et il ferma les yeux un instant.

— Je suis content, lança-t-il, j'espère que toi aussi !

— Tu le veux Ty ?

— Oui, répondit-il. J'ai toujours voulu un enfant. Si c'est un garçon j'aimerais qu'il s'appelle Tyrone O'Dea Junior, tu n'y vois pas d'inconvénient ?

— Non, Ty, ça ne me dérange pas.

Lui, ça ne le dérangeait pas que l'enfant ne soit pas de lui. Il y avait des années de ça, à la demande de plus en plus pressante de Rita O'Dea il avait subi une vasectomie.

— Demain on va se chercher un endroit meilleur pour habiter, annonça-t-il avec enthousiasme.

Dès son retour de Miami Victor Scandura fit son rapport à Anthony Gardella qui l'écouta attentivement et sans l'interrompre. Quand Scandura eut terminé Gardella ne manifesta aucune émotion comme s'il n'avait pas été blessé dans ses sentiments et déclara :

— Une seule façon de voir les choses. Sal utilise de l'argent qui ne lui appartient pas.

— Les paquets qu'on lui donne à blanchir ?

— Il les blanchit comme il faut, il n'est pas si bête, mais avant il les fait travailler. C'est sa seule possibilité de financer tout seul des gros coups. Si j'étais pas là il aurait pas un sou en poche.

— Si t'étais pas là il ne serait même pas en Floride. Il serait toujours en train de voler des lames de rasoir à l'usine Gillette. J'en ai toujours qu'il m'avait donné.

— Les affaires qu'il fait avec ce Miguel, dit Gardella, ça signifie que celles qu'il fait avec moi ne lui suffisent plus. Peut-être qu'il veut m'évincer du même coup.

— C'est à prendre en compte. Il t'a rappelé après ce que tu lui avais demandé ? A propos de l'ami de Rita, Alvarez.

— Alvaro. Ouais, il m'a dit que ce gars est une ordure, un maquereau à la manque, et que c'est un miracle que personne lui ait encore cassé les reins et que je pourrais peut-être le faire — un avis dont je n'ai pas besoin.

Scandura attendit quelques instants avant de prendre la parole :

— Il serait temps que Rita grandisse, tu ne crois pas ?

— C'est pas à toi de dire ça, coupa Gardella en durcissant son regard.

— Excuse-moi Anthony, j'ai été trop loin.

— Il y a trop de choses qui me tombent dessus, Victor. Je ne me suis toujours pas fait à ce qui est arrivé à mes parents. Rita non plus. Si je la regarde de travers ça lui brise le cœur. Elle croit que personne ne l'aime. Je l'aime, mais il faudrait presque que je lui écrive noir sur blanc ! Gardella soupira. Il y a aussi cette histoire avec le neveu de Ferlito, Augie, que je n'ai pas oubliée. Qu'est-ce que t'en penses Victor ?

— Je lui ai parlé comme tu me l'avais demandé. Je pense qu'il faut l'avoir à l'œil et on verra ce que ça donnera.

— Et pour l'autre ? Wade. Je ne veux pas de coup fourré.

— Il s'est installé dans un bureau du Saltonstall Building, au vingtième étage. Sur la porte il n'y a marqué rien d'autre que *Privé*. On m'a dit que ça avait l'air top-secret.

— Et en ce qui concerne sa femme ?

— Il est au courant qu'elle sort avec son patron, John Benson, le gars de Benson Tours. Ils sont partis en voyage ensemble. Devine où — à Key Biscayne.

Gardella était pensif et un peu peiné même.

— Un type séparé de sa femme s'attend toujours à ce qu'elle sache se tenir. Il y a des gars que ça peut foutre en l'air. Qu'est-ce que tu en penses ?

— Je ne sais pas Anthony. Je ne peux pas me mettre dans sa peau.

— Je crois que lui et moi on devrait discuter. Par le fait qu'il m'a rendu un service en me donnant un tuyau. Il est assez malin pour s'en souvenir.

— Le tout c'est d'y aller prudemment. Tu sais comment je suis avec les flics. Même Scat me donne du souci. Je n'ai pas oublié qu'il avait balancé mon frère quand ils étaient gosses à l'école pour avoir piqué dans la poche du curé. Le père d'Agostino, tu t'en souviens ?

— Scatamacchia est l'un des nôtres, trancha sèchement Gardella. Pas Wade. J'ai l'impression que c'est le genre de type qui se sentira insulté si on lui fait une offre.

— Quel genre de type se sent insulté ? Ça rend peut-être dingue mais de là à se sentir insulté !

— Je viens de te le dire ! Des gars comme lui. Il viendra pas directement pour annoncer : je suis preneur. Peut-être qu'il veut se faire croire des choses.

— Il faudrait que quelqu'un lui dise que tout le monde en croque...

— On peut le tester et lui rendre des petits services. Il est seul, on va lui trouver une fille. Gardella baissa la voix. L'argent viendra après. Petit à petit bien sûr. Mais d'abord je veux lui parler face à face. Arrange-moi ça.

Scandura acquiesça. Il avait un verre de bière devant lui. Du sel était éparpillé sur la table et des grains demeuraient collés sur le tranchant de sa main.

— Que comptes-tu faire avec Sal ?

— J'ai le choix Victor ? Dis-moi...

— Tu ne vas pas d'abord essayer d'éclaircir la situation ?

— C'est mon problème et celui de personne d'autre.

— Alors la seule question est de savoir si écarter Sal sera suffisant.

— Continue, Victor.

— Si Sal a un contrat sur toi, il a dû le passer par l'intermédiaire du métèque, Miguel.

— Lui aussi sera du voyage.

— Il faut savoir maintenant qui a été chargé d'exécuter le contrat.

— Je te laisse le soin de le découvrir, soupira Gardella avec un geste qui trahissait sa lassitude mais aussi une certaine tristesse comme s'il venait d'avoir une prémonition. Scandura ajusta ses lunettes et leva son verre de bière.

— Reste maintenant le cas de ton beau-frère.

— Il faut que j'y réfléchisse, dit Gardella.

Le Procureur ne connaissait pas l'inspecteur Wade et ne voulait pas le connaître. L'un de ses brillants jeunes assistants, dîplomé de la faculté de droit du Suffolk avec les félicitations du jury, demanda : « Qu'est-ce que c'est que cette histoire ? » et le Procureur lui répondit de s'occuper de ses affaires. Le Procureur avait été vaguement mis au courant par le FBI qui lui avait fait jurer de ne pas dévoiler le peu qu'on lui avait dit et qui lui avait promis une partie des honneurs si le coup réussissait et aucune part des responsabilités s'il échouait. Au cours de son entretien avec le directeur Russell Thurston il lui avait dit : « Je ne veux pas le voir dans les parages. » Thurston lui avait répondu de ne pas s'en faire. « Si on le retrouve au fond du port » avait ajouté le procureur, « Je ne veux aucun embêtement. »

« Vous avez ma parole » lui avait assuré Thurston.

L'inspecteur Wade était installé dans un bureau de deux pièces dans le Saltonstall Building d'où il pouvait apercevoir la poste, le Kennedy Building et l'Hôtel de Ville répartis dans Government Center. La première pièce était meublée avec des bureaux métalliques et des classeurs vides. Wade utilisa l'un de leurs tiroirs pour y fourrer ses affaires personnelles qui comprenaient un nécessaire de rasage et un automatique Beretta 9 mm, le frère jumeau de celui qu'il portait sur lui. Sur chaque bureau se trouvait un téléphone et un bloc de papier. Des photos d'identité des caïds du coin ornaient un tableau d'affichage. La seconde pièce était vide à l'exception d'un lit pliant avec des couvertures au cas où Wade souhaiterait passer la nuit là, ce qu'il considérait comme peu probable. Il y avait un petit lavabo mais pas de toilettes. Pour ça, il fallait descendre en-bas jusque dans le hall.

Lors de sa seconde journée dans les lieux il appela Thurston et lui demanda :

— Où est mon équipe ?

— Je suis en train de m'en occuper.

86

— Je n'ai rien à faire.

— Bientôt vous aurez des tas de choses à faire. Pour l'instant les gens se demandent pourquoi vous êtes là, Ça crée une tension.

— Alors je n'ai qu'à rester assis ici sur mon cul !

— Jusqu'à ce que je vous dise de le bouger.

Wade raccrocha brutalement le téléphone. Il ferma la porte de son bureau à clef et quitta l'immeuble à grandes enjambées. C'était à l'heure de midi, par une journée douce avec un léger vent. Il était retenu au bord du trottoir par le flot des voitures qui montaient à l'assaut de Cambridge Street sans se soucier de savoir s'il y avait un piéton sur leur chemin. Il attendit d'avoir la permission du feu pour traverser la rue. Le rond-point de Government Center grouillait d'employés de bureaux descendus prendre le soleil, hommes et femmes bras nus. Il y avait parmi eux des touristes ainsi que des camelots et des vendeurs ambulants avec leurs voitures à bras pleines de hot-dogs fumants. Un vieillard délabré déjà envahi par la mort faisait sonner les pièces dans sa sébile. Wade, qui ne pouvait jamais passer devant un mendiant sans donner quelque chose, lui glissa précipitamment un dollar. Un jeune chinois sur des patins à roulettes voltigea autour d'eux comme un lutin.

Du coin de l'œil Wade remarqua que le mendiant essayait de le suivre, pour le remercier ou alors pour lui demander encore un peu d'argent. Puis il parut se perdre en chemin, s'évanouir comme s'il n'avait été qu'une apparition, un esprit semblable au jeune sur ses patins.

Wade fit la queue pour acheter un hot-dog à un vendeur ambulant complètement débordé. Il avait devant lui un échantillon des gens qui travaillaient à l'Hôtel de Ville, du genre hommes de Cro-Magnon en chemises Arrow et aux conversations terre à terre. Soudain tous se retournèrent pour regarder derrière Wade où un attroupement venait de se produire. Wade pivota.

Il joua des coudes pour se frayer un passage à travers la foule figée par un spectacle qui la fascinait. « Poussez-vous ! » cria-t-il en écartant les badauds de son chemin. Le mendiant était étalé sur le dos, ses pièces de monnaie éparpillées autour de lui ; quelqu'un avait mis le pied sur le dollar. Wade se pencha sur lui. Il y avait des traces de sang séché sur son visage ; il avait dû s'écorcher en se grattant plutôt qu'en se rasant. Une frange d'écume jaune bordait ses lèvres. Ses yeux étaient révulsés et ses doigts s'étaient recroquevillés comme des serres. Wade chercha à entendre les battements de son cœur et à prendre son pouls puis, avec une grimace tandis que la foule hoquetait, il lui fit le bouche à bouche.

Ce fut en vain.

Il se releva en titubant alors que deux policiers se dirigeaient vers lui. « C'est fini » dit-il avant de s'éloigner d'un pas mal assuré, jouant à nouveau des coudes mais avec moins de retenue cette fois. Il s'acheta une boîte de Coca-Cola, en prit une bonne rasade pour se rincer la bouche et la recracha dans le caniveau avec un haut-le-cœur. Un passant l'effleura.

— C'est pas une façon de gagner sa vie, lança Victor Scandura en poursuivant son chemin, le regard dissimulé par l'éclat de ses lunettes. Puis il s'arrêta et tourna la tête.

— Vous avez quelque chose à me dire ? demanda Wade.

— Une autre fois, répondit Scandura. Quand vous vous sentirez mieux.

8

Quatre agents fédéraux du bureau de New York étaient arrivés par avion avec en poche des ordres de mission fraîchement fabriqués et portant le cachet du Comté de Suffolk, État du Massachusetts. L'agent Blodgett les accueillit à l'aéroport, leur fournit des voitures de location et les guida dans la circulation matinale de Boston qui s'écoulait comme un flot de lave le long des rues. Il les conduisit jusqu'au Saltonstall Building où ils se réunirent dans la première pièce du bureau de Wade, raides dans leurs costumes identiques. Tous avaient des connaissances en matière de comptabilité et d'analyse financière. Et ils avaient tous l'air sec, distant et pas commode — idéal pour ce genre de boulot, songea Wade. Il lança un coup d'œil à Blodgett et dit :

— Je suppose que Thurston les a mis au courant.
— Ils savent ce qu'on attend d'eux.
— C'est-à-dire ?
— Harceler et flanquer la trouille.
Wade parut sceptique.
— Ils peuvent harceler Gardella mais ils ne lui feront pas peur.
— Ils lui causeront du souci, répliqua Blodgett d'une voix grave et autoritaire. Ça suffira pour ce que vous avez à faire.
— C'est vous qui le dites !
— Vous êtes trop inquiet !
— C'est mon tempérament.
— Changez-le.
— Vous parlez comme Thurston !
Blodgett sourit comme si on venait de lui faire un compliment.
Moins d'une heure plus tard Wade et deux des quatre agents arrivèrent devant les locaux poussiéreux de la société de traitement

des déchets toxiques G & B qui se trouvaient dans Boston Est. Un camion citerne était garé derrière une chaîne tordue par endroits et qui barrait l'accès de la cour. Une pancarte sur laquelle était écrit en gros DÉFENSE D'ENTRER se balançait, accrochée à une grille qui s'ouvrit en grand lorsque Wade la poussa. Les trois policiers entrèrent au pas de charge dans un bâtiment en parpaings, suivirent un long couloir sombre et firent une entrée fracassante dans un bureau étonnamment net et clair, avec un mobilier mariant le chrome et le cuir. Deux femmes les dévisagèrent d'un air ébahi derrière leurs bureaux et un petit homme aux cheveux plats bondit du sien, un foulard Givenchy noué autour du cou.

— Mais bon sang qui vous a laissé entrer ?

Wade semblait sourire.

— Vous êtes Rizzo, pas vrai ? C'est vous le gérant.

— Je suis le propriétaire.

— Non, vous êtes le gérant ! C'est Rita O'Dea qui vous donne les ordres et elle-même obéit à son frère.

L'homme se tint aussitôt sur ses gardes et son regard se durcit. Sa cravate descendait plus bas que sa braguette. Il portait une chemise en soie.

— J'ai vu votre photo sur le journal.

— Alors vous savez pourquoi je suis ici, dit Wade en se tournant vers les secrétaires qui aussitôt baissèrent les yeux. Sans être d'une beauté académique elles avaient toutes deux quelque chose d'un peu sauvage et d'attirant. Wade les reluqua ostensiblement.

— C'est de la foutaise tout ça ! s'exclama le gérant et Wade reporta son regard sur lui.

— Je n'ai vu qu'un seul camion dans la cour. Où sont les autres ?

— En train de transporter des déchets.

— J'ai entendu dire qu'ils n'ont pas de destination précise. Ils se contentent de franchir les limites de l'État et alors leurs citernes se mettent à fuir un maximum...

— Vous avez mal entendu.

Wade prit un air digne.

— Voici deux de mes assistants. M. Holly, et lui c'est M. Haynes. Ils vont contrôler le relevé de tout ce que vous avez transporté cette année et vérifier votre comptabilité. Il faut vous faire à l'idée qu'ils seront là pour au moins un mois.

Le regard du gérant brilla d'une lueur méprisante.

— C'est des conneries !

— Vous ne me croyez pas M. Rizzo ?

— Vous avez un mandat à me montrer ?

Wade exhiba une commission rogatoire.

Une demi-heure plus tard, de retour à Boston dans le quartier des affaires il laissa sa voiture dans un parking privé et fit le tour jusqu'à un imposant immeuble de bureaux aux vitres teintées dont la société Aceway Development occupait tout un étage. Anthony Gardella en était l'un des principaux actionnaires bien que son nom n'apparût pas officiellement dans les statuts. Les deux autres agents venus de New York l'attendaient au pied de l'immeuble. Leurs noms d'emprunt étaient Danley et Dane. Celui qui s'appelait Danley s'avança en souplesse et son reflet glissa sur les vitres sombres de la façade.

— On vient de voir monter Gardella, annonça-t-il d'un air satisfait. Wade, lui, ne l'était pas. Qu'est-ce qui ne va pas inspecteur ?

Wade contempla la circulation bruyante et polluante.

— N'y allons pas tout de suite.

— Pourquoi pas ?

— Je n'ai pas envie de me retrouver nez à nez avec lui.

L'agent Danley fit la grimace.

— Vous avez peur de lui ?

— Oui, avoua Wade. J'ai peur de lui.

D'une fenêtre mansardée dans la chambre de Rita O'Dea, Alvaro apercevait sur toute sa longueur l'allée qui conduisait à la maison d'Anthony Gardella. Lorsqu'il vit le pinceau des phares balayer l'obscurité il nota l'heure puis le fait que, comme d'habitude, Gardella entrait chez lui par le garage qui était divisé en trois boxes dont les portes s'ouvraient automatiquement. Il remarqua en outre que des deux hommes qui étaient arrivés avec Gardella seul l'un d'entre eux restait avec lui. Il s'agissait de Ralph Roselli qui devait probablement passer la nuit en bas dans une chambre d'ami. L'autre homme, Victor Scandura, repartait au volant de sa propre voiture.

Alvaro observa enfin que le jardin était éclairé à giorno comme à l'accoutumée.

Il s'écarta prestement de la fenêtre lorsque Rita O'Dea l'appela de la salle de bains. Avec pour tout costume un slip d'une couleur magenta aussi vive qu'une casaque de jockey il s'avança à petits pas jusqu'à la cabine de douche pleine de vapeurs d'où Rita O'Dea émergea comme un gros bébé joufflu.

— J'ai pas de serviette ! s'écria-t-elle.

Il en dénicha une en tissu éponge avec un monogramme brodé dessus. Il s'en était servi un peu plus tôt mais elle était sèche à présent. Il la déroula et essuya sa peau qui tremblotait. Il passa ensuite doucement la main jusqu'en bas de son dos et le contact de ses ongles la fit frissonner. Elle enleva son bonnet de bain, libérant sa chevelure, et le dévisagea par-dessus son épaule.

« Il y a des fois où tu fais ce qu'il faut au bon moment », lui dit-elle en cherchant ses lèvres. Son baiser était fougueux, le sien expérimenté. Il l'aida à enfiler un énorme peignoir qu'il attacha pour elle. Au moment où elle tendit la main pour attraper une brosse le téléphone retentit dans la chambre. « Va le chercher ! » ordonna-t-elle.

Il lui rapporta le combiné qui fonctionnait sans fil. Il attendit afin d'écouter ce qu'elle allait dire et comprit instantanément à son intonation qu'il s'agissait de son frère. Elle lui jeta un coup d'œil : « C'est personnel ! »

Il se retira dans la chambre mais elle estima qu'il ne s'était pas suffisamment éloigné et lui ordonna de descendre, ce qu'il fit après avoir enfilé un pantalon moulant. Il se rendit dans la cuisine où une batterie de casseroles et de poêles soigneusement astiquées était accrochée au mur comme un trophée. Un couteau luisait sur sa planche à découper. Il ouvrit une porte de service et scruta l'obscurité glaciale. Presque toutes les lumières étaient éteintes dans la maison de Gardella. Il n'y avait jamais mis les pieds mais il savait qu'elle était disposée à l'intérieur à peu près comme celle de Rita. Il savait également que Gardella ne s'attardait jamais longtemps devant une fenêtre éclairée même si son store était baissé.

Il remonta dans la chambre où Rita O'Dea se déplaçait d'un pas lourd. Elle était en train de s'habiller précipitamment sans se soucier de son apparence ce qui ne lui ressemblait guère.

— Qu'est-ce qui se passe ? demanda-t-il sans recevoir de réponse, pas même un coup d'œil. Pourquoi tu ne dis rien ?

— Toi aussi tu devrais la boucler ! Elle secoua les épaules. Boutonne-moi !

Il souleva sa chevelure. Elle sentit son souffle sur son cou lorsqu'il boutonna sa robe.

— Où tu vas ?

— Mon frère veut me voir.

— Des ennuis ?

— T'occupe ! Si ça te regardait, je t'en parlerais !

Il se campa devant elle et l'obligea à le regarder. Sa barbe luisait et sentait l'huile de cirier.

— Qu'est-ce qui se passe, t'as peur que je marque tout ce que tu me dis dans un carnet ?

— Non, uniquement ce que je ne te dis pas.

— Explique !

— Ça veut dire que mon frère et moi on fait confiance qu'à nous deux ! Elle eut un petit sourire : C'est comme ça qu'on continue à faire des affaires ensemble, mon mignon !

Jane Gardella, en regardant par la fenêtre de sa chambre qui était plongée dans l'obscurité, aperçut Alvaro debout sur le seuil de la porte de service de la maison de Rita O'Dea. Soudain elle se rappela où elle l'avait vu autrefois.

Un frisson glacé lui parcourut l'échine.

C'était la barbe qui l'avait trompée. Elle s'écarta lentement de la fenêtre et dut se retenir de toutes ses forces pour ne pas se précipiter en bas dans les bras de son mari. Il y avait des choses qu'elle ne pouvait pas lui dire.

Ça s'était passé il y avait trois ans de ça.

Elle vivait alors sous le nom de Jane Denig et travaillait comme hôtesse de l'air à la compagnie Delta. Elle était assise à l'avant d'une Porsche rouge, sur un parking bondé de l'aéroport de Miami. A travers le pare-brise elle pouvait voir son petit ami Charlie négocier avec un acheteur quelque vingt yards plus loin. Charlie n'avait pas le choix. Il avait des dettes, il était en retard pour sa pension alimentaire, avec une hypothèque sur son appartement et les traites de la Porsche à régler. Elle n'avait pas le choix non plus. Elle l'aimait ou du moins se l'imaginait-elle.

Elle observait le deal se faire, à l'abri dans la voiture. On ne pouvait distinguer son visage qui était dans l'ombre alors que le crépuscule flamboyant avait envahi le ciel de Floride. L'argent changea de main d'une façon quasi rituelle. La cocaïne suivit, avec une légère hésitation. Un dernier rayon de soleil permit à Jane Denig d'apercevoir l'acheteur qui était manifestement latino-américain, mince, rasé de près et très beau. Il parut lancer un petit baiser à Charlie avant de disparaître.

Charlie regagna la Porsche en courant et se jeta derrière le volant, le visage livide.

— Bordel ! s'écria-t-il en tremblant et en fouillant partout pour trouver une cigarette. Il m'a payé que la moitié de ce qu'il m'avait promis !

— Alors pourquoi tu lui as donné la came ? demanda-t-elle.

— J'ai pas voulu jouer au malin avec lui, avoua Charlie d'un air pitoyable. Je sais ce qu'il fait en dehors de ça.

Elle le laissa lui dire quoi.

— Il tue des gens...

Christopher Wade rencontra Russell Thurston dans un endroit à peine éclairé, derrière un immeuble sombre au milieu d'un tas de papiers, d'épluchures de fruits et de boîtes de soda aplaties qui jonchaient le sol comme des débris après une explosion. Suffoqué par la puanteur qui se dégageait d'une allée utilisée comme WC, Wade demanda :

— Vous n'auriez pas pu choisir un meilleur endroit ?

— Prenez-ça comme une aventure !

— Je vous fais un rapport ?

— On m'en a déjà fait un. Les choses ont bien marché. Un sourire ironique passa comme une ombre sur le visage taillé à la serpe de Thurston dont l'haleine trahissait ce qu'il venait de manger, en l'occurrence de la cuisine française au café Plaza. Mais dites-moi, vous avez vraiment peur de Gardella ?

— Oui, c'est vrai.

— Enfin, tant que ça ne vous rend pas trop prudent... Quand pensez-vous qu'il vous contactera ?

— Bientôt. Victor Scandura a montré le bout du nez.

Le cœur de Thurston se mit à battre plus fort.

— Gardella va vouloir vous inviter à dîner, pas dans un de ces bouis-bouis ritals mais dans un endroit chic. Il aime bien frimer.

— Vous m'avez l'air de bien connaître ses habitudes !

— Je connais les ritals.

Wade éprouva un sentiment étrange qu'il ne parvenait pas à s'expliquer. Il ne le cherchait pas non plus. Le ressentir était suffisamment pénible et la lueur dans le regard de Thurston rendait cette impression pire encore. Thurston se rapprocha.

— Il se passe des choses à Miami qui pourraient avoir des répercussions ici. On pense que l'argent de Gardella est en cause ; il a rendu quelqu'un gourmand. Des têtes risquent de tomber.

— Vous allez laisser faire ? demanda Wade.

— Comment l'empêcher ? Et même si je pouvais, pourquoi le voudrais-je ? Ça va compliquer les choses pour Gardella et pour vous ça va les simplifier.

— Ce contrat sur lui, il doit être au courant.

— Ça colle pas vrai ? fit remarquer Thurston. Il se retourna brusquement. Il y avait du remue-ménage au coin de l'allée où un clochard se mit à tousser à s'en retourner l'estomac. Ils battirent en retraite et se replièrent silencieusement de l'autre côté de l'immeuble dont les fenêtres paraissaient prises dans des mailles d'acier.

— Vous savez à qui appartient cet immeuble ? demanda Thurston en souriant comme s'il venait de se rappeler une bonne blague. Wade leva la tête et distingua tout juste un panneau sur lequel était inscrit en lettres à demi effacées : ENTREPÔTS FRIGORIFIQUES GARDELLA.

— Espèce de fou ! s'écria Wade. C'est avec ma vie que vous êtes en train de jouer !

Anthony Gardella ferma la porte de sa bibliothèque de façon à pouvoir discuter avec sa sœur sans craindre les oreilles indiscrètes. Ils prirent place dans des fauteuils de cuir. D'une voix calme il lui raconta ce qui s'était passé d'abord à la société de traitement G & B puis à Accway Development. « On aurait dû me prévenir moi aussi ! » commença-t-elle à dire mais le regard de son frère lui intima l'ordre de se taire. Il lui fit un bref compte rendu de la situation, juste ce qu'il fallait qu'elle sût, et elle tressaillit quand il lui raconta ce qui se passait en Floride. Il parlait sans hâte, d'une voix neutre, comme si tout ça ne le concernait pas véritablement. Puis il se tut. Elle connaissait suffisamment son frère pour ne pas rompre ce silence. Elle savait aussi que sa participation à ses affaires — un fait sans précédent aux yeux de ses associés — était presque symbolique, c'était un geste de sa part pour lui faire plaisir et afin qu'elle se sentît utile, estimée et bien dans sa peau. Il rejeta sa tête en arrière contre le dossier du fauteuil, ferma les yeux et lui demanda :

— Tu as des questions ?

— Je sais pourquoi tu m'as parlé de Miami, dit-elle d'une petite voix. Ty est là-bas.

— Qu'est-ce que tu éprouves pour lui ?

— Il est toujours mon mari. Je ne veux pas le voir mort. Je ne veux pas aller à la veillée funèbre en sachant que c'est nous qui l'avons tué.

— C'est une ordure !

— Non Tony ! C'est seulement un faible ! Il n'a pas notre envergure. Et tout n'était pas de sa faute. Tu te souviens comment c'était. J'ai jamais été gentille avec lui. Tu sais peut-être pourquoi...

— Je me fous de savoir pourquoi !

— Il me rendait folle ! Il n'était pas toi ! C'est toi que je voulais, Tony, mais tu es mon frère !

— Je ne veux pas écouter ce genre de conversation !

— Mon grand frère !

— Tu as bu ou quoi ?

— Non Tony, j'ai fait l'amour avec le métèque, c'est tout !

— J'ai encore des choses à te dire. Tu veux m'écouter ou t'as l'intention de continuer à débiter des choses qui me rendent dingue ?

— Je veux avoir de nouveau seize ans. Je veux pouvoir m'habiller comme autrefois, et je veux que papa me gronde et que toi tu me consoles !

Gardella écarquilla les yeux et la dévisagea. Son épaisse chevelure accrochait la lumière ; son gros visage n'était plus qu'une ombre.

— Rentre chez toi, Rita, je suis fatigué.

Ce ne fut que bien plus tard, après avoir reçu un bref coup de téléphone de Scandura, qu'il gravit les marches conduisant à sa chambre. Une lampe de chevet était allumée. Sa femme était confortablement allongée sous les couvertures. Il se pencha sur elle et posa un baiser sur son front.

— Je ne dors pas, murmura-t-elle.

Il s'assit au bord du lit et caressa sa joue.

— Si tu étais à ma place, lui demanda-t-il d'une voix soucieuse, que ferais-tu au sujet de Rita ?

— Sois gentil avec elle.

— Je le suis, dit-il. Beaucoup trop.

— Tony...

— Quoi ?

Sa main délicate parut flotter jusqu'à son visage.

— Merci de m'avoir demandé mon avis.

9

Une Cadillac se faufila dans la circulation de Combat Zone et finit par se caser sur une place de parking avec l'une de ses roues à rayons sur la bordure du trottoir. Victor Scandura descendit du côté passager. L'air était doux en cette matinée de mars. Sans prendre la peine de boutonner sa gabardine, Scandura remonta le long du trottoir d'un pas rapide mais soudain il chancela. Une brûlure au ventre lui indiqua que son ulcère, qui ne s'était pas manifesté depuis longtemps, venait de se réveiller. Alors qu'il attendait que la douleur passât, une femme agent de police s'approcha timidement et lui demanda s'il avait un problème. Il s'efforça de sourire. « Tout va bien. Merci de vous en être préoccupé. »

Quelques instants plus tard il pénétra dans un bar à filles aux lumières tamisées. Il paraissait désert en comparaison avec la cohue qui l'envahissait tous les soirs. Deux grosses femmes rougeaudes à l'allure vulgaire occupaient l'un des boxes, une autre était assise au comptoir. Scandura se dirigea vers le fond du bar où un homme avec des taches sur le front et des cheveux fins coiffés en arrière se leva avec un large sourire de la table où il était en train de vérifier les résultats des courses dans l'*Herald*.

— Victor ! Je suis content de te voir.

Scandura se contenta de lui adresser un petit signe de tête.

— On a besoin d'une fille pour un boulot. Il faut qu'elle ait de la classe, qu'elle parle bien et qu'elle sache tortiller son cul sans vous le balancer à la figure ! T'as quelqu'un dans le genre ?

— Pas de problème. Je passe un coup de fil et je te refais signe dans deux heures environ. Tu seras où ?

— Je t'appellerai.

L'homme battit des paupières. Sa voix devint aiguë.

— J'ai entendu dire qu'Anthony avait des ennuis...

— Quels ennuis ?

— L'enquêteur spécial. Ce type, Wade, il va faire une descente ici aussi ?

— Si c'est le cas tu me préviens. Scandura s'apprêta à faire demi-tour.

— Hé Victor ! Je peux t'offrir quelque chose avant que tu partes ?

— Ouais, donne-moi un verre de lait.

Lorsque Scandura regagna la voiture, Ralph Roselli mit aussitôt le moteur en marche et consulta sa montre. « On a tout notre temps », dit Scandura en se carrant contre la banquette, les yeux mi-clos. Ils se rendirent à l'aéroport Logan, au terminal de la compagnie Delta. La Cadillac s'immobilisa dans un crissement de pneus. Ralph Roselli prit un sac de voyage sur le siège arrière et sortit sans que son visage bouffi trahît le moindre sentiment. Scandura se glissa derrière le volant et lui dit simplement : « Bonne chance ! »

Christopher Wade téléphona à Russell Thurston et lui annonça :

— Vous vous êtes trompé ! Il ne veut pas m'inviter dans un restaurant chic. Il veut m'emmener en voyage...

— Qu'est-ce que vous me racontez ?

— Il a une résidence d'été dans le New Hampshire, à Rye Beach. C'est là qu'on doit se rencontrer.

— Je connais le coin, dit Thurston. Blodgett l'a pris en photo il y a quelques années. C'est à une heure et demie d'ici par la route. C'est là qu'il emmenait sa femme — celle qu'il a maintenant — avant de l'épouser. Il n'a jamais voulu la recevoir dans sa maison de Hyde Park avant qu'elle ait la bague au doigt.

— Intéressant...

— Quand avez-vous rendez-vous ?

— Il veut mercredi, en soirée.

— Accordez-le lui !

— J'ai déjà dit à Scandura que je serai là, sans promettre que j'écouterai tout ni même que j'écouterai quoi que ce soit !

— Magnifique ! s'exclama Thurston. Vous êtes un acteur digne d'Hollywood.

— Dans ce cas vous vous êtes qui ? Otto Preminger ?

— Dites plutôt John Ford, rectifia Thurston. C'était mon metteur en scène préféré.

Anthony Gardella emmena sa femme au théâtre. Il avait choisi une pièce à succès et réservé les meilleures places. Ils se rendirent ensuite dans un petit restaurant du quartier Nord resté ouvert tard juste pour eux deux. Le patron était aux petits soins ainsi que les serveurs. Ils étaient particulièrement empressés avec elle, par respect pour lui. De retour chez eux, après avoir tout verrouillé et branché le système d'alarme, il la regarda retirer ses boucles d'oreilles. Quand elle ôta ses escarpins il l'enlaça tendrement.

— Tu es restée bien silencieuse ces derniers temps. Comment ça se fait ?

— Je suis heureuse, Tony. Je n'ai pas besoin de le crier ! Elle lui sourit, mais avec une certaine retenue comme pour éviter de lui donner de fausses impressions. Et toi ? Tu es heureux ? Est-ce que tu m'aimes ?

— Tu sais combien je t'aime. Si je t'aimais davantage je risquerais de sombrer dans la folie !

Ses lèvres s'écrasèrent sur la joue de son mari.

— Parle-moi toujours comme ça, je n'ai besoin de rien d'autre !

— Je ne sais pas ce que tu as en ce moment mais ça me plaît !

Plus tard au lit, main dans la main sous les draps, il lui annonça qu'ils se rendraient le mercredi suivant à Rye Beach.

— J'ai invité quelqu'un, lui dit-il en précisant de qui il s'agissait. Elle se crispa imperceptiblement.

— J'ai lu les journaux, Tony. Je sais qui il est et ce qu'il te veut.

— Le Procureur est derrière tout ça. Il veut en retirer un bénéfice politique, passer à la télé et avoir de bons papiers dans le *Globe* et l'*Herald*. A lui j'peux pas parler. A Wade oui...

— Qu'est-ce qui rend Wade différent ?

— Il a du cœur. Il l'a montré une fois.

Elle demeura silencieuse, sans lui demander d'explications. Elle tourna légèrement la tête car l'une de ses pinces à cheveux lui faisait mal. Un spasme agita ses paupières quand elle les ferma, comme si une image qu'elle ne souhaitait peut-être plus voir s'était dévoilée devant ses yeux.

— Il y aura une femme avec nous, dit Gardella. Je veux que tu fasses comme si c'était une amie à toi.

— Et tu ne veux pas que je te demande pourquoi, dit-elle sur un ton qui se voulait badin.

— Tout juste ! répondit-il en lui donnant une petite tape. Je tiens à ce que tu sois une vraie femme de rital !

Ralph Roselli entra dans Palm Beach par le pont de Southern Boulevard. Après avoir tourné à gauche il roula pendant plus d'un mile sur Ocean Boulevard. Il prit de nouveau à gauche pour se retrouver dans un dédale d'étroites rues résidentielles où s'entassaient entre deux carrefours de minuscules maisons aux façades crépies et peintes en rose pour la plupart. En se repérant aux plaques il suivit un chemin tortueux qui le mena finalement jusqu'à une rue plus étroite que les autres et se gara devant une maison davantage mauve que rose. Un homme vêtu d'un pantalon chiffonné qui avait dû un jour faire partie d'un costume correct, arrosait son petit carré de pelouse. Il tressaillit en voyant Ralph se diriger vers lui d'un pas traînant.

— T'es en avance ! lui lança-t-il en fermant le jet.

— Non, répliqua Roselli. Si je suis quelque chose, c'est en retard de quelques minutes. T'as le matériel ?

— Le matériel hein ? Ouais je l'ai le matériel. Il est dans le garage, au fond du coffre de ma voiture.

Le garage se trouvait sous la maison, creusé dans la terre avec ce qui pouvait passer pour un sous-sol. Roselli fronça le nez.

— Ça pue ici !

— On a des problèmes avec la terre. Il y a un truc qui remonte et qui de toutes façons devrait pas se trouver dans le sol. La moitié de la Floride est empoisonnée. Bois pas l'eau !

— Magne-toi, dit Roselli.

L'homme ouvrit le coffre de sa voiture, en retira avec précaution un paquet de la taille d'une boîte à chaussures qu'il posa dans les mains adroites de Roselli.

— Tu veux que j't'explique comment ça fonctionne ?

— Si j'avais besoin de tes explications, j'le prendrais pas ce truc.

— Tu restes longtemps dans le coin Ralph ?

— Pourquoi tu veux l'savoir ?

— Si tu restes jusqu'à mercredi y'a l'oncle de ma femme qui organise un super barbecue. Il habite à Lantana. Tu seras le bienvenu.

— Amusez-vous bien, se contenta de répondre Roselli avant de retourner à sa voiture. Il déposa avec beaucoup de précautions le paquet dans son sac de voyage. Quelques instants plus tard il se retrouva sur Ocean Boulevard. Il se dirigea vers le sud de Miami en respectant scrupuleusement les limitations de vitesse.

Le mercredi suivant, en fin de matinée, Miguel Gilberto tuait le temps en compagnie d'une serveuse dans le bar d'un hôtel du centre de Miami. Elle l'avait rejoint après le départ du dernier client et se tenait assise à ses côtés avec les genoux serrés et sa longue chevelure rousse et bouclée qui s'étalait librement.

— Peut-être que t'as confondu, dit-elle. Ça devait être ta mère qu'était américaine, pas ton père.

— Non, trancha-t-il en plongeant ses immenses yeux noirs dans les siens. C'était mon père !

— Alors comment ça se fait que t'as pas l'même nom qu'lui ?

— Gilbert allait pas avec Miguel. J'ai rajouté le *o* pour que ça sonne mieux.

— Je parie que tu me fais marcher ! lança-t-elle en riant.

— Je plaisante pas. Il prenait des cacahuètes dans une soucoupe et les mangeait dans le creux de sa main, léchant ensuite le sel sur sa paume. Alors finalement, après on sort ensemble ou pas ?

— T'es trop petit pour moi !

— J'ai des chaussures à talons, dit-il. J'les porterai. Elle s'esclaffa à nouveau mais moins fort cette fois car il la dévisageait avec dans les yeux une lueur trop sardonique. Al Pacino est petit, ajouta-t-il. Avec lui tu ferais pas ces manières !

— T'es sérieux ? Tu veux vraiment sortir avec moi ce soir ?

Il regarda par-dessus son épaule et son expression changea brusquement, se durcissant au point de l'effrayer.

— Tu ferais mieux de me laisser maintenant, dit-il d'une voix calme.

Elle se leva aussitôt et retourna au bar. Sal Nardozza s'assit à sa place. Il fumait un cigare et portait une chemise imprimée avec des feuilles pour motif qui découvrait la toison argentée sur sa poitrine.

— Avec qui on deal ? demanda-t-il de sa voix rauque en se penchant en avant.

— Deux Cubains, répondit Gilberto. J'ai déjà traité avec eux. Ty O'Dea les connaît. Tu peux vérifier avec lui si tu ne me crois pas.

— S'il fallait que je croie quelqu'un ça serait plutôt toi que lui. On parle de combien de livres de poudre pure ?

— Ils m'ont pas dit. Ils m'ont juste parlé de ce qu'il leur faudrait comme argent pour conclure le marché. Un million et demi de dollars.

— Tu rigoles !

— Si ça fait trop pour toi on peut peut-être compléter en mettant d'autres gars dans le coup.

— Un million et demi c'est rien pour moi, affirma Nardozza. Mais j'me sentirai mieux quand Alvaro aura fait ce qu'il a à faire !

— Quand il l'aura fait on se sentira tous mieux. Les yeux de Gilberto bougeaient continuellement. Mais pour l'instant y faut qu'on se décide sur cette affaire.

— Je veux les voir face à face, dit Nardozza. J'veux qu'ils comprennent qu'ils auront un calibre braqué sur la tempe tant que mon fric sera dans leurs poches !

— Si tu veux leur parler c'est trop compliqué. Ils attendent ma réponse dehors sur le parking. Ils sont dans une Trans Am noire et rouge avec une bosse sur le capot comme si quelqu'un avait filé un coup de poing dedans.

— OK allons-y !

Il y eut un bruit de chaises. Gilberto se redressa de toute sa taille qui n'atteignait que la moitié de celle de Nardozza.

— J'te retrouve là-bas, lui dit-il. Il faut que je dise quelque chose à la serveuse.

— Celle à qui tu parlais ? Nardozza l'examina. Elle a une coiffure tarte.

— C'est le genre qui me rend dingue ! répliqua Gilberto avec le sourire.

La serveuse était perchée sur un tabouret au bar et griffonnait sur un carnet, le regard vide et blasé. Gilberto s'approcha d'elle. Il portait une saharienne avec des épaulettes et une multitude de poches. De l'une d'elles il sortit un épais rouleau de billets, des grosses coupures. La serveuse y jeta un coup d'œil et lui demanda :

— Pourquoi tu me montres ça ?

— J'me tire en Californie vivre à côté des vedettes d'Hollywood, j'vais sortir de ce bar, traverser le hall et prendre un taxi. Dix minutes après je serai à l'aéroport. Si tu décides de venir avec moi, là tout de suite sans réfléchir, tu vivras comme une reine ! Il s'interrompit un instant, l'air grave. A toi de voir. Décide-toi vite.

— Une chance sur un million pour que tu m'dises la vérité.

— Ça y est, ton temps de réflexion est écoulé !

Elle glissa en bas du tabouret.

— Je prends ma chance !

Sal Nardozza se dirigea vers le parking situé derrière l'hôtel et repéra aussitôt la Trans Am noire et rouge avec deux visages qui le regardaient à travers le pare-brise. Il s'approcha en mâchonnant son cigare et leur fit signe de sortir. L'un des Cubains avait le crâne rasé, ce qui lui donnait l'air abruti. L'autre, vêtu d'un costume d'été, paraissait plus intelligent bien que son regard se dissimulât derrière des lunettes de soleil miroitées.

— Où est Miguel ? demanda-t-il.

— Il arrive, dit Nardozza. Il faut qu'on parle. Y'a des règles de base que vous autres devez savoir.

— Sûr, vas-y. Parle.

— Pas ici. Dans ma voiture.

La voiture de Nardozza était garée quelques rangées plus loin. C'était une Lincoln Continental couleur topaze avec les vitres teintées et sur le pare-chocs un auto-collant publicitaire pour le zoo de Crandon Park à Key Biscayne. Sous la Lincoln était fixé un pain de plastic dont le détonateur pouvait être déclenché à distance. Nardozza ouvrit la porte du côté conducteur et poussa un bouton qui déverrouilla les autres. Les deux Cubains avaient l'air inquiet, surtout celui au costume léger qui déclara :

— Attendons Miguel.

— Miguel est en train de draguer. Montez !

Pour les Cubains et pour lui-même, ce fut la pire décision que Nardozza eût pu prendre.

A l'aéroport de Miami, près d'une rangée de téléphones installés dans un coin retiré, Miguel vérifia les billets puis consulta sa montre et dit :

— Il nous reste une heure à attendre.

Cela n'eut pas l'air de plaire à la serveuse qui était déjà inquiète.

— Pourquoi tu fais cette tête ?

— Tu m'as dit qu'on allait en Californie !

— J'me suis trompé, je voulais dire Mexico. Mais là-bas aussi tu vivras comme une reine ! Il sourit, découvrant une rangée de dents soigneusement entretenues. T'as quelque chose contre Acapulco ? Dis-le-moi que je te fasse inscrire au livre des records !

— Avec quoi je vais m'habiller ?

— Arrivés là-bas, je t'achèterai tout ce que tu voudras. Il fourra la main dans sa poche. Tu veux regarder encore le fric ?

Elle baissa les yeux et examina l'imperméable sale qu'elle portait par-dessus ses habits de serveuse et les bosses sur ses chaussures éculées. Je vivrai comme une reine hein ? J'm'en fous de savoir pour combien de temps du moment que ça m'arrive vraiment.

— Tu l'as dit !

Elle retrouva un peu de son entrain et annonça :

— Il faut que j'aille au p'tit coin.

Les toilettes des dames étaient de l'autre côté du couloir, un peu en contrebas. Il attendit qu'elle ait refermé la porte pour décrocher le téléphone. Il avait une sœur qui habitait à Boca Raton et il voulait lui dire au revoir mais il n'obtint pas de réponse. En raccrochant il sentit un mouvement dans son dos ; il se retourna et se figea en découvrant Ralph Roselli.

— Tu t'es tiré en vitesse, dit Roselli. T'as même pas attendu le grand boum !

— J'ai fait ce que je devais faire, rétorqua Gilberto avec un sentiment d'effroi. Qu'est-ce que tu veux de plus ?

— Pourquoi tu trembles ?

— Parce que tu me fous les jetons ! Tu me fous une trouille de tous les diables !

— On va arranger ça, dit Roselli en serrant le bras de Gilberto d'une étreinte impossible à rompre. Ses yeux parurent s'enfoncer dans les grosses poches qui les bordaient quand il désigna une porte à côté portant l'inscription ENTRÉE INTERDITE.

— Hé, j'veux pas aller là-dedans !

— Mais bien sûr que si ! répondit Roselli sur un ton détaché alors que Gilberto tentait de résister. Le soulevant presque de terre, Roselli le conduisit de force jusqu'à la porte et l'obligea à l'ouvrir. A cet instant la serveuse réapparut derrière eux.

— Qu'est-ce qui se passe ? demanda-t-elle avec l'air triste de celle qui se rend compte qu'on l'a trompée et qui voit s'envoler la perspective d'un peu de bonheur dans sa vie. Ralph Roselli la dévisagea tranquillement.

— D'où tu sors ?

— J'suis avec lui.

— C'est dommage, dit-il en lui saisissant le bras.

Quelques heures plus tard à Boston le directeur Russell Thurston téléphona à Christopher Wade.

— Simplement pour votre information, il y a eu un bain de sang aujourd'hui à Miami. Trois types devant un hôtel ont sauté et se sont retrouvés directement au ciel. L'un d'entre eux était probablement Salvador Nardozza, le cousin de Gardella. C'était sa voiture. Puis plus tard à l'aéroport un nabot du nom de Gilberto et une femme ont été descendus d'une balle dans la tête et leurs corps ont été retrouvés dans une cage d'escalier. Les flics du Comté de Dade vont sans doute ranger ça dans les règlements de comptes entre dealers du coin. Nous on sait à quoi s'en tenir.

104

Wade demeura silencieux.

— Vous m'avez entendu ?

— Ça va trop loin, dit Wade. Ça n'aurait pas dû se produire.

— Ne vous tracassez pas pour ça. Des gens comme eux n'auraient jamais dû être nés. Quand vous verrez Gardella ce soir, regardez bien la tête qu'il fera. Voyez s'il est satisfait.

— Je songe à me décommander, dit Wade.

— Si vous faites ça, hurla Thurston, vous prierez le ciel de n'être jamais né !

10

La propriété d'Anthony Gardella à Rye Beach était une vieille maison du Cap à laquelle on avait rajouté une terrasse, un solarium, un sauna et, pour l'hiver, une imposante cheminée dans le salon qui avait été agrandi. Un feu avait été allumé bien que la soirée fût douce et qu'on se serait davantage cru en mai qu'en mars. Dès le début Christopher Wade s'était trouvé mal à l'aise. Il sentait sur son nez perler une goutte de sueur et sur lui le regard vigilant de Gardella.

Gardella lui versa à boire en l'avertissant :

— C'est doux. Peut-être trop pour vous !

— On dirait du Dubonnet, dit Wade après avoir goûté.

— Mais en mieux et un dollar moins cher ! Gardella sourit et Wade remarqua que ses dents étaient belles mais que les deux du milieu étaient assez écartées. Portons un toast ! suggéra Gardella.

— A quoi ?

— Au bon sens.

Un regard appuyé accompagna ces mots que Wade enregistra sans les analyser. Quelque part une fenêtre était ouverte et il pouvait sentir l'air salé. En tendant l'oreille il percevait même le bruit des vagues.

Avec comme une vibration dans la voix Gardella lui dit :

— Je voudrais que vous vous détendiez. Mais je ne sais pas si c'est possible ?

— Pour quelques heures pourquoi pas ? dit Wade au moment où Jane Gardella fit son entrée dans la pièce avec des amuse-gueule et des yeux qui le troublèrent. Ils se posèrent sur lui avec tact et discrétion mais en même temps de façon impérieuse. Sa jeunesse davantage que sa beauté le déconcertait ainsi que son aplomb. Lorsqu'elle lui présenta le plateau d'argent son parfum l'effleura.

— Laura vous recommande tout, dit-elle.

Avec Laura la soirée s'équilibrait, deux hommes et deux femmes. Elle se trouvait à cet instant dans la cuisine où elle donnait un coup de main. Wade prit sur le plateau un feuilleté chaud et demanda :

— Vous êtes amies depuis longtemps ?

— Depuis toujours, répondit Jane Gardella en passant le plateau à son mari qui était assis les jambes croisées, balançant une chaussure noire de marque anglaise au bout perforé.

— Allez lui dire d'enlever son tablier. Peut-être que vous elle vous écoutera ! lança Gardella.

Wade fit un effort pour se lever. Il s'orienta vers la cuisine où il surprit Laura en train de rajuster un bas sur une jambe qui n'en finissait plus. Elle était particulièrement mince et sa grande taille qui ne manquait pas d'élégance, avec ses hanches de garçon, lui donnait une silhouette de mannequin.

— On vous réclame, dit Wade.

Elle s'approcha avec une grâce féline et une surprenante agilité, ce qui ne l'empêcha pas au dernier moment de trébucher. Elle bascula sur Wade, ses mains frôlèrent sa poitrine. Il resta de marbre.

— Je n'ai pas de micro si c'est ça que vous cherchez, murmura-t-il.

Sans se démonter elle lui lança un regard par-dessous ses paupières fardées. L'inclinaison de son visage lui donnait un petit air effronté mais sa voix était chaude :

— Je le dirai à M. Gardella.

— Comment ? D'un coup d'œil ?

— Un petit. Son regard jouait avec le sien. Qu'est-ce qu'un brave flic comme vous fait ici ?

— Je me poserai la question plus tard, répondit-il d'une voix qui restait neutre. Vous êtes ici pour moi ?

— Non, dit-elle. Pour M. Gardella.

Wade ne savait pas trop si elle lui plaisait ou pas.

Il dîna le dos tourné au feu avec Laura à ses côtés et Gardella en face de lui. Il sursauta quand une bûche tomba puis il se détendit à nouveau, laissant la chaleur lui masser les épaules.

— On ne récite pas le bénédicité chez nous. Ça vous ennuie ? demanda Gardella.

— Je ne le récite pas non plus, répondit Wade. Il avala sa soupe sans trop savoir ce que c'était. Il y eut ensuite de la sole de Douvres. Gardella se leva pour la préparer et la servit. La conversation roulait tranquillement sur les problèmes politiques dans le New Hampshire. Jane Gardella fit allusion à celui qu'on présentait comme le futur gouverneur, Sununu, et ajouta que son nom lui faisait penser à celui d'une compagnie pétrolière.

— Il est arabe, précisa Gardella. C'est la même chose.

Jane Gardella leva son verre de vin et Wade se surprit en train de l'observer. Il se dit qu'elle avait quelque chose d'hollandais ou de danois, voire de norvégien, mais à la fin du repas on mentionna l'Allemagne dans un aparté à propos de ses ancêtres paternels, des bavarois. Wade se demanda ce qu'il y avait chez elle qui le mettait ainsi mal à l'aise.

— Je vais chercher le dessert, dit Laura.

— Pas pour moi, fit Wade.

— C'est du parfait, intervint Gardella. Votre dessert préféré.

Wade en prit. Quand vint le moment du café, Gardella lui lança un coup d'œil.

— On va prendre le nôtre dans mon bureau. Il se tourna vers les deux femmes : Vous nous excuserez.

Wade se rendit d'abord à la salle de bains. Sous la lumière crue son visage dans le miroir lui apparut bouffi. D'une main maladroite il bouscula une armée de flacons de produits de beauté. Alors qu'il les remettait en place une interrogation naquit et s'installa en lui comme un ver rongeant une feuille. Il se demandait s'il n'était pas en train d'aller délibérément à l'abattoir. En sortant il trouva Laura qui attendait dans le couloir. Elle posa sur lui un regard serein comme si ses yeux pouvaient pénétrer tous ses secrets.

— Où est le bureau ?

— Vous le trouverez facilement, répondit-elle en pointant le doigt.

— Non, je ne pense pas.

— Alors je vais vous accompagner.

Il était situé dans un endroit retiré de la maison. C'était une pièce au mobilier massif, percée de hautes fenêtres, avec des contours nets où se dessinaient des ombres effilées. Il y pénétra avec l'impression d'être devenu gros et lourd, impression qu'il reporta sur Gardella qui semblait avoir pris du poids au cours du dîner. Le café était versé. Wade en prit une tasse et s'abandonna entre les bras du plus profond fauteuil de la pièce. Sans raison précise Gardella lui demanda :

— Vous avez fait votre service ?

— Il y a une éternité.

— Ouais, moi aussi. Cette histoire de Corée. Je la considère

108

toujours comme le meilleur moment de ma vie. Je m'étais engagé à dix-huit ans vous vous rendez compte ? Les gars avec qui j'ai fait mes classes étaient plus vieux. Je me souviens de la plupart de leurs noms. Ils étaient tous de New York... Deckler du Queens, Bellia de Brooklyn, Davidson de Manhattan... Deckler, un grand boche avec les cheveux toujours en bataille, m'a donné le goût pour la lecture, et Davidson, un juif, m'a fait me poser des questions sur la vie, vous savez du genre qu'est-ce qu'on en attend. J'ai toujours eu envie de revoir ces gars mais je l'ai jamais fait. Gardella soupira. Et vous, vous étiez où ? Dans cette histoire de Vietnam ?

— Au tout début, dit Wade. En fait je n'ai jamais quitté les États-Unis.

— Moi non plus ! dit Gardella en souriant. Puis son visage devint sérieux, dur, presque livide. Peut-être que vous m'en voudrez de dire ça mais je vais le faire quand même. Vous avez montré que vous étiez sensible à ce qui était arrivé à mes parents. J'en suis touché. Ma sœur aussi et si elle était là, elle vous le dirait elle-même. Voilà, c'est dit, Ça vous va ?

Wade le regarda droit dans les yeux :

— L'enquête est toujours en cours. On avait deux suspects, des frères, mais leur voiture est tombée d'une falaise...

— C'est peut-être mieux comme ça...

— Je ne sais pas. Je ne suis pas le bon Dieu.

— Parfois on est bien obligé de se demander s'il en existe un. Le regard expressif de Gardella était inondé de lumière. La douleur sera toujours présente au fond de moi mais maintenant je peux la supporter. Il but une gorgée de café, considérant le chapitre clos. Comment trouvez-vous ma femme ?

— Très belle.

— Et son amie ?

— Presque aussi belle.

— Mais elle ne vous attire pas, j'ai pu le constater.

— Bien sûr que si elle m'attire mais je ne suis pas venu ici pour ça. Vous avez quelque chose à me raconter et je suis curieux de l'entendre. Peut-être que je vais vous rire au nez ou alors que je vais simplement m'en aller, ou bien encore que je vais prendre en considération ce que vous m'aurez dit. Mais il vaut mieux que je vous prévienne tout de suite : je ne suis pas à vendre.

— Si vous étiez à vendre, répliqua Gardella, je ne vous aurais pas invité à ma table. Ma femme ne vous aurait pas servi des amuse-gueule et je n'aurais pas préparé un poisson pour vous. Vous êtes un flic honnête, c'est ce qu'on m'a dit. Je respecte ça. J'ai aussi entendu parler de votre geste pour essayer de sauver le clochard en train de mourir sur le trottoir. Vous avez mis votre bouche sur la sienne. Vous faites attention aux autres. Je respecte ça encore plus.

— Je vais finir par me prendre pour un saint ! dit Wade.

— Des saints y'en a pas beaucoup dans les parages, en tout cas j'en ai jamais rencontré. Gardella dégustait tranquillement son café. Tout ce que je sais à l'heure actuelle c'est que le Procureur me cherche des poux dans la tête pour une raison qu'il connaît mieux que moi et il se sert de vous pour y parvenir. Bien entendu j'apprécie pas. Si j'ai l'air préoccupé c'est que je le suis vraiment. Je suis à la tête de beaucoup d'affaires, je peux pas être partout à la fois.

— Si vos registres sont en ordre, il n'y a aucun problème.

— Allez, Wade ! Gardella eut un sourire fugace. Vous et moi nous savons que si vos types cherchent bien ils finiront par trouver ce qu'ils voudront ! Ça me bouffe mon temps et mon argent, et ça me donne des soucis. Si ça va en justice, c'est moi qui paye pour les avocats. Au bout du compte le juge clôt le dossier parce qu'il n'y a jamais rien eu dedans. Qui gagne ? Personne.

— Ça n'est pas mon problème, moi je me contente de faire mon boulot.

— Il y a trente-six façons de faire son boulot. La meilleure c'est simplement d'avoir l'air occupé. Comme ça vous êtes bien vu et moi je ne me fais pas emmerder !

— Je n'ai pas entendu un seul mot de ce que vous venez de dire ! murmura Wade.

— C'est parce que je n'ai rien dit que vous ne sachiez déjà beaucoup mieux que moi.

— Ça ne vous ennuie pas si je fume ? demanda Wade. Il alluma une Merit mentholée et prit sa tasse de café. Quelqu'un passa dans le couloir mais il n'aurait pas pu dire si c'était Jane Gardella ou l'autre femme. Il avait constaté qu'elles portaient pratiquement le même parfum.

— Au fond nous sommes presque pareils, au cas où vous ne l'auriez pas remarqué. Nous sommes faits pour la vie de famille. Vous avez des filles, j'ai des garçons. J'ai un fils qui est un Marine. Je suis fier de lui. Je le suis encore plus de mon autre gosse qui est à Holy Cross. Il réussira mieux que moi. Pas point de vue argent, ça ne compte pas, mais il deviendra quelqu'un.

Wade entendit sa voix se casser, puis elle revint, plus douce.

— On est des gars solitaires, pas seulement moi mais vous aussi, je le vois bien. Quand ma première femme est morte, je ne savais plus ce que j'allais faire. Il m'arrive toujours de me réveiller la nuit

110

et de croire qu'elle est à mes côtés, pas Jane. Mais si j'avais pas Jane je deviendrais fou. Vous comprenez ce que je suis en train de vous dire ?

— Que vous deviendriez fou...

— Je suis en train de vous dire que deux gars ne devraient pas quitter les chemins qu'ils se sont tracés pour se faire du mal. Des coups, ils en prennent suffisamment chacun de leur côté, pas vrai ?

Wade tapota sa cendre de cigarette dans ce qu'il espérait être un cendrier en cristal. Le café qu'il buvait provenait d'un mélange particulier au goût de chocolat. Il dit d'une voix calme :

— La raison pour laquelle je suis venu ici c'est que je pensais que vous auriez pu envisager de réclamer l'indulgence en échange de votre coopération. Vous êtes important, mais Angello ou Zanigari, ils le sont plus encore.

Gardella ne prit pas la peine de répondre ou même de signifier par un regard qu'il avait enregistré ce qui venait d'être dit. Il se contenta de lever le menton d'un geste emphatique :

— Nos proches, Wade. Voilà ce qui compte pour nous. Ceux qui donnent un sens à notre vie, la femme qui nous permet de nous retrouver. Sans une femme il nous manque quelque chose. Arrêtez-moi si je me trompe : je me tairais.

— Vous ne vous trompez pas, dit Wade. Mais l'amie de votre épouse... ça n'était pas nécessaire.

— C'était maladroit de ma part. Stupide même. Vous savez ce que j'aimerais ? C'est vous voir à nouveau avec votre femme que vous n'auriez jamais dû quitter. Je crois qu'alors tout irait mieux pour vous.

Wade se crispa.

— Je me fais du souci pour vous, ajouta aussitôt Gardella. Faut-il que je m'en excuse ?

— Mais bon sang ! Pourquoi faudrait-il que vous vous fassiez du souci pour moi ?

— Si vous êtes heureux alors là effectivement je n'ai aucune raison de m'en faire pour vous, dit Gardella avec un petit sourire comme s'il venait de jouer la bonne carte.

Wade jeta un regard gêné vers la porte, se demandant s'il n'avait pas remporté la partie trop facilement.

Il était presque deux heures du matin lorsque Wade, fonçant sur l'autoroute 95, aperçut au loin les lumières de Boston qui trouaient l'obscurité. Il était deux heures et quart quand il pénétra dans son appartement de Commonwealth Avenue et deux heures vingt lorsque le téléphone sonna. C'était sa femme, l'une des rares personnes à connaître son numéro inscrit sur la liste rouge.

— Tu vas bien ? lui demanda-t-elle.

— Oui, bien sûr, répondit-il d'une voix précipitée sous le coup de la surprise. Pourquoi cette question ?

— C'est idiot de ma part mais j'ai éprouvé à nouveau cet horrible pressentiment que j'avais autrefois quand tu travaillais sur une opération secrète et que j'étais alors persuadée que tu étais mort ou agonisant ! Chris... tu n'as plus vingt ans !

— Pourquoi me le rappeler ?

— Tu es à nouveau sur une opération secrète ?

— Tu as lu les journaux. Tu sais ce que je fais.

— Non, rétorqua-t-elle. J'ignore ce que tu fais. D'ailleurs ça ne me regarde pas. Je n'aurais pas dû appeler !

— Mais tu l'as fait !

— Chris, s'il te plaît ! Ne te fais pas des idées pour autant !

— Tu as vu les filles ces temps-ci ? demanda-t-il en contemplant leurs portraits encadrés, des photos prises en studio quand elles avaient dix et onze ans et que l'une était la copie conforme de l'autre, à mi-chemin entre l'enfance et l'adolescence.

— Oui, pas toi ?

— Je les ai eues plusieurs fois au téléphone. Je voulais qu'on déjeune ensemble mais à chaque fois elles étaient trop occupées.

— Le sort a de ces ironies, tu ne crois pas ? Autrefois c'était toi qui étais trop occupé !

Wade était tendu. Il n'ignorait pas que même s'il n'y avait personne dans l'appartement du dessus un magnétophone était branché. Tôt ou tard on écouterait ce qu'il était en train de dire.

— Susan... tu es seule ?

— Oui, dit-elle.

— Je pourrais passer te voir. Ça ne prendra pas longtemps.

— Bonsoir Chris.

Wade ne parvint pas à trouver le sommeil et se leva tôt. Les rues paraissaient meurtries par le froid ; elles avaient besoin d'être réchauffées mais le soleil prenait son temps. Wade se gara en double file tout près de Newbury Street et descendit prendre son petit déjeuner dans un café en sous-sol. Il commanda le menu numéro trois sans savoir à quoi il correspondait. Les tables étaient rapprochées les unes des autres. Un homme qui portait un uniforme de vigile et un pistolet d'alarme qui aurait pu passer pour un vrai lui demanda :

— Vous êtes flic ?

Wade fronça les sourcils.

— Ça se voit ?

— Je connais les flics. Je l'ai été pendant vingt-trois ans. Ne prenez jamais votre retraite — c'est de la connerie !

— J'en suis encore loin.

— Mourez d'abord ! conseilla le vigile.

— Le suicide est un péché.

— Vous êtes assuré ? Alors attrapez le cancer !

— Vous avez gâché ma matinée ! lui lança Wade en changeant de table.

Lorsqu'il regagna sa voiture il trouva Russell Thurston assis à l'intérieur. Tandis qu'il se glissait derrière le volant, Thurston dit d'une voix posée :

— Vous parlez d'un endroit pour se garer !

— Je voulais vous faciliter les choses !

— Allons-y, voulez-vous... autour du pâté de maisons. Comment ça s'est passé hier soir ?

Sans répondre Wade remonta Newbury Street et grilla un feu rouge. Il gardait les yeux fixés sur le pare-brise à travers lequel il voyait grossir la circulation.

— Vous êtes de mauvaise humeur ?

— De petite humeur...

— Il a évoqué ce qui s'est passé à Miami ? Toutes les télés en parlaient hier soir.

— Pas du tout.

— Il manque pas de sang froid le salaud !

— Il est malin, Thurston, plus que vous.

— Il vous a mis le grappin dessus ?

— Si adroitement que je ne m'en suis pas encore aperçu !

— Qu'est-ce qu'il vous a proposé ?

— Le bonheur. Wade jeta un coup d'œil en coin. Je n'arrive pas à me rappeler ce que vous vous me donnez...

— Des émotions, répondit Thurston.

Sans se faire annoncer Victor Scandura entra dans le bureau de John Benson à l'agence Benson Tours et s'installa dans un fauteuil. John Benson sursauta puis sourit :

— Ravi de vous voir M. Scandura. Pas de problèmes j'espère ?

— Aucun, dit Scandura. Benson Tours était l'une des agences de voyage que l'organisation Gardella utilisait pour offrir à des joueurs la tournée des casinos de Las Vegas et d'Atlantic City.

— Dans ce cas, que puis-je faire pour vous ?

— J'ai appris que la femme d'un flic travaillait ici.

— Vous voulez parler de Mme Wade ?

— Je veux que vous la flanquiez à la porte.

John Benson devint cramoisi et balbutia :

— Je ne peux pas faire ça !

Scandura poursuivit comme si de rien n'était :

— J'ai également appris que vous aviez une liaison avec elle. Je veux que vous y mettiez fin.

— Ce n'est pas à vous de me dire ce que je dois faire !

Scandura se leva paresseusement de son fauteuil et jeta un regard oblique à travers ses lunettes :

— Je vais vous dire une chose, M. Benson. Réfléchissez bien et puis faites ce qui vous semblera le mieux correspondre à vos intérêts.

Une fois seul John Benson examina deux minutes la question. Puis il se rendit dans le bureau de Susan Wade et, avec un accent anglais soigneusement étudié, il lança :

— Si on allait déjeuner ma vieille ?

11

Les agents Blodgett et Blue le rattrapèrent devant une vitrine et le coincèrent dans l'ombre projetée par le surplomb d'un immeuble. C'était par une journée extraordinairement lumineuse et douce ; la circulation faisait vibrer la rue et les piétons se bousculaient sur les trottoirs.

— Hé Augie, tu sais qui je suis ? fit Blodgett. Augie se retourna brusquement et se figea. Il était vêtu d'un blouson dont la matière imitait les écailles de poisson et portait en-dessous une chemise de velours rouge. Il avait les dents en avant.

— Votre tête ne me dit rien, répondit-il prudemment, mais je crois deviner — un fédéral, pas vrai ?

— Tu piges vite Augie. Ça t'épaterait de savoir le nombre de gens qui nous ont dit que t'étais plutôt dur à la détente. Hein Blue ? L'agent Blue acquiesça tandis qu'un poids lourd passait en grondant. Une femme à la moue suspicieuse leur lança un regard appuyé. Blodgett continua : Qu'est-ce que tu penses de cette histoire à Miami, Augie ?

— Quelle histoire à Miami ?

— Tous ces gens qui sont partis en fumée avec parmi eux le cousin de Gardella. Quand ils l'ont enterré il était en morceaux. Dans le cercueil si ça se trouve il y en avait même qui ne lui appartenaient pas !

— Qu'est-ce que ça vient faire avec moi ?

— Rien Augie. A Miami c'était du travail de professionnel. Toi t'es tout juste bon à piller les camions de viande même si y paraît que tu racontes à tout le monde que t'es devenu un tueur !

— Mais qu'est-ce que vous allez chercher ! Moi un tueur ? Vous rigolez !

— Mais ça te fait du bien de penser qu'on pourrait se l'imaginer, hein ? T'as l'impression d'avoir les couilles plus grosses !

— Eh là ! J'ai un boulot moi ! Je bosse pour mon oncle. Si vous venez à mourir, je vous arrangerais comme il faut et à moitié prix !

— Il est mignon pas vrai Blue ?

— Il lui faudrait un menton pour être pas trop moche !

— Y faudrait aussi qu'il se repose un peu. Regarde les yeux qu'il a ! Il doit prendre des trucs ! Quel genre de pilules t'avales, Augie ?

— Vous êtes un grand comique... dites au négro d'arrêter de me regarder comme ça !

— Dis-lui toi même !

L'agent Blue s'approcha d'un pas souple.

— Tu as quelque chose à me dire Augie ? demanda-t-il sans desserrer les lèvres. Augie vacilla sous l'effet de son regard profond et décidé. Blodgett prit la parole :

— Tu sais pas si t'as des amis, Augie. Tu ne te connais pas toi-même. Les gars dans ton genre ne réussissent jamais dans la vie. Blue et moi on en a vu des centaines comme toi ! Vous vous faites toujours avoir et vous trinquez pour les gros, on vous repêche dans une rivière... On vous balance au fond d'un port et on vous retrouve bouffés par les saloperies qui traînent dedans ! Ça fait rire les flics du coin... Que des types comme vous s'entretuent, qu'est-ce que ça peut bien leur faire ? Mais nous ça nous fait quelque chose, Augie, pas personnellement tu l'imagines, mais professionnellement. Tu saisis ?

— Ouais, je saisis un tas de conneries !

— Explique-lui Blue...

— Je crois que tu te débrouilles suffisamment...

— Non, je parle dans le vide ! rétorqua Blodgett d'un air accablé. Ce type se prend pour un mafioso. Il ignore qu'il est un rien du tout !

— Peut-être qu'il sait pas comment ça marche, suggéra Blue. Pour faire partie de la Mafia il faut que les autres te saluent en t'embrassant ! Demande-lui si Anthony Gardella l'a déjà embrassé.

Blodgett secoua la tête.

— J'peux pas imaginer Gardella en train de faire ça ! Tout ce qu'il ferait ça serait de l'utiliser sur un coup et puis de s'occuper de lui après. Un mec qui se défonce aux amphés et qui se vante d'être un tueur c'est un mec dont Gardella s'occuperait pour de bon, ça je peux le garantir !

— Surtout quand les troupes de choc du Procureur sont en train de mettre leur nez dans les affaires de Gardella, ajouta Blue. En ce moment même Gardella doit être en train de penser aux planches pourries...

— Une planche pourrie, Augie, c'est quelqu'un qui sait pas tenir sa langue. Et si nous on le sait tu peux être sûr et certain que Gardella le sait aussi.

— Maintenant il faut que j'y aille, souffla Augie en fermant son blouson. Je vais devoir vous laisser les gars...

— Tu fais un seul pas, avertit Blodgett d'une voix caressante, et je te casse la tête ! Une sirène de police, ou d'un camion de pompiers, hurla au loin. Ils sentaient la poussée de la foule sur le trottoir mais les gens leur paraissaient flous et muets. Blodgett expliqua : Ce qui résulte de tout ça c'est que personne ne va te protéger à part nous. *Nous*, Augie, on est les seuls. Je ne m'attends pas à ce que tu comprennes ça tout de suite car c'est évident que t'es lent à réagir. Si tu avais été à l'université ou même jusqu'au bout de tes études au lycée, je n'aurais pas besoin de t'expliquer quoi que ce soit. T'aurais eu trois longueurs d'avance sur moi !

D'une voix bien timbrée l'agent Blue ajouta :

— Il n'essaie pas de t'insulter Augie. Il te dit simplement les choses comme elles sont.

— Une dernière chose, ajouta Blodgett. Tu ferais mieux de dire à Gardella qu'on t'a parlé. Si tu le fais pas et qu'il s'en aperçoit ça ne fera que rendre la situation encore plus difficile pour toi.

— Maintenant tu peux partir, dit Blue.

Ils le regardèrent fendre la foule pour traverser la rue où il se heurta à la circulation. Il ne se retourna pas.

— Qu'est-ce que t'en penses ? demanda Blodgett.

— Peu importe, répondit Blue. Ce qui compte c'est ce que Thurston en pensera quand tu lui feras ton rapport.

Rita O'Dea ouvrit la porte d'entrée et dévisagea l'homme qui titubait sur la marche du milieu.

— Mais qu'est-ce qui t'arrive ? demanda-t-elle et pendant quelques instants Ty O'Dea ne sut pas où poser les yeux. Il ne parvenait pas non plus à articuler un mot et se contentait de se balancer d'un pied sur l'autre. Son visage mal rasé était pâle comme la mort et son costume bleu ciel portait les marques de son voyage en avion qui l'amenait de Floride via Washington et New York. Reste pas planté là, ajouta-t-elle, parle !

— J'ai la trouille, Rita, dit-il d'une voix précipitée et les lèvres tremblantes. Je ne savais pas si j'allais être le suivant ou quoi ! Je l'ignore toujours. Il faut que tu me le dises !

— Si t'avais dû être le suivant tu n'aurais pas eu le temps d'y penser !

Il frissonnait sur les marches et son menton se soulevait. La brise ébouriffait sa touffe de cheveux blancs qui avaient bien besoin d'un shampooing.

— Je suis venu ici, je ne savais pas quoi faire d'autre, avoua-t-il.

— Je t'attendais, dit-elle en s'avançant sur le seuil où le soleil se prit dans ses cheveux noirs. Elle portait une large robe de couleur rouille et des chaussons fourrés. Je t'ai sauvé la peau, tu le sais ? interrogea-t-elle. Il acquiesça en clignant des yeux. Comme autrefois, c'est moi qui ai tout fait.

Sa voix le troubla. Elle était douce comme il ne l'avait jamais entendue auparavant bien que son expression demeurât froide, critique et intimidante. Son regard se détourna de lui pour fixer le bout de l'allée où un taxi attendait avec une femme assise à l'arrière.

— Qui est-ce, Ty ?

Ty O'Dea prit son courage à deux mains :

— C'est mon amie, balbutia-t-il. Elle s'appelle Sara.

— T'as l'intention de la laisser plantée là ?

Il se retourna et fit un signe de la main. La femme se pencha vers l'avant du taxi pour payer le chauffeur. Puis elle descendit et s'engagea dans l'allée, ployant à cause du poids de ses deux valises. Rita O'Dea se renfrogna :

— Va l'aider, nom de Dieu !

Anthony Gardella séjourna plus longtemps que prévu dans sa maison de Rye. Il y avait passé le week-end en compagnie de sa femme et une bonne partie de la semaine. Deux ou trois heures par jour, vêtus d'épais trainings, ils parcouraient la plage. Jane Gardella prenait des photos des mouettes se laissant porter par les vagues scintillantes et de son mari en train d'examiner des miettes d'éponges ou de soulever un morceau d'épave vermoulu. Ils laissaient derrière eux l'empreinte de leurs pas sur le sable humide tandis qu'ils disparaissaient dans l'infini de la plage. Lors de leur dernière journée à Rye Beach, alors qu'ils revenaient sur leurs pas, ils aperçurent au loin une silhouette près de la maison qui paraissait les attendre.

— C'est Victor, dit Gardella.

— Tu l'attendais ?

— Oui, dit Gardella en lui prenant le bras.

— Pour vos affaires ?

— Pour nos affaires.

— J'imagine que je n'ai pas à me plaindre, dit-elle sans dissimuler sa déception. Elle aspira à pleins poumons l'air marin. Je viens de t'avoir pour moi toute seule plus longtemps que je ne l'espérais.

De retour à la maison elle leur servit le café et s'éclipsa. Victor Scandura alla s'asseoir près de la cheminée afin de se réchauffer. Gardella, lui, avait trop chaud et il retira le haut de son training. Le soleil perçait les rideaux de ses rayons acérés.

— Si tu veux quelque chose de plus costaud n'hésite pas, dit Gardella. Scandura secoua la tête :

— C'est parfait comme ça !

Gardella se laissait aller dans son fauteuil, une jambe passée par-dessus l'autre.

— Roselli a fait du bon boulot à Miami. Je peux toujours compter sur lui.

— Il a été parfait, ajouta Scandura. Tu devrais lui donner quelque chose en plus pour lui prouver ta reconnaissance.

— Donne-lui ce que tu penses être une récompense honnête, fais-lui plaisir.

— Il faudrait que ça vienne directement de ta main, Anthony. Ça aurait plus de poids.

— D'accord, tu m'y feras penser. Je le ferai dès mon retour. Gardella pinça les lèvres un instant. J'ai réfléchi à propos de Miami. On va laisser tomber la came pendant un moment, c'est ce qu'il y a de mieux à faire dans ces circonstances, mais on va continuer à blanchir le fric. On va pas foutre ça en l'air.

— Qui est-ce que tu vas envoyer là-bas ?

— Il va falloir que ça soit toi, Victor. Momentanément.

Les yeux de Scandura se rétrécirent au point de n'être plus que deux fentes derrière ses lunettes.

— Laisse-moi souffler, Anthony. Tout passe par moi !

— Avec de telles sommes en jeu il n'y a actuellement qu'en toi que je puisse avoir confiance.

— Pourquoi est-ce qu'on n'organiserait pas toute l'opération ici ? C'est facile de transférer l'argent et il y a des tas de banques étrangères à Boston avec lesquelles on pourrait traiter.

— Ici je suis trop surveillé. Là-bas tout le monde fait ça, tu le sais aussi bien que moi !

Scandura reposa sa tasse et fixa le feu en se raidissant. Il parla d'une voix douce :

— Ma place est à tes côtés, pas en Floride. Les gens disent que tu as des yeux derrière la tête. C'est grâce à moi. Je suis ces yeux. Tu le sais bien, n'est-ce pas Anthony ?

— Oui je le sais.

— Je te consacre cent pour cent de mon temps.

— Non Victor, cent dix pour cent !

— Je te donne des conseils. Tu ne les suis pas toujours mais je fais de mon mieux. Dernièrement tu as pris des décisions qui m'ont donné du souci. Je suppose que t'es au courant mais c'est toi le patron. On fait ce que tu dis, comme toujours. Si tu veux que j'aille en Floride, j'irais.

— Redis-moi ce qui t'inquiète, Victor. Parfois j'oublie...

— Supprimer ces tordus qui ont assassiné tes parents c'était pas une bonne chose à faire. Je ne sais toujours pas exactement pourquoi mais je suis persuadé qu'on aurait pas dû. Toi aussi d'ailleurs.

Gardella répliqua sèchement :

— C'est un sujet que je ne veux plus jamais qu'on aborde, *capisce* ? Qu'est-ce qui t'inquiète d'autre ?

— Tu fonces beaucoup ces derniers temps. Peut-être trop.

— J'essaie de suivre mes pensées.

— Et puis aussi je crois que tu aurais dû aller à l'enterrement de Sal Nardozza. Les gens se sont étonnés de ne pas t'y voir. Les plus grosses gerbes auraient dû être offertes par toi.

— Tu parles comme un ancien, les vieilles méthodes... Je vais à un enterrement, on me prend en photo. On me tire le portrait suffisamment comme ça !

— Mais tout le monde s'y attendait, Anthony. Toi au premier rang et ta sœur aussi.

— Tu sais quoi Victor ? Tu te fais trop de bile. Il avait prononcé ces mots d'une voix douce. Il plissa les paupières. Mais c'est pas grave. Je ne pourrais pas me passer d'un type comme toi.

Cinq minutes plus tard Gardella se rendit dans la cuisine où sa femme était occupée à l'évier. Il souleva ses cheveux et déposa un baiser sur sa nuque.

— Je raccompagne Victor jusqu'à sa voiture, lui dit-il.

— On s'en va aussi ? demanda-t-elle.

— Il serait temps, tu ne crois pas ?

— Je pourrais rester ici pour toujours, répondit-elle avec émotion.

120

— Un de ces jours, dit-il, pourquoi pas...

Scandura se dirigea d'un pas raide jusqu'à sa Cadillac qui empiétait sur la pelouse tondue de près. Il avait les traits tirés sous son feutre gris clair. Avec son pardessus boutonné jusqu'au menton il paraissait empêtré dans ses habits. Gardella, en manches de chemise, effleura de la main les arbustes verts qui tentaient de se réchauffer au soleil hivernal.

— Pour la femme de Wade, comment ça s'est passé ?

— Pas de problème, dit Scandura.

— Bien. Bien. J'adore passer par la bande, pas toi Victor ? Combiner un beau coup c'est ce qui rend la vie intéressante.

— Il y a une chose que je réservais pour la fin, dit Scandura. Ton beau-frère s'est pointé.

— Le contraire m'aurait étonné.

— Rita l'a pris chez elle.

— Prévisible.

— Il avait une femme avec lui.

— Intéressant, dit Gardella sur un ton qui signifiait que la discussion sur ce chapitre était close. Sois prudent sur la route, t'entends ? Il serra Scandura contre lui et l'embrassa avec fougue puis le repoussa brusquement. Bon sang Victor, je sens tous tes os ! Tu as maigri ?

— Mon poids change sans arrêt, tu le sais bien.

— Tu te sens en forme ? Ne me mens pas !

— En pleine forme.

Gardella demeura pensif, son visage baigné par la brise.

— T'as raison Victor. Ta place est ici, pas à Miami.

Les yeux de Scandura s'embuèrent.

— Merci Anthony.

A deux pâtés d'immeubles de Government Center Christopher Wade aperçut sa femme de l'autre côté de la rue. Elle marchait d'un pas rapide, enluminée par les rayons du soleil. Il l'appela mais sa voix fut couverte par le vacarme de la circulation. Lorsqu'il essaya de traverser il fut bloqué par le flot des piétons tandis qu'elle disparaissait au coin de la rue.

Quelques minutes plus tard après avoir couru, il l'aperçut en train de gravir les marches raides d'un escalier qui conduisait sur les hauteurs de la ville. Il l'appela de nouveau et cette fois elle s'arrêta, la main agrippée à la rampe en fer. Elle le regarda ; son visage était pâle et son air froid ; un étrange sourire paraissait flotter sur ses

121

lèvres. Elle attendit qu'il atteigne le bas de l'escalier puis elle se retourna. Il y avait un banc de pierre à proximité. Elle s'assit dessus.

— Susan ! Il prononça son nom d'une voix hésitante en s'approchant d'elle et tendit la main pour la toucher mais il se ravisa. Elle était soudain devenue pour lui un mystère impénétrable. Qu'est-ce que tu fais dans ce coin ?

— Pourquoi je n'y serais pas ? Elle semblait lui parler à contrecœur. Pourquoi je n'irais pas là où j'en ai envie ? Son regard se perdit au loin. Elle avait posé les mains sur sa jupe en lainage fin et tenait ses genoux serrés. Ses bas étaient foncés et piquetés. Excuse-moi, dit-elle, mais je ne suis pas en grande forme.

— Qu'est-ce qui ne va pas ?

— J'ai perdu mon travail. John Benson m'a appris qu'il me fichait à la porte au cours d'un repas par ailleurs plutôt agréable. Il m'a également dit qu'il ne voulait plus me revoir. Son rire fusa. Il a prétexté qu'il ne voulait pas m'accaparer. Il dit qu'il faut que je reste moi-même. Sa gorge se serra. Je croyais sincèrement qu'il tenait à moi.

— Tu vas trouver un autre boulot, dit Wade. Il remarqua pour la première fois l'empreinte légère du temps sur son visage et il en éprouva une extraordinaire tristesse presque autant pour lui que pour elle. Elle se mit à parler d'une voix précipitée :

— On m'a déjà fait une proposition, le jour même. Tu as entendu parler de l'agence Rodino Travel ? Tu passes devant tous les jours. C'est pratiquement la porte à côté du Saltonstall Building.

Wade pinça les lèvres. Il entrevoyait les visages austères des bostoniens qui passaient devant lui en traînant les pieds. Elle le dévisagea.

— Comment ont-ils su aussi rapidement chez Rodino que j'étais disponible ? John ne leur aurait jamais dit.

— Je ne sais pas, affirma Wade. Il haussa les sourcils et sentit son estomac qui se contractait brusquement. Il resserra d'un geste appliqué le nœud de sa vieille cravate en tricot. Tu vas accepter leur proposition ?

— Je ne me suis pas encore décidée, répondit-elle avec un regard perçant. Il se passe des choses qui m'échappent. Je sens que quelqu'un tire les ficelles de tout ça et me balade d'une place à l'autre. C'est toi Chris ?

Il secoua la tête.

— Si c'était toi je ne te le pardonnerais jamais !

— Je ne me mêlerai jamais de tes affaires.

— J'aimerais pouvoir le croire...

122

— Ce soir ça te dirait d'aller au cinéma ? demanda-t-il.

— Non Chris, ça ne me dirait rien, répliqua-t-elle en se levant. Avec une pointe de regret dans la voix elle ajouta : Il y a quelque chose qu'il faut que tu te fourres dans le crâne : j'ai cessé de t'aimer !

Il la dévisagea sans rien dire, l'air malheureux.

— Et il faut aussi que tu te persuades d'une autre chose : Tu ne m'aimes pas !

En la regardant s'éloigner nimbée de soleil, il murmura :

— Tu te trompes !

Dix minutes plus tard, plongé dans l'obscurité d'un bar, Wade s'installa le plus confortablement possible à une minuscule table basse, alluma une cigarette et écouta le pianiste égrener des airs des années cinquante pour quelques amoureux d'âge moyen. Il secoua sa cendre et son regard s'attarda sur les jambes nues de la serveuse qui venait vers lui avec un sourire trop figé pour être sincère.

— Je suppose, lui dit-il, que vous avez un mari ou un petit ami...

— Les deux, rétorqua-t-elle. Il était difficile de lui donner un âge précis. Ses cheveux enveloppaient sa tête d'une brume vieil or, une couleur presque identique à celle de sa minuscule robe dont le décolleté serré faisait ressortir sa poitrine.

— Alors je vais tâcher de ne plus vous embêter, dit-il.

— Vous pouvez m'embêter tant que vous voulez dès l'instant où vous ne vous faites pas trop d'illusions !

— Quel genre d'illusions ?

— Décrocher la lune. Tous les hommes rêvent de ça. Mais avec vous je n'ai probablement pas de soucis à me faire. Vous ne m'avez pas l'air d'être très intéressé...

Le regard de Wade se fit plus attentif.

— Qu'est-ce qui vous fait dire ça ?

— Votre façon de parler, mécanique. Vous pensez pas ce que vous dites.

— Ça fait longtemps que vous faites ce boulot ?

— Trop longtemps, se contenta-t-elle de répondre. J'ai quarante et un ans. Regardez comment je suis habillée... J'me sens complètement débile ! Qu'est-ce que vous prenez ?

Il réfléchit un instant avant de répondre :

— Une Heineken brune. Elle eut l'air étonné.

— C'est drôle, j'aurais parié que vous alliez me demander quelque chose qui secoue !

— Non, dit-il, je le suis déjà assez comme ça !

Quelques instants plus tard il se leva et se faufila entre les tables à la recherche d'un téléphone. Sa première pièce de dix cents retomba. Il en essaya une autre qui fonctionna et il composa un numéro. La sonnerie retentit avec une force inhabituelle puis la ligne grésilla lorsque quelqu'un décrocha :

— Ouais ?

— Je voudrais parler à Gardella.

— Il est pas ici.

— Il sera de retour quand ?

— J'sais pas.

— Il est chez lui ?

— J'sais pas.

— Il est toujours à Rye ?

— Écoute mon pote, j'en sais rien !

— Dites-lui que je veux le voir. C'est personnel. Dites-lui que j'en ai ras le bol !

— Mais bon Dieu vous êtes qui à la fin ?

— Il saura, dit Wade.

Lorsqu'il revint à sa table la serveuse avait apporté une bouteille de Heineken et elle était en train de verser son contenu dans un verre translucide. Il s'assit d'un air las. Elle lui jeta un petit coup d'œil appuyé et dit :

— Vous voulez que je vous dise ce qui est le plus ennuyeux dans l'existence ?

Il attendit. Le pianiste jouait un air que Wade avait entendu autrefois interprété par Perry Como.

— C'est de parler à un type seul qui sait pas ce qu'il veut. Et vous voulez savoir ce qui est pire encore ?

— Je n'osais pas vous le demander...

— C'est de coucher avec lui.

— Me voilà fixé ! lança-t-il avec un petit sourire qu'elle lui rendit en plus chaleureux.

— Vous devriez être content. Vous savez à quoi je ressemble le matin ? J'préfère pas vous le dire ! Elle posa le verre de bière devant lui. Buvez, c'est ma tournée !

— Pourquoi ?

— Parce que vous êtes un flic.

Anthony Gardella et sa femme quittèrent Rye Beach en tout début de soirée alors que le soleil brillait encore. L'autoroute 95 luisait sur toute sa surface. Gardella s'était renversé en arrière sur son siège, les yeux à moitié fermés tandis que sa femme conduisait le pied solidement appuyé sur l'accélérateur. Elle grimpa jusqu'à 150.

— Tu veux te suicider ou quoi ? lui demanda Gardella.

— Je sais conduire.

— Je ne dis pas le contraire mais tu tentes le diable ! Ralentis.

Elle descendit à 120 puis progressivement à 100 ; ses mains se relâchèrent sur le volant et elle murmura des mots d'excuse :

— Je t'ai fait peur Tony ? Je n'en avais pas l'intention...

— Tu ne m'as pas fait peur, répondit-il d'une voix douce. J'avais simplement oublié combien tu étais jeune.

— Ne dis pas ça Tony ! Elle retint sa respiration et tressaillit. Ne me rabaisse pas comme ça, je ne suis plus une enfant !

— Alors n'essaie pas de vivre dangereusement. Fais confiance à ton instinct, jamais à la chance.

Elle continua à une vitesse variable, ralentit à 80 puis remonta à 100 avant de se stabiliser entre les deux. Elle regarda le soleil se coucher. La circulation grossissait et Boston lui apparut estompée dans le lointain comme une ville inconnue, vaguement menaçante et où elle n'avait pas envie de pénétrer. Sur le pont Mystic Tobin une vieille guimbarde avec des jeunes à l'intérieur fit une embardée devant eux. Plus loin une camionnette surélevée avec des roues à jante large l'obligea à changer de file. Gardella lui tendit de la monnaie pour le péage.

— A Rye tout paraissait si simple, dit-elle. Si... naturel.

— Et à présent ?

— C'est différent, voilà tout. Elle chercha sa main à tâtons et la porta à sa joue. Regarde-moi Tony, regarde-moi et aime-moi !

Ils se retrouvèrent bientôt sur la voie rapide ; un voile de fumées recrachées par les usines flottait haut dans le ciel. La circulation devenait folle et son vacarme leur martelait les oreilles.

— Qu'est-ce qui ne va pas, Jane ? demanda-t-il.

— Un coup de déprime. Le retour... Elle parlait sous la poussée de sentiments qu'elle avait du mal à contrôler. Et puis cet air qu'on respire ici ! Il n'y en a pas un brin de frais !

— Mais qu'est-ce qui te tracasse vraiment ?

— Rien.

— Tu te fais du souci pour nous ? Tu as tort. Il n'y a aucun problème qu'on ne puisse régler.

Arrivés dans Hyde Park ils traversèrent un quartier laissé depuis longtemps à l'abandon, remontèrent le long d'un terrain de jeu clos par un grillage défoncé, descendirent une rue bordée de maisons condamnées et de trottoirs effondrés longeant des terrains vagues. Puis, progressivement, le paysage urbain s'adoucit. Ils atteignirent à l'heure prévue un quartier qui avait conservé son charme, sa propreté et ses arbres dont beaucoup commençaient déjà à bourgeonner. Alors qu'ils approchaient de chez eux, Gardella tourna la tête pour jeter un coup d'œil par la lunette arrière.

— Ça fait combien de temps que cette voiture est derrière nous ?

— Je n'en sais rien Tony. Je ne l'avais pas remarquée.

— Tu devrais toujours faire attention.

Elle frissonna comme si trop de choses l'accablaient en même temps. Elle regarda dans le rétroviseur.

— Qui c'est ? Je ne reconnais pas la voiture.

— Notre ami, laissa tomber Gardella en regardant à nouveau droit devant lui, souriant presque.

— Quel ami ?

— Christopher Wade.

12

Sara paraissait exténuée. A la demande de Rita O'Dea Alvaro l'accompagna au premier, lui montra sa chambre et lui donna des servicttes afin qu'elle puisse prendre un bain. Plus tard Rita O'Dea ordonna à Alvaro de se faire oublier. Elle voulait rester seule avec son mari. Ty O'Dea, qui avait évité les regards d'Alvaro, était assis sur le canapé, l'air embarrassé. Rita O'Dea s'approcha de lui et déclara :

— Alvaro c'est mon serviteur.

— C'est comme ça que tu l'appelles ? dit-il. Il était fatigué, un peu groggy, et se tenait la tête basse.

— Je disais ça pour être gentille, Ty. Elle l'observa. Je crois qu'un bon verre te ferait du bien, dit-elle et elle se dirigea vers le buffet où étaient rangés les alcools et en sortit une bouteille de whisky irlandais. Elle lui en versa une bonne dose qu'il accepta avec gratitude en tendant sa main tremblante. Elle lui demanda : Il te reste encore un foie ?

— Je ne bois pas autant qu'avant, rétorqua-t-il.

— Tu as failli me donner le change. Fais attention, Ty. Tout finit par se savoir et tout peut nous faire du mal. Elle se laissa choir dans un fauteuil près du sofa et d'une petite table en marbre sur laquelle étaient posées les photos de ses parents. Ses yeux s'embuèrent. Tu aurais dû venir à l'enterrement.

— Je ne pensais pas que tu souhaitais m'y voir.

— Tu aurais quand même dû venir. Ils ne t'ont jamais aimé, Ty, mais ils auraient voulu que tu sois présent à côté de moi. Tu sais comment ils étaient. Sa voix se brisa. Tu crois qu'ils sont au paradis ? Tu crois que ça existe un endroit pareil ? Non, je sais que tu n'y crois pas...

Ty O'Dea plongea le nez dans son whisky comme pour en déterminer le degré d'alcool. Ses yeux bleus avaient l'air plus délavés que jamais. Quand t'es mort, t'es mort, Rita. Voilà c'que je pense.

— Je suis obligée de me dire qu'il y a quelque chose après, pour le salut de mes parents et pour le mien. Je n'ai pas le choix si je ne veux pas finir folle !

Ty O'Dea but une longue gorgée. Le whisky descendit lentement dans son corps, le réchauffant à des endroits inattendus comme le haut des bras et un coin de son estomac. Sa poitrine se souleva et il se mit à tousser, de la toux rauque du fumeur. Il porta la main à sa bouche.

— T'as l'air d'un vieux, lui dit-elle. Sa barbe de deux jours, toute blanche, donnait l'impression qu'il ne s'était pas rasé depuis une semaine. Il avait la lèvre inférieure qui tremblait. T'es une vraie boule de nerfs, ajouta-t-elle.

— Ça y est, ça va mieux.

— Avec tout ce temps passé en Floride tu n'es même pas bronzé ! Et puis à t'entendre tousser je me demande si t'as quelque chose aux poumons ou quoi !

— Je vais bien.

— T'as l'air crevé. Enlève tes chaussures et allonge-toi.

— Faut que j'aille là-haut voir Sara.

— Laisse-la tranquille ! Elle a besoin de dormir. Elle le regarda poser son verre et ôter ses chaussures. Il essaya de dissimuler le trou dans une de ses chaussettes. T'as pas la classe, Ty ! lança-t-elle sur un ton sarcastique qui le piqua au vif. Son enfance avait eu pour décors un quartier pauvre du sud de Boston où la fenêtre de sa chambre à coucher, au dernier étage d'un immeuble vétuste, donnait sur des poubelles infestées de rats. Son père avait été manœuvre toute sa vie. C'est ça, dit-elle, étends-toi et prends le coussin.

Une torpeur l'envahit dès qu'il eût posé la tête. Le bas de son visage s'affaissa.

— Regarde-moi Ty. Elle voulait qu'il se repose, pas qu'il s'endorme. Je passe un sale quart d'heure, confia-t-elle avec une certaine hésitation. Tout ce que je fais me paraît... irréversible.

Il se tut, ne sachant quoi dire. Il voulait garder les yeux fermés, faire croire qu'il n'était plus là.

— Je veux me cramponner plus fort que jamais à ce qui m'appartient, dit-elle sur un ton menaçant. Lentement elle se souleva de son fauteuil, livre par livre. Parle-moi de cette femme.

— Sara ?

— Sara comment ?

— Dillon. Il prit son courage à deux mains et laissa son cœur parler : Je l'aime.

— Tu l'aimes ! Tu *crois* que tu l'aimes...

— Non Rita. Je l'aime vraiment.

Dressée de toute sa masse avec sa robe qui lui collait aux jambes, elle semblait prête à fondre sur sa proie. Elle fit un pas en avant, tituba et s'immobilisa. Sa voix était grave comme si elle sortait d'un trombone. Parle-moi d'elle.

Il se dressa sur ses coudes. Un de ses os émit un craquement irréel.

— Qu'est-ce que tu veux savoir ?

— Tout, répondit-elle. Ta vie en dépend.

Alvaro se glissa dans la chambre sans frapper. Il laissa la porte entrouverte de façon à pouvoir entendre si quelqu'un montait l'escalier. Sara Dillon écarquilla les yeux. Sa peau avait perdu son éclat après le bain. Dessus les boutons et les marques ressortaient. Ses seins étaient gonflés. Les mèches grises de ses cheveux la faisaient paraître plus âgée que ses trente et un ans.

— Sortez de là ! lui lança-t-elle.

— Tout de suite ! Bien qu'elle fût enceinte, ce qu'il avait immédiatement deviné, il y avait en elle quelque chose de mort. Vous avez bourlingué, ça se voit, dit-il en caressant sa barbe.

Elle se couvrit.

— Vous savez tout sur moi, lança-t-il sur un ton accusateur.

— Qu'est-ce qui vous fait croire ça ?

— Vous êtes la femme de Ty. Or il ne sait pas tenir sa langue.

— Vous n'avez rien à craindre de moi, dit-elle avec nonchalance et d'un balancement adroit elle se couvrit de façon plus convenable. Vous devriez plutôt vous inquiéter de vous-même.

Il s'avança à pas feutrés jusqu'à elle et se tint tout près, lui envoyant une bouffée piquante d'eau de Cologne dont il avait aspergé sa barbe. Ses dents blanches luirent comme un éclair.

— Vous représentez pour moi un risque. Vous me comprenez ?

— Ça ne me regarde pas.

— Si vous me causez des embêtements, je vous arrache les tripes et à Ty aussi. Pigé ?

— Parfaitement.

— Bien, dit-il avec un regard lascif, à présent on peut devenir amis.

— Pas question ! Elle esquiva sa main. Ne me touchez pas !

Il parut surpris.

— Je n'aime pas les beaux gosses, expliqua-t-elle.

— Vous avez raison, souffla-t-il, on ne peut pas être amis.

A l'intérieur de la maison de Gardella se trouvaient deux de ses hommes chargés de la surveiller. La main glissée sous leur veste et posée sur la crosse de leur revolver, ils fixaient d'un air dur Wade qui les ignorait.

— Laissez tomber les gars, leur dit tranquillement Gardella en les congédiant du regard. Wade les suivit des yeux lorsqu'ils se retirèrent. Gardella lui sourit : Vous avez du cran.

— Je pense que vous voulez être seuls, dit Jane Gardella.

— Je ne sais pas, répondit son mari en se tournant vers Wade qui hocha la tête. Suivez-moi, lui dit alors Gardella.

Ils s'installèrent dans une pièce obscure comme une grotte mais où chacun pouvait néanmoins distinguer le visage de l'autre. Wade ne souhaitait pas qu'on allumât. Il dit à mi-voix :

— Vous n'auriez pas dû mêler ma femme à tout ça.

— C'était pour votre bien et le sien, rétorqua Gardella d'un ton pénétré. Il s'attendit à être interrompu mais Wade demeura silencieux. Le visage légèrement incliné, il lui jeta un regard interrogateur. Je ne voulais pas tout gâcher en vous mettant dans le coup. J'estimais que j'avais une dette envers vous. N'est-ce pas ? Il y eut un nouveau silence. Le regard de Gardella s'adoucit et un sourire flotta sur ses lèvres. Vous ne le saviez pas ? Je suis en affaires avec Benson. Rien de très important mais ça a suffi.

Wade rejeta son visage en arrière, dans l'ombre.

— J'ignore si vous dites la vérité. Je peux vérifier.

— Allez-y ! Ce type, Benson, c'est un escroc sur tous les plans ! Il ne versait même pas un salaire correct à votre femme. Il préférait la payer en nature. Elle vous a parlé de leur voyage à Biscayne ? A l'hôtel Sonesta...

Wade se crispa.

— Ça m'épate qu'elle ait pu lui trouver quelque chose, dit Gardella.

— Vous feriez mieux de la fermer !

— Sûr, je sais ce que vous ressentez !

Wade posa ses mains sèches sur ses genoux. La seule lumière qui pénétrait dans la pièce venait de la porte ouverte et il avait l'impression de se trouver sous terre, dans un monde beaucoup trop silencieux, poussiéreux et aux contours mal définis. Il était entouré de livres.

— C'est ma bibliothèque. Je lis — ça vous étonne ?

— Pourquoi faudrait-il que quelque chose me surprenne ? demanda Wade en devenant de plus en plus distant. Et d'abord pourquoi faudrait-il que vous me surpreniez ?

— Je suis content d'entendre ça, dit Gardella d'un air mystérieux.

— Quelqu'un a faim ? La voix venait du seuil éclairé, c'était celle de Jane Gardella entrée discrètement dans la pièce, juste quelques pas timides qui la laissaient en pleine lumière. Elle attendit une réponse.

— Pas moi, dit Wade.

Gardella se leva en secouant la tête :

— Il faut que j'aille chercher quelque chose. Je te confie l'inspecteur un instant.

Seule avec elle, Wade prit conscience de trop de détails : les reflets dans ses cheveux, la longueur de ses mains... et de ses cuisses, moulées par son pantalon. Son regard le dérangeait, il était hostile même lorsqu'elle souriait et à cet instant elle lui déplut.

— A Rye vous m'avez étonné, dit-il.

Elle demeura figée et sur la défensive.

— En quoi ?

— Je m'attendais à trouver une poupée potiche. Rien à voir avec vous !

— Si c'est un compliment, il est plutôt raté, dit-elle froidement. En fait c'est une insulte à Tony !

— Vous avez raison, avoua-t-il en se frottant la mâchoire du plat de la main d'un geste machinal. J'aimerais que vous me pardonniez.

— Je n'en ai pas le pouvoir, affirma-t-elle sur un ton doucereux en quittant la pièce. Il n'y a que Tony qui l'ait.

De retour dans la pièce, Gardella se tint quelques instants dans la pénombre des rayonnages, tournant le dos à Wade. Ses épaules se détendirent tandis qu'il passait le doigt sur des titres de livres qu'il ne parvenait pas à distinguer clairement.

— Je me sens un peu vieux ce soir, je me demande pourquoi. Il se retourna avec un sourire lugubre. « Ne me pleurez pas quand je serai mort »... Un poète a écrit ça. Je l'ai quelque part — vous voyez, je vous avais dit que je lisais !

— Je n'ai jamais mis votre parole en doute. La voix de Wade émergeait de l'obscurité.

— Quand j'étais gosse ma mère et mon père voulaient que je devienne un professeur ou quelque chose du genre, un personnage quoi... Ils n'ont jamais apprécié ce que je suis devenu mais ils m'ont compris. Ma première femme, que Dieu la bénisse, n'a jamais dit un mot mais au plus profond d'elle même elle avait honte, je l'ai toujours su. Dites-moi, Wade, ce que vous faites, c'est toujours propre ?

— Non, mais généralement c'est juste.

— Ni l'un ni l'autre on est des anges, vous ne croyez pas ?

Wade grimaça sous l'effet d'une crampe. Lentement il allongea sa jambe.

— Qu'est-ce que vous pouvez faire pour moi ? Sa voix était dure. Je veux dire, que pouvez-vous *réellement* faire pour moi ? Qu'avez vous à proposer que je n'aie pas déjà considéré ? Ça ne voudrait pas dire que vous m'êtes redevable pour l'éternité hein ?

— Si vous voulez discuter, faites-le à découvert.

— Vous croyez que j'ai un micro caché ?

— Je ne veux pas le croire, je veux le savoir.

Wade se pencha en avant afin de sortir son visage de l'ombre. Il se redressa péniblement de toute sa taille. Il ôta sa veste, sa cravate en tricot et sa chemise. Il ressentit sur ses bras nus la chaleur de la pièce. Il passa son T-shirt par-dessus sa tête, remis de l'ordre dans sa coiffure et se tint torse nu, son Beretta enfoui dans un étui contre sa hanche.

— Satisfait ?

— La tranquillité d'esprit c'est très important. Vous n'êtes pas obligé de rester comme ça. Gardella parlait d'une voix douce, les yeux mi-clos. Si ma sœur était ici, elle sifflerait !

— Vous essayez de m'arranger le coup avec elle ?

— J'adore ma sœur mais je ne souhaiterais à personne de l'avoir sur le dos ! dit Gardella d'une voix neutre en s'écartant de la bibliothèque. Wade commença à se rhabiller. Il se débattait avec sa cravate dont le nœud s'obstinait à partir de travers. Gardella s'approcha et l'arrangea pour lui.

— Vous avez déjà fumé un joint Wade ?

— Non.

— Au collège peut-être, ou à l'armée ?

— Jamais.

Gardella exhiba deux cigarettes grossièrement roulées et qui paraissaient surgir de nulle part. Le papier était foncé.

— Je les ai prises à ma femme, avoua-t-il avec une expression mi-figue, mi-raisin. Elle s'imagine que je ne suis pas au courant. Ce n'est qu'une gamine vous comprenez, j'ai parfois tendance à l'oubliez. Tenez !

Wade examina le joint que venait de lui offrir Gardella, le tournant précautionneusement entre le pouce et l'index.

— Pourquoi faire ?

— Parce que la vie est courte, dit Gardella avec autorité. Parce que vous êtes un compagnon agréable et parce que je n'ai pas envie de fumer ça tout seul dans mon coin. Une flamme jaillit entre ses doigts. Il faut faire comme avec une cigarette ordinaire mais avaler la fumée plus profondément et la garder plus longtemps.

Après une imperceptible hésitation Wade se pencha en avant.

— Je crois que je saurais me débrouiller, dit-il.

Rita O'Dea regardait la télévision sur un poste portatif qu'elle avait placé en bout de table. C'était un programme régional avec un dossier sur les effets des résidus toxiques qui avaient été déversés pendant des années près de Woburn. Une envoyée spéciale boutonnée jusqu'au cou pour se protéger du vent, mentionna un fort taux de leucémies dû à ces rejets. Puis la caméra montra une mère avec son enfant mourant. Le petit garçon était chauve.

— Pourquoi tu regardes des trucs pareils, marmonna Ty O'Dea du canapé où il était allongé.

— Rendors-toi ! se contenta de répondre Rita O'Dea à son mari qui obéit aussitôt. Il se pelotonna sous la couverture qu'elle avait étendu sur lui un peu plus tôt. Elle fixa à nouveau ses yeux sur le petit écran mais elle ne parvenait pas à concentrer son attention. Sa main tremblait lorsqu'elle la porta à ses cheveux dont elle tortilla une mèche. Elle était agitée et inquiète, et en quittant son fauteuil elle ressentit tout le poids de sa chair moite. Avant de sortir elle contempla d'un œil hagard son mari qui dormait.

En haut, dans la chambre où était installée Sara Dillon, elle alluma une petite lampe à abat-jour rose posée sur le bureau et se pencha au-dessus d'une valise ouverte où elle examina minutieusement les affaires de Sara Dillon. La lingerie qui s'y trouvait était noire, violette ou bien encore d'un blanc transparent. D'une voix tranquille elle demanda :

— C'est comme ça que vous l'excitez ?

Sara Dillon ouvrit les yeux et répondit de son lit :

— Je n'aime pas qu'on fouille dans mes affaires !

— Vous auriez pu me dire d'arrêter. Vous auriez pu vous redresser et dire quelque chose. Rita O'Dea s'approcha du lit sur lequel Sara Dillon se tenait à présent assise. Eh bien, Sara, vous avez

l'air mieux que les filles avec lesquelles Ty traîne habituellement !
Vous êtes vraiment enceinte !

— Oui.

— Vous et moi on sait que ça ne vient pas de Ty. Et lui aussi
d'ailleurs.

— Il fait comme si c'était le sien...

Le regard de Rita O'Dea s'adoucit ; on aurait dit qu'elle venait
de prendre conscience qu'elle avait commis trop d'erreurs par le
passé et pris trop de décisions irréversibles.

— Oui, murmura-t-elle, je comprends que Ty fasse semblant
comme si la réalité on pouvait s'en passer... Le gosse, il sera pas
noir ou quelque chose du genre, hein ? Elle s'attendit à une réaction
de colère mais Sara Dillon lui répondit d'un air indifférent :

— Il sera blanc.

Les yeux de Rita O'Dea brillèrent d'un éclat dur :

— Ty n'est pas une affaire mais j'imagine que vous vous en êtes
aperçue ! Ce que je veux dire c'est plus sérieux : si jamais vous lui
faites du mal, ça vous retombera dessus, à vous et au gamin. Je
m'fais bien comprendre ?

— Je ne lui veux aucun mal.

— Bon. Autre chose : je suis catholique. Les catholiques ne
divorcent pas.

— Ça ne me dérange pas.

Un fin sourire illumina le visage de Rita O'Dea :

— Je m'en doutais.

L'entreprise de pâtisserie industrielle se trouvait sur la Route I
à Saugus. Elle était ouverte jusqu'à minuit pour la vente au détail.
On pouvait aussi consommer sur place et quelques tables étaient
installées dans une arrière-salle avec un distributeur automatique de
café. Victor Scandura en apporta trois tasses sur un plateau à une
table de coin où deux hommes attendaient.

— Merci c'est gentil, dit l'un d'eux. Son visage était large, son
cou épais, et il avait de grosses poches sous les yeux. L'autre
homme, qui était livide comme s'il ne sortait jamais par crainte du
grand air, déclara :

— J'devrais pas en boire. Putain d'estomac ! Comment va le tien
Victor ?

— J'ai pas à me plaindre, dit Scandura dont le regard allait de
l'un à l'autre. Ils venaient de Providence, c'étaient des émissaires
de l'organisation qui étaient à peu près du même âge que Scandura.

Ce dernier, qui les rencontrait secrètement, jeta un coup d'œil autour de lui et murmura : si Anthony savait ça il piquerait sa crise !

— Y'a pas de raison qu'il soit au courant, pas vrai ? rétorqua l'homme au visage blême.

Celui avec les poches sous les yeux ajouta :

— Tout ce qu'on veut c'est que tu nous fasses un tableau précis de la situation afin qu'on puisse dire au patron à Providence que tout est en ordre. Tu nous l'dirais si c'était pas le cas ?

— Bien entendu, assura Scandura en se raidissant un peu. Qu'est-ce qui tracasse le patron ?

— Ça chauffe de tous les côtés par ici, dit l'homme au teint blême. La justice est sur le dos de la famille Angello.

— Ça fait des années que c'est comme ça, ça n'a rien à voir avec moi ou avec Anthony. Tout ce qui chagrine Anthony c'est ce Procureur qui cherche à se faire un nom.

— Tu m'as pas laissé finir Victor... Tu sais aussi bien que moi que le patron ne se fait plus une si haute opinion que ça d'Angello et qu'il s'en ficherait si ce connard disparaissait. Mais avec Gardella c'est pas pareil. Le patron a un faible pour lui, il le considère comme son fils, peut-être même comme son successeur. Tu réalises ?

— Oui, répondit Scandura. Anthony aussi.

— Mais nous savons tous qu'Anthony a changé un peu quand sa femme est morte.

— Il a pris un sacré coup, dit Scandura sur la défensive.

— C'est ce que je suis en train de dire. Mais après il a épousé une gamine, une putain d'hôtesse de l'air ! Il y en a qui disent que t'aurais dû lui conseiller d'être raisonnable...

— Je lui donne mon avis. Je lui dis pas ce qu'il faut qu'il fasse...

L'homme avec les poches sous les yeux intervint :

— Ce qu'il a fait pour venger son père et sa mère personne le lui reproche. Mais il a dû jouer serré comme il l'a fait juste après à Miami. C'était un beau coup, très beau, mais il a eu du pot de pas s'faire prendre !

— Avec lui rien n'est dû au hasard, répliqua sèchement Scandura. Il prévoit tout.

L'homme au teint pâle but une gorgée de son café qu'il avait laissé refroidir. Scandura se tenait assis bien droit ; il rajusta ses lunettes. Celui qui avait des poches sous les yeux demanda, l'air vaguement salace :

— Sa sœur, comment elle va ? Je m'souviens il y a des années

135

de ça quand elle arrivait pas à détacher ses yeux de la braguette des mecs ! Elle est toujours pareille ?

Scandura ne répondit pas.

— Elle est toujours aussi grosse ?

— Elle est forte, dit Scandura.

— Anthony la mêle trop aux affaires. C'est un truc que le patron n'a jamais encaissé. Tu vois Victor, tout ça finit par s'accumuler et c'est pourquoi le patron se fait du souci. Il y a quelque chose qui va finir par claquer le patron veut savoir quoi.

— Il sera le premier au courant, assura Scandura.

Quelques instants plus tard ils se levèrent. L'homme aux poches sous les yeux alla choisir dans une vitrine des pâtisseries saupoudrées de sucre et des gâteaux glacés. Pendant ce temps Scandura et l'homme au visage livide allèrent l'attendre dehors, à l'écart des néons. Sur la Route I la circulation était fluide. L'envoyé de Providence dit à Scandura :

— Alors comme ça le raffut du Procureur ça vous dérange pas ?

— C'est un flic d'État qui l'orchestre et Anthony l'a déjà mis à moitié dans sa poche. Tu peux le dire au patron.

A cet instant l'autre homme les rejoignit en portant un sac et un carton de pâtisseries. Il posa sur Scandura son regard vide et lui demanda :

— Au fait, tu connais un fédéral par ici qui s'appelle Thurston ? Y'a quelques années de ça un juge l'avait utilisé contre Angello avant de lui retirer l'enquête parce qu'il aimait pas sa façon de faire. Nous non plus...

— Je ne l'ai jamais rencontré personnellement, dit Scandura, mais j'ai entendu parler de lui. Il fouine partout.

— Il a une putain de haine contre les ritals, voilà ce qu'il a ! Le patron voudrait que tu fasses gaffe.

Scandura hocha la tête.

— Comment va le patron ?

Il y eut un silence... puis l'homme aux poches sous les yeux s'avança d'un millimètre en tenant d'une main ferme ses gâteaux :

— Tous les ans on se dit qu'y va mourir et y tient l'coup.

L'homme au teint blême demanda :

— Ça te va comme réponse ?

Affalé dans son fauteuil Gardella lança :

— Vous vous sentez corrompu ?

Du sien Wade répondit :

136

— Je ne me sens même pas planer ! Le joint achevait de se consumer entre ses doigts et il l'écrasa dans un cendrier en forme de feuille où il continua de répandre son parfum. J'ai simplement la gorge sèche.

— Peut-être que vous ne vous y êtes pas pris comme il faut. Moi je me sens bien.

— Vous avez de l'entraînement !

— En fait non... Gardella était penché sur le côté et paraissait somnoler. Il parlait lentement et tout en lui semblait détendu, son sourire surtout. Le coup que j'ai essayé de vous arranger avec votre femme, ça vous met toujours en rogne ?

— Ne vous mêlez plus de ça, c'est tout.

— Si vous voulez je peux veiller à ce qu'elle retrouve son ancien boulot...

— Trop tard.

— De toutes façons ça ne vous dirait rien qu'elle retourne là-bas, avança Gardella d'un air entendu. Si elle accepte de travailler chez Rodino vous aurez l'occasion de tomber sur elle par hasard chaque jour ! Pas mal, hein ?

— C'est à elle de décider pour ce boulot. Qu'est-ce qu'il représente pour vous Rodino ?

— Sa famille est italienne, c'est tout.

— C'est suffisant. Wade ferma les yeux pendant quelques instants. Il avait menti en disant qu'il ne planait pas. Après s'être forcé à tousser il laissa tomber négligemment : J'ai une réponse à la question que j'avais posée... à savoir ce que vous pouviez réellement faire pour moi.

— Ah oui ! dit Gardella avec un sourire affable.

— Je veux une part dans toutes vos affaires. Un pourcentage. Versé sur un compte en Suisse. Pas aux Bahamas ou dans un coin trop rapproché comme ça. Je veux ça en Suisse.

Gardella éclata de rire :

— Vous voulez la lune ! Rappelez-vous que vous n'êtes qu'un inspecteur !

— Je ne veux pas que le compte soit à mon nom, poursuivit Wade sur un ton badin. L'argent ira à mes filles et je veux qu'elles ne sachent pas d'où il provient, il sera toujours temps de les mettre au courant plus tard.

Gardella siffla tout en conservant le sourire.

— Pendant que vous réfléchissez là-dessus, dit Wade, je dois vous prévenir que le Procureur ambitionne un poste plus important, c'est pourquoi il m'a envoyé du renfort. Il veut que j'active l'enquête particulièrement en ce qui concerne vos combines pour blanchir l'argent et vos ventes de trucs pornos. Il veut aussi la peau des politiciens avec qui vous magouillez, du moins ceux qui ne sont pas de ses amis. Si je déterre une bonne affaire mais que je n'arrive pas à exploiter, il veut que je la refile au FBI.

Gardella ne perdit pas le sourire mais sa mâchoire se crispa.

— Vous avez autre chose à me dire ?

— On peut débattre du pourcentage.

— Sans blague !

Wade attendit, prenant conscience que sa respiration n'était pas à son rythme normal. Sa gorge était desséchée à tel point qu'il redoutait d'avoir à parler de nouveau. Des bruits étouffés lui parvenaient à travers la fenêtre derrière son dos. Il mit un moment à réaliser qu'il pleuvait et davantage encore à remarquer un imperceptible changement dans l'attitude de Gardella.

— Si ça se trouve vos filles finiront par se retrouver avec mes garçons, dit Gardella en se levant. Ça serait quelque chose, hein !

Le directeur Russell Thurston n'était pas seul dans son appartement quand le téléphone sonna. « Merde ! » marmonna-t-il d'un air rébarbatif en se dressant sur un coude. Il s'étira en souplesse pour atteindre le combiné. A l'autre bout du fil une voix inquiète lui dit : « C'est Chérie. » Il mit aussitôt la communication en attente. Des yeux gris-bleu l'observèrent du lit tandis qu'il se débattait pour enfiler sa robe de chambre.

— C'est personnel, expliqua-t-il.

Il prit la communication dans la pièce qui lui servait de cabinet de travail, assis sur le coin de son bureau en teck.

— Il faut qu'on se voit, dit la voix au bout du fil.

— C'est trop risqué ! répliqua-t-il sur un ton décidé.

— S'il vous plaît !

— D'où est-ce que vous m'appelez ?

— Vous le savez bien...

— C'est fou, complètement fou ! s'exclama-t-il. D'accord, je vais vous rencontrer mais pas demain, je suis pris. Ni après-demain. Disons le jour suivant. Il indiqua l'heure et l'endroit. Un grognement lui répondit :

— Je ne peux pas attendre aussi longtemps !

— Il le faudra bien ! dit-il avant de raccrocher.

Il regagna lentement sa chambre à coucher. La personne qui était dans son lit sommeillait. On ne voyait d'elle qu'une épaule lisse et nue qui dépassait des couvertures. Il se pencha et la secoua.

— Il est temps que tu t'en ailles...

— Tu plaisantes !

— Pas le moins du monde.

Vingt minutes plus tard il se versa un verre de sherry et l'emporta dans son bureau où il s'installa afin de compulser un certain nombre de dossiers. De temps en temps il jetait un coup d'œil au téléphone. Plus d'une heure s'écoula et il était sur le point de retourner au lit lorsque la sonnerie du téléphone retentit.

— C'est Cœur Tendre, dit l'inspecteur Christopher Wade.

— Vous avez failli me décevoir...

— Vous saviez que j'allais appeler ?

— Je m'en doutais. Une prémonition.

— Ça se présente bien.

— Vous êtes dans le coup ?

— J'y suis, dit Wade.

12

Rita O'Dea, enveloppée dans un volumineux peignoir, était assise à la table du petit déjeuner où elle proposait trois sortes de céréales à ses hôtes : Froot Loops, Frosted Flakes et Raisin Bran.

— Je savais que tu prendrais ça, dit-elle à Ty O'Dea qui venait de choisir les Froot Loops. Tu te servais directement dans le paquet, tu t'en souviens ?

Sara Dillon, qui ne voulait que du café, alluma une cigarette. Rita O'Dea se tourna vers elle :

— Vous êtes enceinte, il faut que vous mangiez ! Mais en tout cas il faudrait qu'vous arrêtiez de fumer ces sacrées cigarettes !

Sara Dillon se dépêcha de prendre une dernière bouffée avant d'écraser sa cigarette.

— Vous avez l'air nerveuse... Quelque chose ne va pas ?

— Tout va bien.

— Si vous voulez des œufs, je vais vous les préparer.

— Ça va merci ! assura Sara Dillon avant de secouer le paquet de Raisin Bran pour en faire tomber un peu dans un bol. Rita O'Dea poussa devant elle un pichet de jus d'ananas.

— Prenez ça d'abord ! ordonna-t-elle. Vous en avez besoin.

— Laisse-la tranquille, Rita !

— Toi tu la fermes ! Tu veux que le gosse soit normal, pas vrai ?

Ty O'Dea acquiesça docilement et plongea sa cuillère dans son bol de céréales. Il s'était écorché la gorge en se rasant et un morceau de papier toilette restait collé dessus. L'air aussi décontracté que possible il demanda :

— Il est où ton ami ?

— Mon ami, comme tu l'appelles, est en train de faire laver ma voiture. Il paye sa pension, ce que t'as jamais fait ! Elle eut un sourire ironique tandis qu'elle versait du jus de fruit à Sara Dillon avant de se servir à son tour. Si ça risque pas de te rendre jaloux, je veux bien te parler de lui.

— Non, répondit Ty O'Dea, je ne suis pas intéressé.

— Et tu n'es pas jaloux non plus, remarqua-t-elle amèrement.

Plus tard, ne se sentant pas vraiment indispensable, il laissa les femmes entre elles et s'esquiva par la porte de derrière. L'air avait été rafraîchi par la pluie qui était tombée une bonne partie de la nuit avant de laisser la place à un soleil éclatant. Il s'arrêta quelques instants pour observer une grive solitaire qui picorait inlassablement le sol. Il enviait son énergie. En prenant garde de rester hors de vue de la maison d'Anthony Gardella, il se dirigea vers le garage qui était ouvert. Il se planta là et attendit.

Lorsqu'Alvaro revint avec la voiture, il se leva de la caisse sur laquelle il avait fini par s'asseoir. La voiture, qui sentait le produit lustrant, était un petit cabriolet de sport et il se demanda comment Rita O'Dea faisait pour prendre place au volant. Il regarda Alvaro en descendre avec un petit sourire. Il portait une chemise d'un rouge aussi éclatant que le noir de sa barbe et de ses cheveux.

— T'es dingue !

— Fais attention à ce que tu dis !

— Mais comment ça se fait que t'es encore ici ? Avec la mort de Nardozza ton contrat est fini ! Tu ferais mieux de foutre le camp !

— Si je fous le camp, Gardella comprendra tout.

— Il le découvrira tôt ou tard en supposant qu'il le sache pas déjà.

— Et toi, comment ça se fait que t'es toujours en vie ? demanda Alvaro d'un air sournois.

— J'fais partie de la famille. Rita en pince pour moi. Tu crois que je serais là aujourd'hui devant toi si elle ne m'aimait pas ?

— Alors je suis en sécurité. Alvaro élargit son sourire comme pour bien marquer la perversité de ses propos : Toi elle t'aime bien, moi elle m'adore.

Ty O'Dea sortit du garage et se retourna :

— En ce moment elle t'aime, dit-il, en ce moment...

Plus tard au cours de cette même journée Ty O'Dea fut convoqué chez Anthony Gardella. Ses jambes flageolaient tandis que Rita O'Dea l'accompagnait. « Sois un grand garçon », lui dit-elle quand il trébucha en montant les marches. Elle sonna mais n'attendit pas qu'on vienne ouvrir. Elle avait sa clef. Avant de la faire jouer dans la serrure elle demanda :

— Comment tu te sens ?

— Pas au mieux, admit-il.

— Y'a des bonnes raisons à ça, rétorqua-t-elle.

En pénétrant dans la maison il ne vit pas tout de suite Gardella et en l'apercevant il sursauta. Devant la coupe impeccable de son costume il se sentit minable. Il sourit tout en évitant son regard et sursauta à nouveau quand il vit Rita O'Dea s'éloigner.

— Tu ne restes pas ? lui demanda-t-il, pris de panique.

— Anthony ne veut pas.

D'un geste brusque Gardella lui fit signe d'avancer. Il pénétra dans une longue pièce et aperçut la grosse tête bouffie de Ralph Roselli qui lisait le journal installé dans un fauteuil. Roselli ne leva pas les yeux. Il continua d'avancer derrière Gardella qui lui montrait le chemin sans un mot et se retrouva bientôt dans la bibliothèque. N'ayant pas été invité à s'asseoir, il resta debout tandis que Gardella prenait place dans un fauteuil en cuir. Au bout d'un instant celui-ci prit la parole d'une voix à la douceur trompeuse :

— T'aurais dû être mort. S'il n'y avait pas Rita tu le serais.

Ty O'Dea se pencha comme s'il voulait embrasser la main de Gardella. Il l'aurait fait s'il avait eu la permission de bouger.

— Anthony je te jures que j'étais pas au courant de ce qui se tramait à Miami ! J'essayais juste de gagner ma croûte en bossant pour Nardozza. Comme il était ton cousin je pensais que vis-à-vis de toi ça posait aucun problème...

— Qu'est-ce qu'il y a chez toi qui me rend malade ?

— Anthony, je t'en prie !

— T'essaies de me faire croire que tu savais pas que Sal était en train de me doubler ?

— Je le jure !

— T'essaies aussi de me faire croire que t'étais pas au courant qu'il avait passé un contrat ?

— Sur toi ? Seigneur, non ! J'aurais été le premier à t'avertir !

— Pourquoi tu transpires comme ça ?

— Quand j'me retrouve devant toi je transpire toujours. J'ai la trouille. Tu le sais bien.

— Tu me donnes du souci, Tyrone. Depuis toujours.

— Anthony s'il te plaît ! Je ferai tout ce que tu diras. J'ai de la famille en Irlande. Si tu veux que j'ailles là-bas, j'y vais.

Gardella le dévisagea d'un air énigmatique.

142

— Et si je te demandais de faire toute la rue pour y ramasser les merdes des chiens, tu le ferais ?

Ty O'Dea eut un sourire embarrassé.

— Oui, tu le ferais, répondit Gardella à sa place. Tu n'aurais pas le choix. Et si je te demandais de te jeter devant les voitures sur la voie rapide ?

Ty O'Dea se balançait d'un pied sur l'autre, la tête en feu.

— J'attends ta réponse.

— S'il te plaît Anthony !

— Si tu me mens encore une seule fois c'est là que tu vas te retrouver !

Dans le bureau de son entreprise de pompes-funèbres, sous la lumière bleue destinée à maintenir ses ficus en forme, Sammy Ferlito, une odeur de baume sur les mains, dévisageait son neveu Augie d'un air furieux.

— T'as perdu le peu qui te restait de cervelle ! Si t'étais pas le gosse de ma sœur, j'te dirais d'aller te faire pendre ailleurs !

— Je te demande un conseil et tu m'engueules ! dit piteusement Augie. A t'entendre on dirait que c'est de ma faute !

— Non tête de nœud, pas ta faute, la *mienne* ! J'aurais jamais dû demander à Anthony de te prendre avec lui !

— Qu'est-ce qu'y faut que je fasse ?

— Tu fermes ta grande gueule, voilà ce que tu fais ! Tu ne parles de rien à Anthony, vaut mieux qu'il oublie que t'existes... et si tu vois ces deux fédéraux rappliquer à nouveau tu te tires en courant, *capisce* ?

— C'est tout ce que je devrais faire ?

— Tu peux aussi prier, répondit Ferlito sur un ton destiné à lui faire peur. Maintenant retourne au travail. T'as deux macchabées à habiller. Occupe-toi de la femme en premier.

Quand son neveu fut parti, Ferlito s'enferma dans le bureau et après avoir longuement réfléchi il décrocha le téléphone. Il eut de la chance d'obtenir Victor Scandura du premier coup. Il parla longuement et les mots se bousculaient sur sa langue. Soudain il s'interrompit pour demander :

— Tu comprends ma position Victor ?

— Parfaitement, répondit Scandura. T'es en train d'ouvrir le parapluie.

Anthony et Jane Gardella déjeunèrent dans un restaurant hors de prix de Newbury Street et allèrent ensuite prendre un verre à la Parker House où des policitiens s'approchèrent discrètement pour les saluer bien bas. Un sénateur qui possédait une résidence secondaire près de la leur à Rye et qui se piquait d'avoir des manières aristocratiques, baisa la main fine de Jane Gardella. Il la complimenta en outre sur son tour de cou avec son délicat pendentif en diamant. Lorsqu'elle réalisa que le sénateur aurait bien aimé parler à son mari en privé, elle s'excusa et se rendit aux lavabos.

A son retour le sénateur avait disparu. Gardella lui demanda avec un sourire malicieux :

— Comment tu le trouves ?

— Un vrai gentleman ! répondit-elle sur un ton badin. Elle toucha son collier et fit osciller le pendentif. Ça l'a vraiment impressionné !

— Il devait sans doute savoir ce que ça valait.

— Qu'est-ce que ça vaut ? Tu me l'as jamais dit...

— Je ne veux pas t'effrayer !

— Tu crois que l'argent m'effraie ?

Le sourire de Gardella était décontracté, plein d'indulgence et tendre.

— Je ne veux pas que tu sois effrayée par quoi que ce soit.

— Tu me prends pour un bébé ?

— Pas du tout.

Elle se pencha par-dessus la table sombre avec un regard taquin :

— A combien s'élève ta fortune Tony ? Donne-moi une vague idée... Beaucoup ? Un sacré paquet ? Ou un tas inimaginable ?

— Ça se situe quelque part entre tes deux dernières suppositions, répondit-il avant de la regarder droit dans les yeux. C'est le digestif qui te rend gaie comme ça ?

— Un peu ! Ça t'ennuie ?

— Non, dit-il en faisant signe au serveur d'apporter l'addition. Mais tiens ta langue !

Son sommeil était agité. Trop de rêves désagréables s'y insinuaient... Jane Gardella se leva bien avant l'heure en prenant soin de ne pas réveiller son mari. Dans la cuisine elle réchauffa du café et en apporta une tasse dans le solarium. Ralph Roselli, dont elle avait oublié la présence dans la maison, lui jeta un coup d'œil du fauteuil dans lequel il s'était endormi. Elle serra contre elle son

144

peignoir et il baissa les yeux de façon à ne voir que ses mollets et ses chevilles.

Dans le solarium elle se blottit entre les coussins d'un énorme fauteuil en osier ; son léger mal de tête suffisait à la troubler. Ses pensées la ramenaient en arrière, aux années soixante quand elle portait des rubans dans les cheveux et des chaussures de scout aux pieds, et sur son carnet de notes, il y avait un vingt sur vingt durement gagné. Avec moins de plaisir elle se remémora son adolescence, le choc causé par le départ de son père, l'émotion de ses premières amours qu'elle s'imaginait éternelles, l'amertume de sa mère quand elle passa un diplôme universitaire pour devenir hôtesse de l'air. Quant à sa première rencontre avec Anthony Gardella, elle n'en gardait qu'un souvenir très confus alors que lui se rappelait tout y compris le numéro du vol.

A travers les stores elle observa un geai qui volait en rase-mottes au-dessus de la pelouse, puis elle ferma les yeux comme pour mieux étudier une question. Son pouls s'emballa sans raison.

Lorsqu'elle revint poser sa tasse dans la cuisine elle vit que Ralph Roselli avait fait du café et posé sur la table les journaux du matin avec le *Globe* bien en évidence comme si il connaissait sa préférence, ce qui lui donna un peu l'impression d'être considérée comme une princesse. Il avait laissé un mot disant qu'il serait de retour un peu plus tard. Elle s'était installée à la table, le genou dressé et serré contre elle, en train de lire un article d'Erma Bombeck, lorsqu'une voix l'apostropha :

— Tu t'asseois toujours comme ça ?

Sa belle-sœur était entrée sans bruit et avait envahi la cuisine de sa présence imposante. Elles n'avaient pas beaucoup d'estime l'une pour l'autre et Jane Gardella s'était aperçue qu'elles étaient en fait rivales.

— Pas toujours, lui répondit-elle en baissant son genou.

— Tony n'est pas encore levé j'imagine ?

— Je peux le réveiller.

— Ne fais jamais ça ! avertit Rita O'Dea avec un regard volontairement agressif. Même si quelqu'un était en train de braquer un pistolet sur lui tu ne devrais pas le réveiller ! Tu dois te contenter de lui obéir sans chercher à prendre d'initiatives !

— C'est ce que tu ferais ? demanda Jane Gardella en s'efforçant de sourire.

— C'est ce que ferait n'importe quelle femme de rital !

— J'essais d'en être une...

— Tu n'y arriveras jamais habillée comme ça ! Ne dis pas à Tony que je suis venue, y'a rien d'important.

Jane Gardella la raccompagna jusqu'à la porte ; arrivée à mi-chemin elle la retint par le bras d'un geste timide :

— Un jour quand tu auras le temps Rita, tu m'apprendras à faire les sauces ?

Rita O'Dea rejeta ses cheveux en arrière.

— Il t'a pas épousée pour tes talents de cuisinière...

— Alors je suppose que tu vas me dire pourquoi ?

— Bon Dieu j'aurais cru que tu le savais ! dit Rita O'Dea en fronçant les sourcils. T'en montres suffisamment !

L'inspecteur Christopher Wade, coiffé d'une casquette et les yeux dissimulés derrière des lunettes de soleil, était installé dans les tribunes pour le match d'ouverture de la saison de baseball à Fenway Park. Une clameur salua l'entrée des Red Sox sur le terrain. Le siège à côté de lui était vide mais avant la fin du premier jeu Gardella l'avait occupé.

— Vous n'avez pas perdu grand-chose ! dit Wade sans le regarder. Gardella haussa les épaules. Il attendit le second jeu où les Red Sox commençaient déjà à perdre, pour parler :

— J'ai toujours habité à Boston, dit-il en décortiquant une cacahuète, or j'ai jamais été un supporter des Sox, mais toujours des Yankees. Vous savez, DiMaggio, Rizzuto, Berra. Fallait que je sois fidèle aux Italiens. Même si je reconnais que j'aimais ces vieux Red Sox. Williams, Doerr, Tabor, voilà des joueurs qui valaient le coup ! Mais maintenant qu'est-ce qu'on a ? Rice ? Alors ça veut dire qu'il faut que je m'emballe pour un nègre ?

— Il y a pire, dit Wade d'un air froid.

— C'est sûr, je pourrais applaudir Yastrzemski. Un has-been sans la moindre classe. Le genre de mec qui sait pas quand raccrocher.

— Comme la plupart d'entre nous...

— Certains d'entre nous ne peuvent pas... Gardella éplucha une autre cacahuète et la mangea avant de tendre le sac dans un bruit de papier froissé à Wade qui refusa. Dans ma partie on ne peut pas laisser tomber. Les types qui prennent votre succession s'imaginent que vous aurez envie de revenir un jour aux affaires, ce qui signifie qu'ils ne vous font pas confiance. En fait ils vous verraient plutôt mort...

Wade gardait les yeux fixés sur le terrain. L'équipe adverse c'était

Toronto qui n'arrêtait plus de marquer avec la balle passant d'un joueur à l'autre.

— Si Petrocelli jouait toujours, il aurait assuré ce coup là, dit Gardella.

— Vous avez l'air de mauvais poil, remarqua Wade.

— Je le suis. Vos gars ont continué leurs descentes dans plusieurs autres de mes sociétés hier. Ça je m'y attendais mais ce qui me gêne c'est leur façon de faire, ils ont débarqué comme les incorruptibles ! A Video Home Products ils balançaient les cassettes par terre, il y en avait pour plus cher que les costumes qu'ils portaient. Je pourrais demander des dommages et intérêts...

— Vous auriez probablement gain de cause. Je ne peux pas être derrière leur dos toutes les cinq minutes...

— Ils ont flanqué la trouille aux employées. Certaines ont donné leur démission de peur de se retrouver avec leur nom dans le journal.

— Vous pouvez toujours en embaucher d'autres, dit Wade avant d'ajouter avec une grimace de dégoût : Certains de ces films pornos que vous fourguez sont plus que dégueulasses !

— Dites-ça à la Cour Suprême, pas à moi. Je ne suis qu'un businessman, un investisseur qui cherche à faire fructifier son argent. Gardella jeta un coup d'œil à une adolescente qui était en train de se fourrer la moitié d'un hot-dog dans la bouche en grimaçant comme si elle n'arrivait pas à mâcher assez rapidement. Filmez-la en gros plan et vous aurez un film porno !

— Mon équipe s'intéresse surtout à la façon dont vous avez pris le contrôle de cette société, répliqua Wade qui se vit gratifié d'un regard froid.

— Je croyais qu'on s'était mis d'accord...

— Je n'ai toujours rien vu venir pour l'instant...

— Ce que vous avez demandé prend du temps. Vos exigences compliquent tout. Surtout votre histoire de compte en Suisse, c'est un vrai casse-tête mais on peut s'en occuper de New York. Là où ie ne suis plus d'accord, c'est sur la question du pourcentage.

— Je ne suis pas intraitable.

— Moi non plus, dit Gardella. Vous avez un stylo ?

Sans dire un mot ils se servirent d'une feuille de marque où ils changeaient les numéros des joueurs en sommes d'argent et se mirent d'accord sur les chiffres, un gros versement tout de suite et puis une rente plus modérée chaque mois. Wade acquiesça d'un petit signe de tête :

— Je crois qu'avec ça j'arriverai à tenir le coup.

— C'est ce que je me disais, dit Gardella sur un ton cassant qui fit sourciller Wade.

— On n'a rien pour rien.

— Qui a jamais prétendu le contraire ? Au fait, votre femme a pris le boulot chez Rodino.

— Je sais.

— Prenez ça comme une prime.

Wade fit comme si il n'avait pas entendu.

— Le lanceur de Toronto est super. Il pète le feu. C'est quoi son nom ?

— Je l'ignore, répondit Gardella, mais ce que je sais c'est qu'il vient de mettre la balle hors-jeu !

Gardella s'éclipsa pendant le cinquième jeu, froissant la feuille de marque avant de la fourrer dans sa poche. Wade attendit le huitième jeu pour rejoindre le flot des spectateurs qui se bousculaient vers les sorties.

En quittant Boston le directeur Russel Thurston écouta la moitié d'un jeu puis bascula sur une station qui diffusait de la musique. Il était de bonne humeur. Il avait l'impression de dominer la situation comme si tout problème avait sa solution. Il roulait cap au sud vers Scituate et son ensemble de constructions coloniales soigneusement restaurées et reliées entre elles pour accueillir des médecins, des dentistes et divers conseillers. Il laissa sa voiture au parking et se dirigea sans se presser vers une allée verdoyante qui longeait l'arrière des immeubles. Il s'assit sur un banc et s'étonna que Chérie ne fût pas encore là bien qu'il eût conscience d'être en avance.

Il sortit de son manteau un dictionnaire de poche dont il éplucha une page en marmonnant les mots qui ne lui étaient pas familiers. Il s'efforçait d'apprendre l'italien. Mais bientôt il escamota son dictionnaire en voyant une femme approcher. Elle portait une veste en flanelle, une jupe plissée, des bas gris-souris ; elle tâchait de se tenir bien droite. Il ne parvenait pas à détacher ses yeux de sa coiffure tout à fait inattendue.

— Avec cette perruque j'ai failli ne pas vous reconnaître, lança-t-il avec une pointe d'humour et un sourire derrière lequel il s'abritait. Il remarqua son regard inquiet.

— C'est un endroit dingue pour se rencontrer !

— J'ai rendez-vous avec mon dentiste dans un quart d'heure, dit-il, alors dépêchons-nous ! Qu'est-ce qu'il y a qui ne va pas ?

— Je ne marche plus, dit Jane Gardella.

13

Des promeneurs passèrent dans l'allée. Un couple âgé s'avança à petits pas jusqu'à un banc ; une femme qui accompagnait deux enfants laissa gambader l'aîné. Un homme en survêtement de couleur vive trottait en petite foulée. Russell Thurston jeta un regard distrait à toutes ces personnes avant de le reposer sur Jane Gardella qui était assise bien droite, une cigarette à la main et les genoux serrés.

— Ne me donnez pas d'ultimatum ! dit-il froidement.

Elle baissa la tête. La perruque qu'elle portait était rousse.

— Je ne vous suis d'aucune utilité, murmura-t-elle le souffle court.

— C'est à moi d'en juger.

— Ça n'a pas marché et ça ne marchera jamais ! Sa voix s'altéra comme si elle était en proie à des sentiments contraires. Tony ne me dit jamais rien.

— Vous vous débrouillez bien, assura Thurston avec un calme qui semblait précéder la tempête et en la déshabillant du regard. Vous avez des yeux, des oreilles et un cerveau. Continuez à les utiliser.

— Plus rien ne m'appartient désormais, pas même ma vie !

— Ça c'est votre problème !

— C'est le vôtre !

— Je ne tiens plus à discuter !

Elle fumait en éparpillant sa cendre qu'elle balayait ensuite de sa jupe. D'un geste distrait elle jeta sa cigarette. Elle n'atterrit pas loin et Thurston tendit le pied et l'écrasa. Elle se taisait, attendant de pouvoir parler d'une voix normale. Des larmes perlaient au bord de ses paupières.

— Ne me faites pas le coup du désespoir, dit-il, ça ne marchera pas avec moi !

Elle détourna son regard, incapable de mettre de l'ordre dans ses idées qui toutes concouraient à lui saper le moral. L'enfant qui gambadait, un garçon, avait les yeux ronds comme des boutons. Il s'aventura tout près d'eux et les dévisagea ; son sourire engageant s'évanouit bientôt faute de réponse. « N'embête pas les gens », lui cria sa mère et il battit en retraite.

Le visage sombre, Jane Gardella déclara :

— Peut-être que je vais mettre fin à cette histoire à ma façon...

— C'est entièrement votre problème, répliqua Thurston l'air distant, mais ça serait du gâchis ! Je sais que vous n'êtes pas idiote mais seriez-vous suicidaire ?

— Vous vous êtes arrangé pour que je ne sache plus qui je suis.

— Vous voulez que je vous le dise ?

— Non.

Sa voix se fit pressante :

— Vous n'en avez probablement plus rien à faire mais on peut toujours mettre Charlie au trou. Il travaille sur une autre compagnie aérienne maintenant et il se conduit bien.

— Je ne me fais plus de souci pour Charlie mais pour moi-même.

— Et pour Gardella.

— Oui, Tony compte pour moi.

— C'est ce qui rend la situation si amusante ! Vous représentez un tel enjeu pour moi, Chérie ! Et il y a en vous tant de contradictions ! Il se leva et lui apparut comme une forme indistincte au-dessus d'elle. Mais il y a une chose que vous devez garder bien présente à l'esprit : vous ne courrez jamais assez vite pour échapper à Gardella ou à moi. Le problème serait alors simplement de savoir qui vous rattraperait le premier.

Elle leva les yeux et vit le dessous de son menton, l'intérieur de son nez. Il était la seule personne au monde qu'elle ait jamais haïe à ce point. Elle ferma les yeux quelques instants. Elle voulait non seulement ne plus l'entendre mais encore ne plus le voir. Il tendit la main pour la poser sur son épaule mais elle esquiva ses doigts comme s'ils étaient corrosifs.

— Vous avez fini de raconter n'importe quoi ? lui demanda-t-il.

Elle bougea la main sans même s'en rendre compte. De son sac elle retira des lunettes de soleil cerclées de métal doré et les mit.

— Je n'ai pas le choix n'est-ce pas ? demanda-t-elle en s'apprêtant à se lever. L'homme dont je vous ai parlé vit toujours avec la sœur de Tony.

— Je ne m'inquiéterais pas pour lui.

— C'est un tueur ou pas ?

— Peut-être, mais pas de la même envergure que votre mari !

— Est-ce que Tony est en danger ?

— Uniquement avec moi, dit Thurston sur un ton satisfait. On ne sentait pas la brise mais l'air fraîchit soudain. Il consulta sa montre. Je vais être en retard à mon rendez-vous !

Sa voix la glaça davantage que la température ambiante. Elle se leva et accepta son bras ; ça faisait partie du jeu mais elle se sentit avilie. Ils marchèrent d'un même pas en direction des immeubles. Avant de le quitter elle lui demanda :

— Je n'aime pas Wade. Il me fait peur.

— Appelez-le par son nom de code, se contenta de dire Thurston. C'est la règle.

— Est-ce qu'il est au courant pour moi ?

— Non, chérie. Ça c'est notre petit secret.

Les agents Blodgett et Blue se frayèrent un chemin vers la sortie d'une cafétéria bondée de Government Center où ils venaient de prendre un déjeuner tardif. Blodgett avait englouti le sien, un sandwich au rosbif abondamment garni, et payait à présent le prix de sa goinfrerie à en juger par ses grimaces. Il s'arrêta soudain, victime d'une crampe d'estomac sous le regard insensible de Blue.

— C'est de ta faute, tu manges comme un cochon !

— Et toi comme si t'étais dans un restaurant chic. Tu fais des manières ! Blodgett respira à fond et se sentit mieux.

Ils s'engagèrent sur le trottoir où la pression de la foule les contraignit à accélérer le pas. Le Kennedy Building était en face mais ils prirent une autre direction ce qui préoccupa Blue. Il jeta un coup d'œil à sa montre. C'était l'anniversaire de sa femme et il espérait pouvoir rentrer tôt chez lui.

— Faut que tu voies quelqu'un ! expliqua Blodgett.

Ils pénétrèrent dans un immeuble, gravirent une volée de marches, enfilèrent un corridor et se retrouvèrent devant une porte vitrée qui était l'entrée de l'agence de voyages Robino. Se tenant près du mur avec Blue derrière lui, Blodgett regarda à travers la vitre. Derrière des panneaux vantant des paysages ensoleillés, il y avait une rangée de bureaux avec Susan Wade installée à l'un d'eux. Elle portait un élégant tailleur et avait adopté un nouveau style de coiffure qui la mettait en valeur. Les traits saillants de son visage allongé se dégageaient davantage.

— Tu la vois ? demanda Blodgett.

— C'est la femme de Wade et alors ? Blue allongea le cou. Elle m'a l'air d'être une charmante dame.

Blodgett l'examina de nouveau :

— Elle fait son âge.

— C'est-à-dire ?

— J'ai oublié.

— Alors comment peux-tu savoir qu'elle le fait ?

— Ça se voit, rétorqua Blodgett d'un air suffisant. Il la regarda répondre au téléphone. Tout en parlant elle alignait des crayons sur son sous-main en prenant bien soin que leurs pointes fussent au même niveau, un geste paisible qui toucha Blue comme s'il révélait combien elle était fragile. Lorsqu'elle releva les yeux il tira Blodgett par le bras.

— Ne nous faisons pas repérer, dit-il, mais Blodgett ne bougea pas.

— Je suis déjà entré là-dedans. Quand on y est on ne voit pas ce qui se passe à l'extérieur.

— Pourquoi tu t'intéresses à elle ?

— Pas moi — toi. Thurston veut éviter toute surprise.

— Ce qui veut dire ?

— Que tu es chargé de la surveiller.

— Pourquoi pas toi ? demanda Blue sur un ton agressif.

— Ordre de Thurston.

— Elle habite où ?

— Wellesley.

— Je planquerai...

— C'est la nuit qu'il faudra que tu surveilles.

Ils firent demi-tour. Blue avança d'un pas hésitant comme s'il avait mal aux pieds. Ils refirent le chemin en sens inverse et sortirent de l'immeuble pour se fondre dans la foule. Ils s'élancèrent entre deux flots de voitures afin de traverser l'avenue séparée au milieu par un terre-plein. Les pigeons qui envahissaient le square à longueur d'année s'envolèrent à leur approche. En entrant dans le hall du Kenndy Building, Blue demanda :

— Tu crois qu'il s'en lassera un jour ?

— De quoi ?

— De manipuler les gens.

— Pourquoi tu fais la gueule ?

— A cause de Thurston. Il sait qu'aujourd'hui c'est l'anniversaire de ma femme.

En rentrant à Hyde Park, Jane Gardella fit un détour par Dedham où sa mère habitait. Elle se gara précipitamment et de travers, fourra sa perruque dans son sac et se dirigea d'un pas pressé de l'autre côté d'une haie de troènes, vers un petit immeuble en briques. « C'est moi ! » lança-t-elle après avoir sonné à l'interphone. Sa mère déclencha l'ouverture de la porte d'entrée.

L'appartement était aéré et frais. Mme Denig venait de faire la sieste et ses yeux étaient encore ensommeillés. Le pli amer de sa bouche durcissait son visage et donnait à sa physionomie quelque chose de négatif.

— Assieds-toi, dit-elle. Je vais faire du thé.

— Non merci, maman. Je ne peux pas rester.

— Alors pourquoi es-tu venue ?

— Juste pour un petit service, dit-elle d'un air embarrassé. Il n'y a aucune raison que Tony le demande mais s'il le fait, tu lui diras que j'ai passé l'après-midi avec toi...

Les traits de M. Denig se durcirent :

— C'est idiot de ta part, et risqué !

— Ce n'est pas ce que tu penses, maman. En fait c'est rien de terrible. Mais il faut que tu me rendes ce service.

— Et que je ne te pose pas de questions, c'est ça que tu veux dire ? Mme Denig fit quelques pas et plaça les mains sur le dossier d'une chaise. De sa beauté enfuie elle avait conservé son cou gracile. Il s'élançait tout en longueur par l'échancrure de son col. J'étais écervelée quand j'étais jeune mais je n'aurais jamais épousé un gangster italien deux fois plus vieux que moi !

— Maman je t'en prie !

— Oui, je sais, tu ne veux pas m'écouter, comme toujours !

— Je m'en vais, dit Jane Gardella avec nervosité. Je n'ai pas le temps de discuter.

Mme Denig la suivit jusqu'à la porte et l'attrapa par le coude d'un geste qui n'était pas particulièrement tendre :

— Tu es ma fille, alors je vais faire ça pour toi. Mais ne me le demandes plus jamais !

L'agent Blue pénétra sans faire de bruit dans son appartement. La télévision diffusait la fin du journal de 23 h. Sa femme avait gardé sur elle son uniforme d'infirmière mais elle avait retiré ses bas. Elle était allongée sur le divan, ses jambes brunes étirées. Il se pencha sur elle et sa main se promena sur le tissu synthétique brillant de sa blouse.

— Je suis désolé, murmura-t-il piteusement. Elle se redressa et approcha son visage du sien :

— Je t'ai déjà fait une scène à cause de tes horaires ?

— Jamais. Mais tu en as le droit, ce soir plus que tous les autres ! Il soupira. Il a fallu que je surveille une maison à Wellesley.

— Et mettre quelqu'un au lit ?

— Ça revenait à peu près à ça. D'un air encore plus pitoyable il ajouta : je n'ai pas eu le temps d'aller chercher ton cadeau !

— C'est pas grave ! assura-t-elle. Regarde ce qu'on a livré.

Il se raidit et pivota pour s'approcher de la table.

— Eh bien dis donc ! Des roses ! Elles débordaient à profusion d'un panier fantaisie décoré d'un énorme ruban. Il y en a au moins pour deux cents dollars si c'est pas plus ! Qui les envoie ?

— Regarde toi-même.

Il lut la carte, et la relut à haute voix : « Avec mes vœux les plus chaleureux pour votre anniversaire. Russell Thurston. »

— Ça n'a pas l'air de te faire plaisir, dit-elle en quittant le divan pour le rejoindre. Elle huma l'une des roses.

— Voilà un type que je n'arrive pas à saisir...

— Pourquoi essayer ?

— Parce que je tiens à ma peau, dit Blue.

Pour tout vêtement Jane Gardella portait la serviette qu'elle avait nouée autour de ses cheveux après les avoir lavés. A travers la vapeur le miroir de la salle de bains renvoyait d'elle une image mouvante. Son mari, qui l'observait, lui dit :

— J'aurais du mal à dire combien tu es belle !

— Mais si, tu le peux ! répliqua-t-elle. Dis-le moi !

Son silence l'inquiéta. Elle sentit que quelque chose n'allait pas, bien que sa raison lui dît qu'elle se faisait des idées. Il demeurait immobile. Elle s'avança vers lui. Son baiser fut comme un frisson sur sa bouche.

— Dis quelque chose ! chuchota-t-elle. Ses silences la mettaient toujours mal à l'aise. Elle avait tendance à y lire trop de choses. Ses seins mouillés s'offraient à ses mains.

— Je t'aime ! dit-il. C'est ça que tu veux entendre ?

— Oui ! Les images de la journée défilaient dans sa têtc : le visage froid de Thurston, celui de sa mère, sévère, et tous les deux aussi menaçants. Elle s'imagina tout à coup soulevée en l'air par son mari et placée sous la lumière de la lampe qui révélerait tous ses secrets.

154

Un court instant, saisie par le remord, elle fut sur le point de tout lui dire.

Plus tard, après avoir fait l'amour, ils demeurèrent allongés côte à côte sur le lit. La pièce était éclairée par la télévision qui diffusait les dernières nouvelles de la soirée. Il l'enlaça et dit d'une voix ensommeillée :

— C'était pas comme d'habitude.

— Qu'est-ce que tu veux dire ? demanda-t-elle avec circonspection.

— C'est à toi de m'expliquer.

Elle calqua sa respiration sur la sienne et s'efforça de paraître calme. Et de ne pas répondre...

— C'était comme si tu avais voulu prouver quelque chose, dit-il. Ou me dire quelque chose... à moins que ce soit pour donner le change. Tu t'es trop appliquée...

— J'ai joui !

— Tu jouis toujours.

Elle se dégagea, s'appuya sur un coude et le regarda droit dans les yeux :

— Ne te mets pas en colère Tony ! Ce qu'il y a c'est que je ne me suis jamais sentie à l'aise dans cette maison. Je fais ce que je peux pour m'y habituer mais il me faut le temps.

— C'est la maison ou c'est moi ? demanda-t-il d'une voix dure qui paraissait remonter des profondeurs les plus sombres de son être. Ou peut-être que t'as trouvé quelqu'un d'autre ? ajouta-t-il. Elle lui lança un regard meurtri et indigné qui ne laissait pas transparaître sa peur.

— Oh Tony !

— Alors, s'il ne s'agit que de la maison, il existe un remède : Rye.

— Oh oui ! dit-elle avec fougue sans rien oser ajouter. Elle lui fut reconnaissante d'éteindre la télévision avec la commande à distance et de plonger ainsi la chambre dans l'obscurité. Il lui fallait passer inaperçue. Il la prit dans ses bras et elle se pressa contre lui, là où sa chair se dressait de nouveau.

14

Par une chaude journée de mai, au cœur de sa maison de Rye, Anthony Gardella dit à Christopher Wade :

— Je vous présente mon fils Thomas. C'est le plus jeune. Dis bonjour à M. Wade, Tommy !

Le jeune homme qui se leva maladroitement d'un fauteuil tapissé avec un livre de poche à la main, était de taille moyenne avec de profonds yeux foncés et des cheveux noirs soigneusement coupés. Wade fut immédiatement frappé par son côté timide et renfermé. Ils se serrèrent la main poliment.

— Vous arrivez du collège ? demanda Wade.

— Oui monsieur. J'ai fini mes examens plus tôt.

— Il les a eu du premier coup, fit remarquer Gardella en le prenant fièrement par l'épaule. Je voulais qu'il aille à Harvard mais sa mère avait toujours eu un faible pour Holy Cross par principe religieux. Nous avons respecté ses vœux, pas vrai Tommy ? Son fils acquiesça d'un air grave. Avec un sourire, Gardella dit à Wade : Il a les yeux de sa mère et mon cerveau !

Le jeune homme rougit.

Wade s'empressa de lui demander :

— Alors vous voilà ici pour tout l'été ?

— Non monsieur. J'ai trouvé un travail au Cap.

— En fait il va se la couler douce sur la plage ! intervint Gardella avec un rire affectueux.

— Non monsieur. Je vais être serveur.

— Il ne m'a jamais demandé un centime. Vous vous rendez compte, Wade, à notre époque et à son âge ! Retourne à ton bouquin, Tommy. M. Wade et moi nous avons à parler.

Gardella referma derrière eux la porte vitrée de la véranda. La

156

marée était basse et la plage immense. L'océan brillait d'un éclat intense. Des enfants couraient à perdre haleine sur la grève en cherchant à s'attraper. A quelque distance de là, également près de l'eau, Wade repéra tout de suite Jane Gardella qui se promenait. Avec son T-shirt et son short rouges on aurait dit une flamme. Sans trahir son émotion Wade demanda :

— Votre fils s'entend bien avec sa belle-mère ?

— On n'emploie pas ce mot là. Elle est ma femme, un point c'est tout. Il accepte la situation. Ce n'est pas comme s'il était encore un gosse.

— Vous allez le faire participer à vos affaires ?

— Arrêtez Wade ! Vous croyez qu'il a la gueule de l'emploi ?

— Et votre aîné, le Marine ?

— Il adore l'armée ! A moins que je ne me trompe sur son compte, il y est pour vingt ans !

— Ça a l'air de vous faire plaisir...

— Tout à fait. C'était lui qui me faisait du souci ; il était trop dur avec lui-même. Gardella s'approcha d'une table, aligna deux verres et saisit un pichet pour les remplir. Il tendit un verre à Wade. C'est du punch avec un doigt de vodka dedans. Vous aimerez ça. Asseyez-vous vous me donnez le tournis !

Les deux hommes s'installèrent confortablement dans les transats. Le punch avait un goût de raisin blanc, de pêche et de quelque chose d'aigrelet.

— De quoi doit-on discuter ? demanda Gardella.

— Vous pouvez souffler un peu en ce qui concerne G & B. On laisse tomber. Les trafics de cette société dépassent de loin les frontières du Massachusetts et les limites de notre budget ! Voilà pour les bonnes nouvelles. En ce qui concerne les mauvaises il y a cet exemplaire de mon rapport que le Procureur veut que j'envoie pour la bonne forme au bureau du Procureur général du New Hampshire. Si vous connaissez quelqu'un là-bas susceptible de l'enterrer, je l'adresserais à son attention.

Après un temps de réflexion, Gardella déclara :

— Je vous donnerai un nom plus tard. Qu'y a-t-il d'autre ?

— Aceway Developement. Ses contrats avec le comté qui se chiffrent en millions sentent l'appel d'offres truqué. Et la société a obtenu des dégrèvements injustifiés pour tous ses biens dont certains sont partis par la suite en fumée. Il y a aussi une affaire embrouillée de financements par l'Union Bank de Boston qui a passé par pertes et profits trop de prêts consentis à Aceway.

— Tout a été fait en bonne et due forme, répliqua tranquillement Gardella.

— J'ai deux gars à la hauteur, Danley et Dane, qui pensent différemment. Ils disent qu'ils vont trouver des preuves irréfutables.

— Ils s'emballent trop et foncent sans réfléchir !

— Ils savent ce qu'ils font ! Ils m'ont demandé de mettre le paquet sur le PDG de l'Union Bank, un certain contrôleur des impôts et le sénateur qui dirige la commission des comtés.

— Mais vous n'allez pas les écouter, n'est-ce pas ?

— Je vais essayer... Souvenez-vous, je ne peux contrôler l'enquête que jusqu'à un certain point.

Une ombre passa sur le visage de Gardella.

— Au fait, demanda-t-il d'une voix pleine de sous-entendus, qu'est-ce que ça fait d'être un homme riche ?

— Je n'en sais rien, répliqua Wade, vous parlez d'argent qui ne me sera jamais personnellement destiné.

Gardella lui adressa un sourire admiratif :

— Vous vous en sortez remarquablement bien !

— Vous préféreriez que je sois débile ?

Tout en sirotant son punch Gardella glissa une main sous son sweater en cachemire et se gratta la poitrine. Il contempla la plage d'un regard nonchalant. Sa femme s'était éloignée du bord de l'eau et partait pour une de ses longues promenades le long de la côte.

— Je suis prêt à parier qu'elle fait au moins dix miles par jour, dit Gardella. Hier j'ai fini par me faire du mauvais sang et je suis parti à sa recherche.

— Elle doit aimer l'océan.

— Elle l'adore. Elle dit qu'il lui parle. Qu'est-ce que vous en dites Wade, je suis un veinard ?

— Je crois bien que oui. Vous habitez ici à présent ?

— Elle oui. Moi je fais la navette quand je peux.

— Comme un banlieusard...

— Pour ainsi dire.

Quelque part dans la maison le téléphone sonnait. Gardella paraissait ne pas l'entendre bien qu'un muscle de son visage frémît comme s'il venait de se souvenir de quelque chose. Son fils apparut bientôt, repoussant les battants de la porte vitrée, et lui dit :

— Papa, c'est pour toi !

— Comme toujours, soupira Gardella en se levant.

Une fois seul, Wade quitta son transat pour inspecter la plage. La luminosité le fit cligner des yeux. Jane Gardella avait fait demi-tour comme si quelque chose la ramenait de force chez elle. Les mouettes la suivirent un instant. Tandis qu'elle s'approchait, Wade remarqua son expression tendue. Quand elle l'aperçut il prit conscience de son hostilité implacable. Elle se planta devant lui. Il pouvait sentir sa respiration contre sa joue.

— Écoutez-moi, dit-elle. Sous son pull-over ses seins étaient dressés, à le toucher presque. Sa voix se réduisit à un mince filet.

— Je vous écoute.

Il ne perçut que le souffle qui accompagnait ses mots et devina qu'ils voulaient dire : « Je vous surveille. »

— Comment ça ?

— Vous m'avez compris.

— Non ! Face à son regard inflexible il réagit aussi spontanément que sèchement : je n'ai pas bien compris, dit-il, et elle répéta ce qu'elle venait de dire d'une voix à peine plus audible.

— Qu'est-ce que je peux vous détester tous !

Elle s'éloigna prestement en voyant son mari regagner la véranda. Il s'était habillé pour sortir ; son fils marchait sur ses talons. Elle ne parvint pas à masquer sa déception tandis qu'il s'approchait d'elle.

— Je suis navré, dit Gardella, mais il faut que je rentre.

Wade se prépara également à partir. Avec envie il observa Gardella qui embrassait sa femme avant de lui donner une petite tape sur les fesses, un geste censé passer inaperçu. Il l'entendit dire :

— Toi tu restes, Tommy. L'air de l'océan te fera du bien !

Quelques instants plus tard Wade se retrouva en train de marcher aux côtés de Gardella vers leurs voitures. Quand il conduisait lui-même, Gardella choisissait la Cadillac bleu clair, celle avec les roues à rayons. Il ouvrit la portière, se retourna vers Wade et lui dit d'une voix sombre :

— C'est Scandura qui appelait. Il y a un problème.

— Ça a quelque chose à voir avec moi ?

— Trop tôt pour le dire. Je vous tiendrai au courant.

Victor Scandura vérifiait des chiffres dans le bureau du fond au siège de la société immobilière d'Anthony Gardella, dans Hanover Street, lorsqu'il entendit la porte d'entrée s'ouvrir. Il pensa qu'il s'agissait de l'un de ses hommes et ne fit pas attention. Il était occupé à manipuler une calculatrice à douze chiffres offerte par un banquier et se trouvait particulièrement satisfait de certains des sous-totaux obtenus. Un bruit de pas lui fit lever les yeux. Une silhouette

159

trapue se découpait dans l'encadrement de la porte. L'inconnu lui demanda :

— Vous vous souvenez de moi ?

Scandura le dévisagea mais ne parvint pas à le remettre bien qu'il y eût en lui quelque chose de familier. L'inconnu pénétra lentement dans la pièce, mal fagoté avec son costume bon marché et ses grosses chaussures qui lui donnaient un air lourdaud. La seule chose dont Scandura fut sûr c'est que cet homme portait une arme, à cause de la bosse caractéristique sous sa veste.

— Vous êtes un flic ? demanda Scandura d'un air impassible.

— Vous brûlez !

— Je connais plus de flics que je ne le souhaiterais. Lequel d'entre eux êtes-vous ?

— Imaginez-moi avec un bonnet de fourrure et une canadienne, et la moustache en moins. Une inspiration profonde souleva sa poitrine. Je suis votre ami de Greenwood qui vous a rendu service. Mon nom c'est Hunkins, j'vous l'avais pas dit le jour où on s'est rencontré. De toutes façons vous l'auriez pas retenu, vous étiez trop occupé à semer de l'argent !

Scandura ne bougea pas un cil.

— Je ne crois pas me souvenir de ça. Et je suis étonné que vous vous en rappeliez...

— Je suis pas le mec le plus rapide du monde, vous voyez ce que je veux dire ? L'agent de police Hunkins eut un sourire joyeux. Mais laissez-moi le temps et je finis par piger. Alors il me faut encore un peu de temps pour décider quoi faire. Et au bout du compte me voici !

Scandura se tenait assis avec raideur bien qu'il parût tout à fait décontracté. Il écarta d'un revers de main sur son bureau deux attaches trombone qui étaient entremêlées. Hunkins lui dit :

— Ce que vous avez laissé tomber par terre c'était pas mal mais ça suffit pas pour ce qui s'est passé cette nuit là à la falaise de Steuben. C'était pas un accident, mon pote. Vous voulez qu'j'en dise plus ou vous trouvez qu'ça suffit ?

— A vous de décider.

— Peut-être que c'est à M. Gardella qu'il faudrait qu'je m'adresse. Peut-être que vous saisissez pas l'importance du problème...

Scandura se carra dans son fauteuil et se soulagea discrètement de ses gaz intestinaux.

— Qu'est-ce que vous avez derrière la tête Hunkins ?

— Je vais être clair. J'en ai ma claque de Greenwood. Je n'aime pas les hivers là-bas. Je connais des flics qui prennent une retraite anticipée en Floride. Ils s'achètent une caravane et se la coulent douce. Rien d'autre que du soleil. J'crois qu'ils appellent ça la belle vie...

— Et vous voudriez de l'argent pour que ça vous arrive... Un nombre à combien de chiffres — cinq ?

— Six ! répondit Hunkins.

— Alors faudrait peut-être mieux que vous achetiez un billet de loterie pour décrocher le gros lot d'un million !

Hunkins fit un bond en arrière en fronçant le nez :

— Bordel ! qu'est-ce que vous avez fait — chié dans votre froc ?

— Voilà ce que je pense de vous, répondit Scandura d'une voix égale en regardant Hunkins virer au rouge. Vous avez des couilles mais pas de cervelle.

— Vous croyez que je suis con de me ramener comme ça, hein ? Hunkins ouvrit d'un geste brusque sa veste et montra le holster où était glissée son arme. C'est un putain de magnum que vous voyez là ! Si vous autres vous voulez jouer au con avec moi, réfléchissez-y à deux fois !

— Du calme Hunkins !

— Alors vous foutez pas de moi ! Si vous voulez pas qu'on discute affaires faut le dire. Il se trouve que je connais quelqu'un qui adorerait mon témoignage et que j'pourrais déposer aussi sec contre vous les Macaronis !

Scandura sourit en conservant un calme impressionnant ; derrière ses lunettes son regard était froid et impénétrable.

— Vous avez raison. C'est à M. Gardella de décider. Vous restez dans le coin combien de temps, Hunkins ?

— Deux jours, pas plus.

— Vous êtes descendu où ?

— Ça c'est mes oignons mais ça me dérange pas du tout que vous soyez au courant : l'hôtel Howard Johnson's à Kenmore Square. Et s'il vous venait de drôles d'idées rappelez-vous les gars que je dors avec le magnum et si vous croyez que je mens vous pouvez vérifier en téléphonant à ma femme. J'vais vous donner son numéro.

— Je vais prevenir M. Gardella.

— Prévenez aussi sa sœur. Hunkins fit un clin d'œil. Vous voyez, je suis au courant de tout !

Après le départ d'Hunkins, Scandura attendit pendant plusieurs minutes avant de prendre le téléphone pour composer un numéro

161

avec l'indicatif du New Hampshire. Lorsqu'on décrocha à l'autre bout du fil il dit :

— Passe-moi ton père, Tommy.

Rita O'Dea rentra à la maison chargée de cadeaux après une journée de courses. Elle n'y trouva personne à qui les offrir à l'exception de Sara Dillon qui n'était qu'à moitié habillée. On aurait dit qu'elle venait de se lever. Ty O'Dea était parti rendre visite à des connaissances dans le quartier sud de Boston et Alvaro jouait au softball avec une équipe hispanique à Brighton, ou du moins c'est ce qu'il avait raconté à Rita O'Dea. Elle ne l'avait cru qu'à moitié et ça ne la dérangeait pas beaucoup s'il était occupé à autre chose.

— Qu'est-ce que vous pensez de ça ? demanda-t-elle en déchirant un emballage qui portait la marque des magasins Jordan Marsh et en exhibant un blaser bleu pâle à passements d'argent. C'est pour Ty !

— Ça lui plaira, dit Sara Dillon avec tact.

Rita O'Dea dressa l'oreille.

— Mais c'est pas votre goût !

— Si, il me plaît également.

— Attendez de voir ça ! Elle sortit un écrin délicat, appuya sur le poussoir et en retira une montre Seiko en or. Ça aussi c'est pour lui. J'en ai acheté une pareille à Alvaro pour que ça fasse pas de jaloux !

— Pourquoi toutes ces dépenses ?

— J'en avais envie. Ne cherchez pas à comprendre ! Elle saisit quelque chose qui était derrière elle. C'est pour vous ! déclara-t-elle en présentant des boucles d'oreilles de Shreve, Crump & Low. Je m'en suis pris une paire pour moi. Elles sont chouettes vous trouvez pas ?

— Je ne sais pas quoi dire, Rita, je...

— Maintenant passons aux choses sérieuses, coupa-t-elle en renversant le contenu d'un gros sac sur la table où elle étala des chaussons, des maillots et tout ce qu'il fallait pour habiller un bébé. J'ai choisi le rose, je le joue gagnant !

Les larmes montèrent aux yeux de Sara Dillon :

— C'est une fille que je veux !

— Il existe aujourd'hui des moyens de le savoir d'avance.

— Ty veut que ça soit une surprise.

Les deux femmes étaient agenouillées de part et d'autre d'une table basse, avec des papiers d'emballages éparpillés tout autour d'elles. Rita O'Dea remarqua que la poitrine de Sara Dillon avait encore grossi. Son ventre commençait à s'arrondir. Rita O'Dea ressentait cette mystérieuse alchimie de la grossesse. Elle déclara :

— Ty n'avait pas besoin de se faire opérer. De toutes façons je n'aurais pas pu avoir d'enfant. J'aurais dû le savoir...

— Je suis désolée.

— C'est uniquement de ma faute. Je me suis bousillée quand j'étais gamine. Un avortement qui a mal tourné. C'est un cousin éloigné qui avait arrangé ça. Dieu merci mon frère est pas au courant !

— Je suis surprise que vous m'en ayez parlé.

— Entre femmes, c'est normal, pas vrai ?

Un silence s'installa tandis que Sara Dillon commençait à lisser les papiers pour les ranger. Ses cheveux qu'elle n'avait pas encore coiffés lui tombaient sur la figure. Rita O'Dea se releva péniblement, lutta contre une crampe à sa jambe gauche et essuya avec sa large manche son visage en sueur. Son estomac chavira et elle en éprouva un doux vertige avant d'avouer avec un sourire contrit :

— C'est comme si j'étais enceinte et pas vous !

Debout dans le bureau de Russell Thurston en haut du Kennedy Building, l'agent Blue déclara :

— C'est une perte de temps, croyez-moi ! Elle ne va nulle part. Elle travaille tard et se couche tôt. Pas d'aventures. Et en plus on a mis son téléphone sur écoute. Qu'est-ce qu'y faut de plus ?

Thurston se carra dans son fauteuil de directeur en faisant ostensiblement preuve de patience :

— Vous êtes agressif. Pourquoi ?

— Je fais beaucoup d'heures supplémentaires...

— Prenez vos matinées. Je suis arrangeant.

— On se sert de Wade. Pourquoi faut-il qu'on utilise aussi sa femme ?

— Ne déformez pas les faits, Blue. Ce sont les Ritals qui l'ont mêlée à tout ça, pas moi !

— Pourquoi vous les traitez de Ritals ? On pourrait pas être au-dessus de ça ?

— Laissez-moi vous expliquez clairement les choses : tous les Italiens ne sont pas des Ritals, mais tous les Ritals sont italiens !

— Je vois... Avec un raisonnement pareil vous pouvez également dire que...

— Oui, je pourrais, Blue, mais pourquoi insister là-dessus ? Le sourire de Thurston était aussi mielleux que sa voix. A propos, vous ne m'avez jamais dit si votre femme avait aimé les roses que je lui ai faites parvenir pour son anniversaire. J'ai attendu que vous m'en parliez mais en vain...

Blue parut surpris :

— Elle vous a envoyé un mot. Vous ne l'avez pas reçu ?

— Oh, si ! dit Thurston sur un ton à la fois gai et sérieux. Une belle écriture bien nette. Si je n'avais pas été mieux informé j'aurais cru qu'elle avait fréquenté une école catholique !

— Alors où est le problème ?

— Vous devriez le savoir depuis le temps, Blue. C'est vous qui auriez dû vous manifester.

Vingt minutes plus tard Thurston quitta le Kennedy Building. En attendant que le feu passât au rouge pour traverser, il détourna la tête pour éviter les bouffées de gaz rejetées par les échappements des voitures hargneuses, des taxis casse-cou et des cars de touristes surchargés. A côté de lui un clochard cracha à s'en retourner les poumons. Quand les feux changèrent il traversa l'avenue d'un pas pressé et laissa la cohue le porter jusqu'à Park Street. A mi-chemin un Noir qui portait le bouc et paraissait avoir du rouge à lèvres, lui lança un coup d'œil auquel il répondit par le dédain. Il traversa Beacon Street, emprunta cette partie du Parlement qui sert de passage public et s'approcha de la façade du Capitole. Wade attendait dans les parages, bien en évidence, le coude sur la balustrade qui dominait le parking privé.

— Vous êtes en retard, lança-t-il.

— Un petit peu, concéda Thurston avec désinvolture.

Des employés, leur service fini, quittaient le Capitole ; les hommes portaient des blasers voyants et les femmes des ensembles pastel et des chaussures à talons plats. Un policier en uniforme de la Metropolitan District Commission faisait les cent pas. Wade jeta son mégot.

— J'aime pas rester ici à découvert.

— Il y a une raison pour chaque chose, dit Thurston en levant les yeux. Le vice-gouverneur débouchait d'une sortie réservée aux officiels avec derrière sa cour d'attachés coiffés et habillés comme

164

lui. Au passage il lança un bref coup d'œil à Thurston puis son regard s'attarda sur Wade qu'il détailla des pieds à la tête.

— N'importe qui peut nous voir, vous vous en fichez, dit Wade.

— Avant ça n'était pas souhaitable. Maintenant ça l'est.

— C'est pourquoi vous m'avez donné rendez-vous précisément ici...

— Exactement.

— Le vice-gouverneur ne figure pas sur votre liste.

— C'est juste, mais on va lui laisser croire le contraire. Rien de tel pour le déstabiliser. Le voilà maintenant qui se pose des questions et qui se fait du souci !

— Sauf s'il n'a rien à se reprocher.

Thurston renifla d'un air dédaigneux :

— Il n'y a pas un homme politique vivant qui n'ait de la merde sur la conscience. C'est John Edgar Hoover lui-même qui a dit ça !

Un autre groupe emprunta la même sortie. C'étaient des vieux renards de la finance avec leurs costumes à rayures, la crème de Boston ! Ils sortaient d'une réunion avec le gouverneur et regagnaient d'une allure distinguée leurs limousines qui les attendaient et dont les chauffeurs avaient déjà ouvert les portières en grand. Avec un coup de coude appuyé Thurston fit remarquer à Wade :

— Le grand c'est Quimby, le président de l'Union Bank. Ses ancêtres sont arrivés sur le *Mayflower*.

— Il vous connaît ?

— Bien sûr que oui, mais il fait semblant de ne pas m'avoir vu ! Thurston se balança légèrement, mû par une sensation de bien-être. Quand vous le verrez je veux que vous ayez un micro caché.

— Il n'a pas l'air d'être le genre d'homme à faire des confidences...

— Non, mais il se peut qu'il pleurniche. Je veux entendre ça !

— Vous voulez sa peau on dirait !

— Chaque goutte de son sang bleu d'aristocrate ! Un homme de sa condition qui traite avec de la racaille comme Gardella n'a droit à aucune pitié.

Le Capitole continuait de se vider. Wade reconnut le président du Sénat, Billy Bulger, le shérif Dennis Kearney et un député qu'il croyait mort. Il aperçut également deux avocats de sa connaissance. Thurston lui attrapa le bras :

— Regardez là-bas à gauche, dans Myrtle Street, le monsieur trapu qui parle à ces deux femmes : c'est le sénateur Matchett, bien connu pour ses manières raffinées et le contrôle dictatorial qu'il exerce sur le conseil des comtés. Sexuellement parlant, il est retombé en enfance tout comme sa femme. Ils possèdent une résidence d'été à Rye, près de celle de Gardella.

— Vous voulez également que je les enregistre ?

— Bien sûr, pourquoi pas ! Ils s'imaginent que Gardella est une sorte de dieu. Ce qu'ils ignorent, c'est que si vous le pressez il en sortira de l'huile d'olive !

Wade, le regard noir, chercha une cigarette mais ne trouva qu'un paquet vide.

— Je peux vous poser une question ? demanda-t-il.

— Allez-y !

— Vous et Gardella, c'est une affaire personnelle ?

— Absolument ! J'aime pas les Ritals qui se prennent pour des Blancs !

Autour d'un plat de pâtes chez Francesca dans Richmond Street, Anthony Gardella et Victor Scandura discutèrent du problème posé par l'agent de police Hunkins.

— Quand ce type est arrivé je me suis demandé si je rêvais, dit Scandura. Fallait vraiment être con ! Il ouvre la bouche, je crois entendre des choses. Il porte un calibre et il me le montre comme un cow-boy !

Gardella prit la fiasque de vin et servit :

— Rien dans la tête !

— Rien !

— Un trou du cul !

— Voilà avec qui on doit traiter...

Gardella buvait et mangeait tout en réfléchissant. Ils étaient installés dans un box dont l'entrée était défendue par un serveur attentionné.

— Si ç'avait été à un autre moment je t'aurais dit : « Descends-le ! ». Mais pour l'instant c'est pas la chose à faire.

Scandura acquiesça :

— C'est aussi ce que je pense. Peut-être que ton ami Wade pourrait...

— Non, je ne préfère pas.

— C'est ce que je pensais mais c'était une solution à envisager. Scandura rompit son pain en deux et sauça le jus des coquillages qui restait au fond de son assiette. Un de leurs amis assis à une table de l'autre côté de la salle les salua de la main. Scandura répondit à peine, Gardella pas du tout.

— Je crois que ce qu'on devrait faire c'est le compromettre, dit Gardella. Comme ça on l'aura plus sur le dos et peut-être que dans un an on aura les coudées franches pour le descendre.

— On a besoin de monde, dit Scandura. Si on prenait cette fille Laura ?

— Elle risque d'avoir trop de classe pour lui.

— Elle a des talents d'actrice, Anthony. Elle peut faire n'importe quoi à condition d'être payée en rapport.

— On paye toujours ce qu'il faut. Contacte-la.

— Et Scatamacchia ?

— Lui aussi. Gardella leva son verre de vin. A présent je me sens mieux ! On a fini avec les affaires ? Je veux m'amuser !

— Une dernière chose, dit Scandura. Sammy Ferlito a fait ce que tu avais dit. Il a envoyé Augie chez des parents à Montreal et lui a dit de ne plus toucher à la came. Il restera là-bas tant que tu lui diras pas de rentrer.

— Je crois bien que c'est quelque chose que je ne dirais jamais !

— C'est ce que j'ai expliqué à Ferlito.

— Il est responsable, tu lui as aussi expliqué ça ?

— Si t'avais vu sa gueule t'aurais su que c'était pas la peine !

Dans une cafétéria du centre de Wellesley, l'agent Blue se dirigea avec sa tasse de café vers une table d'angle où deux agents de police du coin étaient installés avec devant eux leurs assiettes où traînaient des restes de jambon et de haricots. Ils rentrèrent leurs pieds pour faire de la place à Blue et lui adressèrent un sourire nonchalant. L'un des agents, qui avait une moustache rousse et broussailleuse, lui demanda :

— Ils t'obligent toujours à surveiller la maison ?

Blue fit signe que oui.

— C'est dégueulasse !

Il les avait rencontrés au cours de sa troisième ou quatrième nuit passée à surveiller la maison de Susan Wade. Leur voiture de patrouille était arrivée silencieusement derrière la sienne, blanche et banalisée, et ils s'étaient approchés revolver en main, l'obligeant à sortir et à se laisser fouiller. Ses papiers ne les avaient pas impressionnés. Il avait fallu attendre qu'ils donnassent un coup de fil à Thurston.

— Passe le sucre, dit-il à l'autre policier, plus âgé et apparemment plus corriace, qui le servit.

— Nous on est divorcés mais pour un gars comme toi qu'est

marié ça doit être dur de bosser la nuit, dit le policier avec la moustache. Si tu veux, moyennant quelques dollars par semaine, on pourrait faire une ronde dans le coin toutes les heures. C'est sur notre circuit.

Blue remua lentement et avec beaucoup d'application son café.

— Si y'avait quoi que ce soit on t'appellerait aussitôt, pas vrai Harold ?

— Sûr, dit l'autre policier. Pas de problème.

— Ça me coûterait dans les combien ? demanda Blue.

— Oh là, on cherche pas à faire fortune ! Donne-moi vingt dollars. Harold et moi on se les partagera.

Blue dévisagea l'un des policiers puis l'autre et repoussa sa tasse de café en en renversant un peu.

— Vous direz à Thurston que c'était bien joué, lança-t-il en se levant, mais que ça n'a pas marché.

— Eh, si notre proposition t'intéresse pas, oublie-la !

— C'est déjà fait !

Ils le regardèrent sortir de la cafétéria, les épaules raides. Le policier plus âgé s'exclama :

— Putain de négro, il est pas con !

— On peut dire adieu à nos deux cents dollars, soupira celui qui avait la moustache.

Dans son lit, ce soir là, allongée à plat sur le dos, Sara Dillon se sentait toute gonflée par sa grossesse et glacée par une appréhension grandissante.

— J'aime pas ça, murmura-t-elle à Ty O'Dea. J'aime pas qu'elle nous couvre de cadeaux. Je ne sais pas où elle veut en venir.

— Elle est comme ça, c'est tout, dit Ty O'Dea d'une voix empâtée par l'alcool. Il avait passé la majeure partie de la journée dans les bistrots de Boston Sud. Il dégagea son bras des couvertures et admira sa montre en or qui brillait à son poignet. Il faut la comprendre. Elle sait parfois se montrer très généreuse.

— Ty, je crois qu'on ferait mieux de partir.

— C'est ce qu'on va faire, assura Ty, dès que le bébé sera né, je te le promets.

— Je pense qu'il faudrait mieux partir maintenant...

— C'est... c'est pas aussi facile que ça... Et puis pense à l'argent qu'on économise !

Sara Dillon passa une main lasse sur sa figure. Son front était

168

chaud et sa peau lui parut rugueuse comme si tous ses défauts ressortaient.

— Ty, j'ai l'impression qu'elle essaie de s'emparer de mon corps !

— Mais qu'est-ce que tu racontes là !

— Et elle en fait trop au sujet du gosse...

Il ne répondit pas. Quelques instants plus tard il était endormi ; sa respiration était irrégulière et rauque par moments. Sara Dillon finit par s'assoupir, pendant une heure entière peut-être, puis elle se réveilla avec la tête encore plus chaude et sa chemise de nuit collée à la peau. Le chassis de la fenêtre qui était relevé quand elle s'était mise au lit avait été baissé depuis et la porte, fermée au départ, était à présent entrouverte. Elle sentit qu'on l'avait observée, pendant plusieurs minutes peut-être. Elle en avait la certitude absolue comme si Rita O'Dea avait laissé l'empreinte de son visage dans l'obscurité moite de la chambre.

15

L'Union Bank de Boston abritait ses bureaux derrière la façade néo-gothique d'un immeuble imposant. Remarquable par son histoire, c'était un véritable monument au cœur du quartier des affaires. Malgré d'importantes rénovations intérieures il conservait à jamais l'empreinte d'un passé vénérable avec ses acajous et ses marbres, ses plaques de cuivre commémorant les présidents et directeurs qui s'y étaient succédés, un bon nombre d'entre eux appartenant à la famille Quimby. Christopher Wade avait rendez-vous à onze heures. Il s'attendait à être conduit dans un ascenseur et propulsé vers une suite de luxueux bureaux avec des œuvres d'art originales sur les murs. Au lieu de cela on le pria d'attendre dans le grand hall où son regard se fixa sur les distributeurs automatiques de billets séparés de lui par une vitre. Les gens les utilisaient avec frénésie comme si l'argent qu'ils retiraient leur était offert gratuitement. Il se retourna en sursautant lorsque quelqu'un lui toucha le bras.

— Par ici. La voix était douce et ferme ; le visage distingué paraissait imperméable aux petits tracas quotidiens. John Quimby guida Wade de l'autre côté d'une balustrade astiquée, jusqu'à un bureau que personne n'occupait pour l'instant. Wade s'assit sur le côté et Quimby derrière.

— J'espère que ça ne prendra pas longtemps...

— Je n'en vois pas la raison, dit Wade. Comme vous savez je me suis intéressé à certaines des entreprises d'Anthony Gardella, en particulier à Aceway, et cela m'a amené à me poser quelques questions auxquelles vous devriez être en mesure de répondre.

— Je suis au courant, dit brusquement Quimby. M. Gardella m'a averti il y a une semaine de ça que vous viendriez m'enquiquiner. Il m'a assuré qu'il n'y aurait pas de suites...

170

— M. Gardella est bien sûr de lui !

— J'en doute, rétorqua Quimby avec une légère inflexion dans la voix.

Wade sortit un calepin, parut le compulser puis le rangea.

— La banque a consenti une série de prêts sans garanties à Aceway. Certains ont été passés par pertes et profits, d'autres remboursés et quelques autres renégociés. La banque a bu un bouillon !

— C'est de l'histoire ancienne...

— N'empêche qu'elle m'intéresse toujours.

— Personne n'est infaillible, pas même les banquiers. Des erreurs de jugement ont été commises. Celui qui s'était occupé de ces prêts a démissionné ce qui a satisfait à la fois les contrôleurs fédéraux et gouvernementaux. Mais apparemment pas vous !

— Où se trouve à présent cette personne ?

— Il est mort d'un crise cardiaque. Vous voulez le nom de sa veuve ? Peut-être souhaitez-vous lui casser les pieds à elle aussi !

— Il y a quelques années, poursuivit Wade, la banque s'est occupée d'un certain nombre de transferts importants pour le compte de Gardella, sinon directement, du moins indirectement. Des millions étaient en jeu.

— C'est possible. Cette pratique n'avait alors rien d'illégal. Aujourd'hui la législation est plus sévère et la banque n'exécute plus ce genre d'opérations.

— Maintenant il fait transiter son argent par la Floride. Vous savez quelque chose là-dessus ?

Quimby soupira :

— Non commissaire...

— Je ne suis qu'inspecteur !

— Votre grade ne m'intéresse pas. Estimez-vous heureux que je reste là à vous écouter !

— Dans quel degré d'intimité êtes-vous avec Gardella ?

— Je ne le connais pas en privé. Je sais ce qu'il a sur son compte et ce que j'ai lu sur lui dans le *Globe*, plus quelques petites choses... Mais je ne détiens aucune information de première main sur ses soi-disant liens avec la pègre.

— Le FBI possède une vieille photo de vous deux en train de déjeuner à la terrasse d'un restaurant de Rye Beach, dans le New Hampshire. Vous aviez commandé des filets de cabillaud et lui des coquilles Saint-Jacques.

— Vous m'impressionnez, dit Quimby avec le visage austère d'un moine trappiste. J'ignorais que le FBI confiait ses dossiers à de petits enquêteurs comme vous !

— Seulement quand ça l'arrange...

— Moi ça ne m'arrange pas de continuer à vous écouter, coupa Quimby en lançant un regard appuyé à sa montre. Sur un signe de sa part deux responsables de la banque, plus âgés que lui mais sous ses ordres, apparurent de l'autre côté de la balustrade avec des dossiers sous le bras et l'air d'avoir une affaire urgente à régler. Quimby leur fit signe qu'il n'en avait plus pour longtemps et son regard se posa de nouveau sur Wade.

— Qu'est-ce que faisait votre père : laitier ? plombier ?

— Vous brûlez, dit Wade. Il était électricien.

— Un noble métier, susurra Quimby avec une froide condescendance. Vous auriez dû suivre son exemple.

— C'est ce que j'ai fait d'une certaine façon. Je vous signale que j'ai un micro relié à un petit magnétophone sous ma veste...

— Quoi !

— La routine...

Les deux hommes se levèrent.

— Si vous avez d'autres questions, inspecteur, adressez-vous à mon avocat.

Cinq minutes plus tard Wade était au volant de sa Camaro, pris au piège habituel de la circulation de Boston avec ses ralentissements inexplicables et ses files formées au hasard des bouchons. Il lui fallut un temps invraisemblable pour atteindre l'autoroute 95 où il régla son autoradio sur une station qui diffusait des airs des années cinquante, avant d'accélérer pour passer sur la file de gauche. Bien qu'il n'eût aucune raison de se dépêcher, il roula pied au plancher jusqu'à Rye.

La maison paraissait inoccupée. Après avoir sonné plusieurs fois à la porte d'entrée il fit tranquillement le tour de la villa qui était bordée d'arbustes, genévriers, ciriers et pruniers. Ces derniers étaient en fleurs et Wade jeta par-dessus leurs pétales d'un blanc délicat un coup d'œil aux fenêtres qui lui renvoyèrent son reflet. La véranda était déserte. En bas il chercha son chemin dans le vide éblouissant de la plage qui devenait brumeuse à l'approche des vagues et se dirigea vers le nord, ce qui s'avéra être le bon choix. A quelque distance de là, après un détour de la grève, il y avait une plage de galets protégée par des rochers et qui se découvrait à marée basse. Ce fut là qu'il trouva Jane Gardella.

Il la fit sursauter.

Assise sur un rocher bas et plat, elle était plongée si profond dans ses pensées qu'elle ne le vit que lorsqu'il se pencha sur elle. Aussitôt elle bondit sur ses pieds, surprise et confuse comme quelqu'un qu'on eût tiré d'un lourd sommeil.

— Tony n'est pas ici !

— Je sais, dit-il en la dévorant des yeux. Elle se tenait appuyée sur une jambe et la frange de son short en jean tremblait par instants. Le soleil lui avait donné des couleurs et avait blondi ses sourcils, la faisant paraître encore plus jeune que d'habitude. Wade se souvint de certaines blondes fougueuses qui avaient enflammé son imagination au collège. Il fut tout surpris de se rappeler leurs noms aussi facilement.

— Que voulez-vous ? demanda Jane Gardella.

— Je ne sais pas exactement, répondit-il, ce qui était vrai ou à peu près.

L'air était plein des odeurs piquantes de l'iode, des algues humides et des coquillages morts, senteurs qui lui étaient resté collées à la peau après qu'elle eut exploré les anfractuosités des rochers.

— Vous êtes certainement venu ici pour une raison précise...

— Je me suis laissé dire que le sénateur Matchett et son épouse avaient une propriété dans le coin. Je pensais que j'avais une chance de les rencontrer.

— La saison n'est pas assez avancée pour eux, répliqua-t-elle. Mais je croyais que vous le saviez ! Il ne dit rien, se contentant de l'observer d'une façon qu'elle n'appréciait guère. Si vous avez des idées derrière la tête, *gardez-les* ! Un seul mot à Tony... Je vous écraserais !

— Pourquoi êtes-vous si méfiante ?

Elle eut un silence impressionnant. Son regard se détourna de lui.

— Pourquoi êtes-vous si agressive ?

Elle se frotta un poignet, puis l'autre, comme si elle était ankylosée :

— Vous me tapez sur les nerfs, dit-elle. Je vous ai trop vu !

— Qu'est-ce que votre mari vous a dit sur moi au juste ?

— Suffisamment.

— Alors vous savez que je suis un gars raisonnable.

— N'essayez pas de me baratiner, répliqua-t-elle avec un regard cinglant. Ça ne prendra pas !

— J'aimerais qu'on soit amis, insista-t-il.

— Merveilleux. Nous voilà amis. Son sourire s'évanouit. Je vous intrigue, inspecteur ? Il y a quelque chose en moi que vous n'arrivez pas à comprendre ?

Il la regarda intensément :

— Oui...

— Parfait, dit-elle. Que ça vous empêche de dormir !

Elle tourna les talons et s'éloigna à grands pas. Après un instant d'hésitation il la suivit. « Attendez ! » lança-t-il mais elle n'écouta pas. D'un bond léger elle sauta par-dessus une flaque laissée par la marée et escalada un tas de galets humides et luisants. Des vaguelettes commençaient à envahir la plage. Elle se retourna une seconde pour lui dire de faire attention où il marchait mais c'est elle qui aurait dû suivre ce conseil car au même instant elle s'enfonça la pointe d'un coquillage dans la plante du pied. Sous l'effet de la douleur elle fit un écart et perdit l'équilibre, glissant sur le tas de galets qu'elle heurta de l'épaule avant de rouler en bas de la pente. D'un bond Wade fut à ses côtés. Il saisit son pied meurtri et son sang coula sur ses doigts.

— N'ayez pas peur !

Elle frissonna :

— C'est profond ?

— J'ai vu pire, répondit-il tandis qu'elle fermait les yeux en pressant les paupières. Il se pencha sur elle. Sa grimace de douleur n'altérait en rien la beauté et la fraîcheur de son visage mais lui donnait une autre dimension. Sa peau exhalait le chaud parfum de l'été. Il se sentit soudain ridiculement puéril et terriblement maladroit comme à cette fête de l'école où il avait invité pour la première fois une fille à danser, il pouvait presque se rappeler son nom et ce souvenir l'aiguillonna.

— Ça saigne toujours ? demanda-t-elle.

— Un peu, murmura-t-il en promenant doucement son doigt autour de sa cheville.

— Arrêtez ! protesta-t-elle mais il ne pouvait s'en empêcher. Se penchant plus près, il l'embrassa.

Dans un étage élevé de l'immeuble de l'Union Bank, à l'intérieur d'un bureau spacieux où un Klee et un Kandinsky se disputaient les regards des visiteurs, John Quimby goûta son thé et fit un signe d'approbation. Sa vieille secrétaire qui travaillait à la banque depuis la fin de ses études à Katharine Gibbs, attendit qu'il ait pris une bouchée de son gâteau. A nouveau il hocha la tête d'un air satisfait. La fatigue de la secrétaire transparaissait sur son visage de même que les sentiments qu'elle éprouvait pour lui mais qu'il n'avait jamais remarqués. « Qu'on ne me dérange pas ! » lança-t-il alors qu'elle se retirait. Après avoir fini son gâteau, il prit le téléphone et composa un numéro sur sa ligne directe. Quand il obtint son correspondant, après une longue attente, il ne prit pas la peine de se présenter. Son ton autoritaire et son accent cultivé des descendants des colons de la Nouvelle-Angleterre, peaufiné par des études à Harvard, suffisaient à l'annoncer.

— Je ne veux plus jamais voir cet enculé de flic dans ma banque !

A l'autre bout du fil il y eut un silence total tandis que du côté de Quimby parvenait un bruit de tasse et de soucoupe.

— Vous m'avez compris ?

— Ne me parlez jamais sur ce ton, dit Anthony Gardella. Jamais.

Quimby l'entendit qui raccrochait.

L'agent de police Hunkins prenait du bon temps. Il se trouvait dans l'une des plus importantes boîtes à filles de Combat Zone avec une bonne place au bar et une vue imprenable sur la strip-teaseuse qui venait de laisser glisser le dernier voile pailleté qui la recouvrait et tournoyait au rythme d'une musique assourdissante. On aurait dit qu'elle ne souriait que pour Hunkins. Et puis le barman était plein d'attentions, refusant de le laisser payer ses verres de whisky et de bière. Bâti comme une montagne dépassant largement les deux cents livres, le barman portait des lunettes de grand-mère comme pour se donner une allure de gentil géant. Il se pencha vers Hunkins :

— Il suffit qu'un flic se ramène ici pour qu'il obtienne tout à l'œil ! C'est la devise de la maison.

— Comment vous savez que je suis flic ? demanda Hunkins.

— Vous autres vous avez un air spécial, un peu comme les militaires.

Hunkins se rengorgea. Une jeune femme à la beauté impressionnante était assise à côté de lui dans une robe d'un rouge étincelant qui attirait l'attention sur elle comme une enseigne. Elle avait des allures de mannequin. Prenant son courage à deux mains il demanda :

— Et la dame là ? Elle peut avoir une tournée gratuite elle-aussi ?

— Ça dépend, glissa le barman : elle est avec vous ?

Hunkins lança une œillade à sa voisine :

— Qu'est-ce que vous en dites ?

— J'en dis comme le barman, répondit-elle d'une voix profonde et âpre, ça dépend...

— Je crois que ça marche, intervint le barman en versant à la jeune femme une sorte de cocktail avec de gros cubes de glace. Elle posa les coudes sur le bar et joignit doucement ses mains fines. Hunkins lui susurra à l'oreille :

— C'est quoi votre nom ?

— Laura.

— Qu'est-ce que vous avez voulu dire par « ça dépend » ?

Elle plongea son regard dans le sien :

— A votre avis ?

— Combien ? suggéra-t-il. Elle donna un prix. Bon Dieu ! fit-il en sursautant. Elle haussa les épaules. Dix minutes plus tard ils quittèrent ensemble la boîte. Le barman débarrassa leurs verres et se dirigea d'un pas lourd vers le téléphone.

Victor Scandura décrocha : « Parfait ! » dit-il avant de composer un numéro à son tour. Il se trouvait au siège de la société immobilière de Gardella qu'il quitta bientôt en resserrant son nœud de cravate et en enfilant la veste de son costume. Il traversa Hanover Street et parcourut un bout de chemin jusqu'au café Pompei, savourant la douceur du soir. Anthony Gardella était installé au fond du café avec une tasse de cappuccino fumant devant lui et un journal qu'il s'apprêtait à lire.

— Tout est arrangé, lui lança Scandura.

— Très bien.

— Tu veux que je surveille les opérations ?

— J'me sentirais plus tranquille.

Scandura ressortit aussi discrètement qu'il était entré. Sa voiture était stationnée à proximité. Il venait à peine de partir quand le directeur Russell Thurston prit sa place où il casa péniblement sa Dodge d'un modèle indéfinissable en faisant crisser un de ses pneus contre le bord du trottoir. Il descendit et verrouilla sa portière sous l'œil goguenard d'un jeune qui mâchait énergiquement un chewing-gum en crachant de temps à autre. Thurston lui lança un regard noir.

Il pénétra dans le café Pompei d'un pas leste, un peu comme un danseur qui fait son entrée sur scène, passa devant un juke-box tarabiscoté qui ressemblait à un meuble de style avec ses panneaux imitation bois et la scène pastorale peinte sur son couvercle dressé.

176

Il se faufila entre les tables minuscules et s'assit à celle de Gardella sans y avoir été invité.

— Nous ne nous sommes jamais rencontrés, dit-il, mais je crois qu'on se connaît tous les deux !

Gardella posa son journal, examina le visage étroit à l'expression intolérante de son interlocuteur, et acquiesça. Thurston prit ses aises avec un sans gêne manifeste.

— Vous savez combien de fois je vous ai entendu sur ma table d'écoute ?

— Des tas j'imagine, répondit paisiblement Gardella. Qu'est-ce que ça vous a rapporté ?

— Je sais, vous êtes malin et prudent ! Mais vous feriez bien de dire à votre jeune épouse de se montrer prudente elle aussi. On a des photos d'elle en train de se faire bronzer sur une plage des Caraïbes avec rien sur le dos !

Gardella s'interdit de réagir.

— Si vous voulez ces photos, je vous les procurerais. Le Noir qui travaille pour moi les garde dans le tiroir de son bureau.

Mise à part une soudaine crispation de la mâchoire, rien dans l'expression de Gardella ne changea. Ses mains brunes posées sur la table étaient parfaitement immobiles, vaguement menaçantes.

— Ne vous vexez pas, dit Thurston d'un air faussement contrit. Je sais ce qui leur passe par la tête aux types de votre genre. Vous vous rappelez l'histoire du mari d'Hedy Lamarr ? Le pauvre jobard voulait racheter toutes les copies de ce film où on la voyait batifoler nue dans les bois ! Mais je peux comprendre ça : personne tient à ce que le monde entier admire le cul de sa femme !

Gardella ne broncha pas ; il parvenait à maîtriser ses sentiments dont aucun ne transparaissait bien que tous ses nerfs fussent tendus. Ses yeux n'étaient plus que deux fentes. Thurston tendit la main et toucha la manche de Gardella pour en apprécier la douceur du tissu.

— Le négro dont je viens de vous parler porte le même genre de costume... A croire que vous avez tous les deux été vendeurs chez Brook Brothers ! Moi je me contente de prêt-à-porter. J'y mets le prix mais je prends pas de grands airs pour autant.

Gardella parla d'une voix sourde :

— Vous avez autre chose à me dire ?

— J'en sais rien. Et puis vous n'avez peut-être pas envie de m'écouter... Après tout vous avez suffisamment de sujets de préoccupation comme cette équipe du Procureur chargée du grand banditisme. Le flic qui la dirige, Wade, n'est sans doute pas le gars le plus brillant du monde mais c'est un bosseur. S'il découvre quelque chose sur vous peut-être qu'il faudrait mieux que vous veniez m'en parler... Qui sait, j'aurais peut-être un marché à vous proposer, quelque chose qui nous arrangerait tous les deux...

— Vous voulez un cappuccino ? Ils peuvent ajouter de la crème fouettée dessus si ça vous tente.

— Je vois que vous ne m'écoutez pas ! Thurston se leva et s'immobilisa dans une pose gracieuse. C'est vraiment dommage. Vous n'avez peut-être pas d'éducation mais vous avez une cervelle. On aurait pu discuter intelligemment.

Gardella marmonna quelque chose en italien.

— Je sais ce que vous venez de dire, déclara Thurston avec un sourire fier.

Gardella reprit son journal :

— Alors vous savez ce que je pense de vous.

Thurston pointa triomphalement son index sur lui :

— Je vous ai bien eu, pas vrai !

— Oui, concèda Gardella. Vous m'avez bien eu.

A peine étaient-ils entrés dans sa chambre au motel Howard Jonhson's que l'agent de police Hunkins attira Laura tout contre lui et glissa sa main fébrile le long de sa robe rouge jusqu'à ses cuisses. Elle le repoussa brutalement : « Faut payer avant de toucher ! » Il lui tendit des billets frippés qu'elle défroissa pour les compter soigneusement avant de les enfouir dans le grand sac en cuir de style mexicain qu'elle portait à l'épaule. Elle laissa la main dedans :

— Ça te dérange si je fume un joint ? Ça me met en condition...

— Tu rigoles ? dit-il en ouvrant de grands yeux. Je suis un flic ! T'es au courant, tu l'as entendu tout à l'heure !

— Pour l'instant t'es qu'un micheton ! répondit-elle en allumant son joint. Elle ferma les yeux et aspira profondément la fumée avant de la rejeter avec un lent soupir. Il se glissa derrière elle et la saisit entre ses mains tremblantes. Elle tressaillit au contact de ses paumes moites. Lorsqu'elle se retourna il l'embrassa, étalant son rouge à lèvres sur ses joues que sa barbe mal rasée irritait.

— Déchire pas ma robe !

— Alors enlève-là ! répliqua-t-il. Sous le rouge elle portait du noir. Il s'activa quand il découvrit son porte-jarretelles. Laisse-moi t'aider ! Ses doigts impatients la débarrassèrent de son soutien-gorge tandis qu'elle détournait la tête pour ne pas sentir son souffle. La blancheur de ses seins tranchait sur le hâle de sa peau. Il se dépêcha de se déshabiller, envoyant promener ses chaussures noires réglementaires puis son blouson. Il posa son magnum sur la commode. Le touche pas ! prévint-il. Il est chargé.

Elle jeta un coup d'œil à sa montre.

— Qu'est-ce que tu fous, tu me chronomètres ? Il enleva son pantalon, se débarrassa de ses sous-vêtements et se campa devant elle, les mains sur les hanches, avec un large sourire. Qu'est-ce que t'en penses, hein ?

— Laisse-moi finir mon joint, dit-elle en cherchant un cendrier.

— Non, éteins-le !

Sur le lit, enivré par son corps, il glissa sa langue au bas de son ventre.

— Tu devrais pas faire ça ! lui conseilla-t-elle d'une voix neutre, mais il continua de plus belle comme si les mots qu'elle venait de prononcer n'avaient fait que l'exciter davantage. Je suis montée avec quelqu'un juste avant toi, ajouta-t-elle sur le même ton neutre. Il se redressa aussitôt sur ses bras musclés :

Bon Dieu, t'étais obligée de me le dire !

Il n'entendit pas le bruit qui avait attiré le regard de Laura vers la porte qu'il croyait fermée. Une seconde plus tard elle vola en éclats et deux policiers en uniformes de la police de Boston firent irruption dans la pièce revolver au poing. L'un d'eux, qui portait des bottes de cuir, était un agent du quartier et l'autre était le commissaire Scatamacchia dont l'uniforme, avec sa multitude de galons, sa fourragère et son insigne doré, le faisait ressembler à un contre-amiral. Il flanqua son revolver sous le nez d'Hunkins, frappé de stupeur, et hurla : « Bouge pas ou t'es mort ! »

Hunkins cessa de respirer et demeura figé sur le lit comme un gros tas de chair nue. Laura se couvrit avec le drap et regarda Scatamacchia avec l'air de dire « Mais qu'est-ce que vous avez fabriqué ! » Le flic du quartier s'approcha de la commode et dit :

— Ce type a un flingue.

— J'suis de la police ! déclara Hunkins d'une voix timide.

— La ferme ! aboya Scatamacchia.

L'autre policier inspecta le cendrier et déclara comme s'il faisait un rapport :

— Je note également la présence d'une substance prohibée.

— Drogue-partie, hein ?

— Non ! protesta Hunkins. Scatamacchia lui jeta un regard furieux :

— Je t'ai dit de la boucler !

L'agent de police ouvrit le sac en cuir de style mexicain et fouilla dedans tandis que Laura regardai distraitement au plafond.

— Qu'avons-nous là ? dit-il en extrayant du sac un sachet en plastique fermé par un élastique. Il l'ouvrit, en renifla le contenu qu'il goûta après avoir mouillé son doigt. De la coke, annonça-t-il. Y'a quelqu'un qui trafique...

— C'est pas à moi, hurla Hunkins. Aussitôt Scatamacchia le frappa au coin de la figure avec le canon de son revolver, suffisamment fort pour lui ouvrir la peau.

— Vingt ans, laissa tomber froidement Scatamacchia. C'est ce que tu vas prendre. Fouille son froc. Vérifie si c'est vraiment un flic !

L'agent de police ramassa le pantalon d'Hunkins et en sortit un portefeuille rebondi. Au bout de quelques instants il déclara :

— Ouais, j'en ai bien l'impression. C'est un péquenot ! Commissariat de Greenwood. Où c'est ça, près de Pittsfield ?

Hunkins, effondré sur le lit la tête entre les mains, ne répondit pas. Son ventre gargouillait. Scatamacchia le poussa du pied :

— Y'a rien que je déteste plus qu'un flic ripou ! Tu m'entends, péquenot ? Hunkins se dressa sur un coude et tendit son visage meurtri comme dans l'espoir de se faire cajoler. Scatamacchia eut un reniflement méprisant : Habille-toi ! Ça me dégoûte de te voir comme ça !

Hunkins descendit prudemment du lit et attrapa ses affaires d'une main tremblante. Il enfila son pantalon, fourra son slip dans sa poche et glissa ses pieds nus dans ses chaussures. La fille ne bougeait pas. Scatamacchia fit signe à son adjoint et lui murmura :

— Passe lui les bracelets et emmène-le dehors. Parle-lui comme je le ferais...

— Vous voulez dire...

— Parfaitement. Scatamacchia fit un clin d'œil. Ce magnum, il est à moi maintenant !

— Ouais, ça a toujours été votre rêve !

— Je sais ce que tu penses, ajouta Scatamacchia avec un grand sourire, et t'as raison : je suis trop radin pour m'en acheter un !

Lorsque l'agent de police eut emmené Hunkins, Laura descendit du lit, traînant le drap derrière elle. Scatamacchia surgit dans son dos et plaqua contre lui ses fesses nues. Elle grimaça et se raidit.

— Ça ne fait pas partie du marché !

— Bien sûr que si ! rétorqua-t-il l'air égrillard. T'as oublié, c'est tout ! Elle essaya de se dégager mais il l'agrippa par la taille et la renvoya vers le lit en enfonçant les pouces dans sa peau blanche. Lorsqu'elle se mit à l'insulter il eut un semblant de sourire qui s'évanouit quand elle se débattit.

180

Dehors, l'agent de police avait emmené Hunkins au pas de charge à l'écart des lumières du motel. « Elle est où ta voiture ? » lui demanda-t-il. Hunkins la désigna d'un geste qui lui fit mal aux poignets à cause des menottes. Son visage, enflé et tout jaune d'un côté, avait une expression grotesque. Son nez coulait. L'agent lui demanda :

— Tu sais comment la rejoindre en vitesse ? Hunkins le dévisagea sans comprendre. Si tu l'sais pas, j'vais te l'dire : tu cours !

Hunkins demeura pétrifié :

— Qu'est-ce que vous racontez !

— Tends tes mains ! L'agent sortit une clef et défit les menottes. Ce que j'essaie de te dire c'est que le commissaire te fait une fleur parce que t'es un flic et tout ça ! On te laisse te tirer ! Mais on oublie pas... Si jamais on te revoit dans le coin ou si on entend encore parler de toi, t'es un homme mort !

— Si je cours, tu me descends, bégaya Hunkins.

— T'as compris de travers : si tu cours pas je te descends !

Hunkins s'élança.

Vingt minutes plus tard le commissaire Scatamacchia quitta le motel. Il fit signe de l'attendre à l'agent qui s'était installé au volant d'une voiture banalisée et se dirigea vers une Cadillac aux vitres teintées garée un peu plus bas le long du trottoir. Il se pencha vers l'homme assis tout seul à l'intérieur :

— Dis à Anthony qu'il a une dette envers moi !

— Tu veux vraiment que je lui présente ça comme ça ? demanda Victor Scandura.

— C'est juste une façon de parler ! rectifia Scatamacchia en souriant de toutes ses dents.

Scandura jeta un coup d'œil par-dessus son épaule :

— Où est la fille ?

— Elle aurait besoin d'un coup de main, grommela le commissaire avant de tourner les talons.

Scandura descendit de voiture et regarda rapidement autour de lui avant de s'élancer vers le motel. Il frappa à la porte de la chambre d'Hunkins et l'ouvrit. La pièce était plongée dans l'obscurité. Il trouva l'interrupteur et ferma aussitôt la porte derrière lui. La fille était allongée sur le lit dans la position où Scatamacchia l'avait laissée. Scandura se pencha sur elle. « Tu peux m'entendre ? » lui demanda-t-il. Elle bougea légèrement la tête. Ses yeux étaient tuméfiés. Elle ne pouvait ni voir ni parler. Sa mâchoire était brisée. « Je vais te trouver un médecin », chuchota Scandura.

Christopher Wade s'était acheté un grand sandwich en guise de souper et il le mangea installé sur le balcon de son appartement en contemplait d'un air absent la circulation dans Commonwealth Avenue, sans parvenir à distinguer les gens qui n'étaient que des ombres dans les voitures. Plus tard il regarda au lit un film avec Jack Nicholson intitulé *The Last Detail* et qu'il avait déjà vu deux fois. Il suivit les informations de 23 heures et s'assoupit pendant le magazine *Nightline*. Il rêva de sa femme, de ses filles... et de Jane Gardella. Dans son rêve il avait son apparence d'adulte tout en ayant l'impression étrange d'être un enfant qui voulait qu'on le tienne par la main. Il se leva de bonne heure et prit son petit déjeuner dans sa cafétéria habituelle de Newbury Street où il s'attarda devant une seconde puis une troisième tasse de café. L'une des serveuses, dont la mère était morte la semaine précédente, lui dit :

— Merci pour les fleurs !

Wade lui adressa un sourire réconfortant :

— Comment vous vous sentez ?

— Ça devrait pas arriver de perdre sa mère ! C'est là qu'on se rend vraiment compte qu'on en a qu'une ! Elle ramassa l'addition et la plia. C'est pour moi !

— J'peux pas vous laisser faire ! protesta-t-il.

— Mais si vous le pouvez ! Vous êtes un flic !

En arrivant à son bureau il trouva l'agent Blodgett installé dans son fauteuil.

— Faites comme chez vous ! lui lança-t-il d'un air agacé. Blodgett lui tendit un cliché de format 4 × 7 tiré sur papier brillant et qui avait été pris au téléobjectif :

— Qui est-ce ce type ?

Wade prit la photo et fit semblant de l'examiner attentivement :

— Qui ça intéresse ?

— Devinez ! Thurston. On l'a prise il y a deux jours alors qu'il sortait de la société immobilière de votre ami. Sa tête nous dit quelque chose mais on n'arrive pas à le situer.

Wade lui rendit la photo :

— Il s'appelle Hunkins.

Au siège de la société immobilière, Victor Scandura déclara :

— J'ai trouvé quelqu'un pour lui raccommoder la mâchoire avec du fil de fer. Elle est fracturée en deux endroits.

182

Anthony Gardella, l'air préoccupé, parla d'une voix basse :

— Alors qu'est-ce que tu crois qu'on doit faire avec Scat ?

— Je crois qu'on devrait lui casser la sienne en trois morceaux !

— Scat est une bête. Il s'est dit que du moment qu'elle était là elle lui appartenait. Ce qu'on va faire c'est lui trouver un endroit comme il faut pour qu'elle se retape, avec une infirmière rien que pour elle et tout le tremblement. C'est Scat qui règlera l'addition.

— C'est pas cher payé...

— Qu'est-ce que tu voudrais que je fasse ? demanda Gardella sur un ton impatient. Lui couper les couilles ?

Scandura s'écarta pour laisser passer Gardella qui s'approcha de la fenêtre afin de regarder dans la rue, les épaules contractées et les mains derrière le dos. Deux passants qui habitaient le quartier l'aperçurent et lui firent signe mais il les ignora. Scandura finit par lui demander :

— Qu'est-ce qui ne va pas Anthony ? Je sais que quelque chose te turlupine.

— Ce type du FBI, Thurston..., lâcha Gardella sans desserrer les dents et en se retournant. D'abord il se pointe à l'enterrement de mes parents où il envoie un nègre dans l'église. Et puis le voilà qui remet ça hier soir au café Pompei pour m'insulter encore plus !

— T'énerve pas, Anthony !

Les muscles du cou de Gardella tressaillirent comme s'il ne parvenait plus à les contrôler ; sa poitrine se souleva :

— Je veux qu'on trouve quelque chose sur lui. A tout prix. Tu m'entends Victor ?

Scandura parut sceptique :

— Des types comme Thurston sont généralement irréprochables. Il n'y a rien à gratter sur eux...

— Personne n'est irréprochable, rétorqua Gardella. C'est une vérité universelle.

16

Rita O'Dea et Alvaro décidèrent de partir cinq jours et confièrent à l'agence Benson Tours le soin d'organiser leur voyage. Ils auraient pu choisir Atlantic City, ce qui leur aurait fait un vol moins long mais Alvaro préférait Las Vegas. Il n'y avait jamais été. Ils descendirent au Caesar Palace et firent la tournée des casinos et des boîtes. Rita O'Dea avait choisi pour la circonstance un rouge à lèvres flamboyant qu'elle essayait pour la première fois et une ample robe à volants avec des parements de tulle. Elle commanda du filet mignon dans les meilleurs restaurants avant d'aller écouter les chansons idiotes de Wayne Newton avec son costume à paillettes et les blagues grivoises rabâchées par Buddy Hackett dont le visage s'empâtait de plus en plus. Alvaro perdit dix mille dollars au craps sur l'argent de Rita O'Dea qui en gagna mille à la table de blackjack — les cartes étaient la seule activité où elle parvenait à faire preuve d'un peu de patience. Elle changea ses jetons et montra ses gains à Alavaro :

— C'est pour le gosse ! lui dit-elle.

— Quel gosse ?

— Celui de Ty.

— Il est même pas encore né et puis rien ne nous dit qu'il est de lui ! Tu vas la croire sur parole ?

Elle le dévisagea avec une indulgence bon enfant et répondit :

— Il y a des choses que tu peux pas comprendre mon petit, alors cherche pas !

L'avant-veille de leur départ elle passa la plus grande partie de son temps à la piscine. Entourée d'une bouée elle se laissait flotter sur le ventre. Alvaro, fatigué de prendre des bains de soleil et de reluquer les jolies filles, remonta dans leur chambre. Elle le rejoignit une demi-heure plus tard et le trouva affalé dans un fauteuil en train de feuilleter le dernier *Penthouse*. Sentant peser sur lui son regard moqueur il déclara :

— Je ne l'achète pas juste pour les photos de cul !

— Fais croire ça à une autre ! répliqua-t-elle en retirant son maillot de bain mouillé. Il avait laissé des marques sur sa peau aux endroits où il la serrait trop. Ses seins paraissaient gonflés d'eau. Ils lui faisaient mal. Lorsqu'il la vit en train de les masser avec les paumes il jeta son magazine et se leva :

— Laisse-moi faire ! Il l'effleura du bout des doigts. Son pantalon léger était si moulant qu'il ne laissait rien ignorer de son anatomie. Je bande ! susurra-t-il. Et toi ?

Elle secoua la tête :

— Je suis fatiguée... Je vais faire une sieste.

Son refus ne l'offusqua pas. Il ramassa le magazine et le fourra dans un tiroir. Avec un sourire étincelant, plein d'insouciance, il annonça :

— Puisque c'est comme ça je vais faire un tour. Tu peux me passer deux billets de cent ?

— C'est ce que ça coûte ici pour tirer son coup ? demanda-t-elle d'un air détaché qui le fit rougir. Elle désigna son portefeuille. Passe-le moi !

— Ecoute, si tu veux que je reste, je resterais...

— Le portefeuille ! Il le lui tendit et elle en extraya deux billets froissés de cent dollars.

— Je vais jouer aux machines à sous.

— Amuse-toi bien, lui dit-elle, c'est ce qui compte.

Arrivé à la porte il se retourna pour la regarder. Elle avait passé une serviette autour d'elle et en utilisait une autre pour s'essuyer les cheveux.

— Rita, j'ai une question sérieuse à te poser. Tu commences à en avoir assez de moi ?

— C'est ce que tu voudrais ? lui lança-t-elle avec un regard dur.

— C'est juste pour savoir...

— Si je me réveille à trois heures du matin je veux être sûre que tu seras là !

Il lui fit un clin d'œil :

— Et si je suis pas là ?

— Que Dieu te protège !

Dans une pièce retirée de sa maison de Rye Anthony Gardella recevait deux visiteurs venus de Providence. Avec leurs costumes gris métal on aurait dit des soldats de plomb. Jane Gardella se tenait sur le qui-vive dans une pièce voisine d'où elle pouvait surprendre des murmures et entrevoir un visage de temps en temps. Elle comprit qu'on parlait de Miami et saisit des bribes de conversation où il était question d'argent, de banques sur une île et d'une vague affaire de cocaïne. Elle entendit aussi mentionner certaines personnes mais uniquement par leurs prénoms ou leurs surnoms : Solly, Skeeter, Chickie, Buster... Elle entendit son mari dire sur un ton passablement irrité : « Peut-être que je ferais mieux de m'adresser directement à Raymond ! » et surprit également la réponse : « Il ne se sent pas très bien ».

Plus tard, alors que les problèmes d'affaires étaient apparemment réglés, la conversation reprit sur un ton normal et détendu. Des rires fusèrent. Elle entrevit le profil et le cou épais d'un des visiteurs. « Tu te rappelles du frère de Mikie ? » l'entendit-elle demander. Il parlait avec de grands gestes en postillonnant.

— Il avait le cœur retourné à l'idée de se faire piquer le doigt et le voilà qui ferme les yeux quand ils le font ! Alors ils lui annoncent que maintenant il est un *soldato* et lui souhaitent bonne chance. Mais il entend rien de tout ça, il est sur le point de s'évanouir en regardant son putain de doigt ! Quelqu'un le soutient. Ils veulent pas qu'il se ridiculise ! C'est vrai cette histoire, je raconte pas de conneries !

Son mari riait à gorge déployée, d'un rire franc. Elle pouvait dire quand il se laissait aller.

L'autre visiteur, un homme au visage blême, raconta à son tour :

— Le troisième frère décide tout à coup de s'acheter une voiture neuve pour partir en Californie. Il va chez un concessionnaire Pontiac et choisit une Firebird mais elle avait un défaut de fabrication et il tombe en panne quelque part en Oklahoma. Alors il rentre en avion, retourne aussi sec voir le vendeur et lui flanque une putain de balle entre les deux yeux. Dingue !

— Je comprends sa frustration, déclara Anthony Gardella. Mais pour en revenir à Raymond, est-ce qu'il porte toujours des chaussettes blanches à longueur d'année ?

— Bien obligé, il a des pieds drôlement foutus. Y peut rien mettre de sombre dessus, répondit l'homme au teint pâle. Tu te souviens quand il avait dû aller à Washington pour déposer devant cette commission du Sénat ? C'était juste après qu'ils avaient fait un film avec le bouquin de Puzo et le président qui fait à Raymond :

« Dites-moi M. Patriarca, qu'y-a-t-il de vrai au juste dans *Le Parrain* ? » Alors Raymond se râcle la gorge et il lui répond : « Sénateur, c'est de la pure *friction* ! ».

Tandis qu'ils éclataient de rire, Jane Gardella se glissa furtivement hors de la pièce et quitta la maison. La brise marine fit voltiger ses cheveux et rafraîchit ses jambes nues. Elle se rendit en stop jusqu'au magasin de Philbrick et téléphona à Boston de la cabine qui se trouvait à l'extérieur. Quand on lui demanda à qui elle voulait parler elle répondit : « Thurston. Dites-lui que c'est Chérie. »

On le lui passa rapidement. Il attendait son coup de fil et l'écouta sans l'interrompre. Lorsqu'elle eut fini, il demanda :

— Décrivez-les. Elle s'exécuta d'une voix rapide et basse, mentionnant la pâleur de l'un et le cou épais de l'autre. Vous paraissez nerveuse, remarqua-t-il.

— Je suis tout le temps nerveuse ! Elle se boucha l'oreille à cause du bruit de la circulation.

— Vous pouvez me donner une idée du sujet de leur conversation ?

— Non.

— Vous avez bien dû entendre quelque chose ! Un mot ; un nom...

— Rien.

— Je n'aime pas qu'on me mente, prévint Thurston. Puis son ton se radoucit : Comment va-t-il ?

— Qui ça ?

— De qui voulez-vous que je parle ? Votre mari !

— Bien... Elle hésita. Mais il ne dit pas grand-chose comme si je lui causais du souci pour une raison qui m'échappe.

— Peut-être que vous vous faites des idées, dit Thurston avec une satisfaction qu'il ne parvenait pas à dissimuler complètement. Vous avez autre chose à me dire ?

— Oui. Dites à Cœur Tendre de me laisser tranquille.

Elle reposa lentement le combiné tandis que son regard se perdait bien au-delà de la route. Un cerf-volant multicolore zigzaguait au-dessus de la plage en faisant virevolter sa queue très haut dans le ciel. Au même instant elle prit conscience qu'une voiture s'approchait tout doucement de la cabine, une Cadillac d'une longueur impressionnante. Elle se recula, les jambes flageolantes. Victor Scandura était au volant.

Le chef de la police de Greenwood qui avait l'air à la fois têtu et pieux, prit l'agent Hunkins entre quatre-z-yeux dans son bureau. Il le dévisagea avec un sourire sec et tendu qui s'apparentait davantage à une grimace, et lui dit :

— Maintenant il faut tout me raconter ! Bon sang qu'est-ce qui se passe ?

— Je ne sais pas de quoi vous voulez parler, protesta Hunkins d'un air parfaitement innocent. Il tirait sur son ceinturon tout en s'efforçant de cacher son profil tuméfié.

— Vous avez fait quelque chose de pas correct, déclara le chef. J'ignore ce que c'est mais vous feriez mieux de me le dire !

Hunkins prit un air effaré :

— Je vois toujours pas où vous voulez en venir, assura-t-il.

— Alors je vais présenter ça autrement, dit le chef. Vous êtes un bon flic ?

— Oui !

— Qui fait proprement son boulot ?

— Oui !

— Alors pour l'amour de Dieu pourquoi le FBI cherche à se renseigner sur votre compte ?

Hunkins blêmit.

Victor Scandura salua brièvement les deux hommes de Providence qui repartaient dans une voiture de location au moment où il arrivait dans sa Cadillac immaculée. Il se gara à leur place, descendit et passa la main dans ses cheveux clairsemés.

— Comment ça s'est passé ? demanda-t-il à Gardella qui se tenait devant la maison près d'un buisson de roses, le visage baigné par un petit vent frais.

— Ils veulent contrôler davantage nos affaires en Floride et en retirer une part plus grosse.

Scandura s'approcha :

— Il y en a suffisamment pour tout le monde...

— C'est pas la question. Ils se manifestent beaucoup ces temps-ci.

— Peut-être qu'ils veulent simplement s'assurer que tu respectes les accords...

— Je les ai toujours respectés.

— Alors les voilà complètement rassurés. Scandura détourna la tête et toussa à s'en déchirer les poumons.

— Qu'est-ce qui t'arrive ?

188

— Une allergie.

— Décidément tu attrapes tout ce qui traîne !

— Ça ne m'empêche pas de m'en sortir...

— Tu t'es occupé de Thurston ?

— Ça va te coûter un paquet, répondit Scandura avec une respiration sifflante. J'ai vu une agence de détectives privés à New York dirigée par d'anciens fédéraux. Ils sont à la hauteur, sans doute les meilleurs. Ils veulent cinquante mille dollars tout de suite, sans garantir aucun résultat. S'ils ramènent quelque chose il faut payer à nouveau mais on peut discuter le prix.

— Ça m'a tout l'air d'être de beaux requins !

— Tout à fait. Le patron est un ancien des stups.

— C'est d'accord, dit Gardella. Donne-leur le feu vert.

Ils contournèrent la maison et s'installèrent dans la véranda, face à l'océan. Il y avait du vent et la fraîcheur de l'air avait découragé les baigneurs à l'exception d'une femme coiffée d'un bonnet de bain à volants qui sautait pour éviter les vagues qui lui déferlaient dessus. Elle finit par plonger dedans.

— J'ai quelque chose à te dire qui va pas te plaire, prévint Scandura. Augie s'est fait piquer pour un vol avec effraction à Montreal. Sammy Ferlito savait pas comment m'annoncer la nouvelle !

Les yeux de Gardella lancèrent des éclairs furieux :

— Bordel de merde !

— Attends la suite ! Il s'est évadé ! Ferlito ne sait pas où il s'est planqué...

Gardella faillit s'étrangler :

— Fais passer le mot : je veux qu'on le retrouve.

Scandura acquiesça :

— Ce gosse est un loser, Anthony. Je crois qu'il est temps qu'on l'admette.

— C'est ce que je viens de faire. Des gens se promenaient par petits groupes sur la plage. Gardella jeta un coup d'œil à sa montre. Mais où est-ce que ma femme a bien pu passer ?

Scandura pointa l'index d'un air surpris :

— C'est pas elle qui se baigne là-bas ?

— Bon Dieu, Victor, change de lunettes ! Cette bonne femme a au moins cinquante ans ! C'est l'épouse du sénateur Matchett !

Jane Gardella marcha droit devant elle sans autre but que d'attendre le crépuscule. De retour à la maison elle ne trouva plus dans l'allée que sa voiture et celle de son mari. Il l'attendait dans la véranda, vêtu d'un élégant pull en cachemire et d'un pantalon gris anthracite. Son cœur s'arrêta de battre lorsqu'il la regarda.

— Où étais-tu ? demanda-t-il. Elle demeura pétrifiée, la bouche sèche. Des gouttes de sueur lui perlaient aux aisselles. Elle n'était pas sûre de parvenir à émettre un son.

— Je ne voulais pas déranger, articula-t-elle laborieusement.

— Tout le monde est parti depuis longtemps ! Dorénavant préviens-moi quand tu t'en vas comme ça ! Il la prit dans ses bras. Je me suis fait du mauvais sang.

Son soulagement lui fit l'effet d'une décharge électrique qui la propulsait vers lui. Elle l'embrassa avec fougue et glissa une main tremblante sous son pull, jusqu'à la toison qui recouvrait sa poitrine. Sachant qu'il devait rentrer à Boston elle lui chuchota à l'oreille :

— Tu as le temps ?

Le regard qu'il lui lança était si intense que toute sa peur revint au galop.

— Tu sais pourquoi j'ai le temps ? demanda-t-il, et sans attendre sa réponse il ajouta d'une voix douce : la vie est courte !

Trois heures plus tard, à Boston, Gardella se glissa en s'excusant entre deux couples qui attendaient et pénétra dans la pénombre du salon situé au premier étage de l'Union Oyster House. Il ne restait plus une seule place au bar et toutes les tables étaient prises. Les clients étaient jeunes pour la plupart, entre vingt et trente ans. Une serveuse munie d'un plateau essaya de le contourner et il sentit un court instant contre lui le contact chaud et ferme de sa cuisse. « Vous inquiétez pas ! » lui lança-t-il d'une voix neutre. « Je suis marié. » Aussitôt après quelqu'un l'appela et tandis qu'il s'approchait on lui dégagea une chaise.

— Vous êtes en retard, nota sèchement Christopher Wade. J'ai failli partir il y a une demi-heure.

— Je suis content que vous ayez changé d'avis. Gardella s'installa sur sa chaise. Qu'est-ce que vous buvez ?

— Je tète ma seconde Heineken — vous en voulez une gorgée ?

— Je ne bois jamais dans le verre des autres, à part celui de ma femme.

— Alors allez vous en chercher un !

Gardella posa les coudes sur la table et dit d'un air qui se voulait détendu :

190

— Quimby, le gars de la banque, m'a appelé. Votre visite lui a foutu les boules. J'imagine que vous en avez rajouté pour donner l'impression d'être un flic régulier.

— Je dois assurer mes arrières.

— J'espère que vous serez davantage diplomate avec le sénateur Matchett. Il est plus vulnérable.

— Je verrai ce que je peux faire. Dites-moi, c'est un beau pull que vous avez là ! C'est votre look décontracté ?

— J'en ai trois autres du même style mais de couleurs différentes. Si ça vous intéresse, je peux vous dire où je les ai achetés... Réflexion faite, donnez-moi votre taille, je vous en enverrai.

— Quelle amabilité ! C'est fête aujourd'hui !

— Pas vraiment. J'ai une question importante à vous poser. Thurston, le fédéral... Qu'est-ce que vous savez sur lui ?

— C'est un pur et dur, ce qui peut expliquer beaucoup de choses.

— C'est lui qui vous donne les ordres ?

— Oui... enfin indirectement, répondit Wade d'une voix sourde. Il sait tout par le procureur.

— Vous ne m'aviez jamais expliqué les choses comme ça, dit Gardella sur un ton de reproche.

— Peut-être que vous n'écoutiez pas...

— Ne faites pas le malin avec moi. Gardella parlait lentement et d'une voix gutturale. La serveuse de tout à l'heure s'approcha avec son carnet. Il releva la tête et la renvoya : « Pas maintenant, plus tard ! »

Wade alluma une cigarette tandis que Gardella ajoutait : « Thurston vise pas la gorge, il s'attaque aux couilles ! J'aime pas les mecs qui font ça. »

Wade jeta un coup d'œil aux autres tables ; son regard s'attarda sur les jolies femmes.

— Qu'est-ce qu'il vous a fait au juste ?

— Il est venu me déballer des ordures sur ma femme. La mentalité de ce type m'inquiète. Dites-moi, Wade, qu'est-ce qu'il a derrière la tête ?

— C'est pas difficile à comprendre, répondit Wade. Il vous hait.

— Voilà encore une chose que vous ne m'aviez jamais dite !

— Je suis loué, pas acheté.

Gardella regarda à son tour les autres tables avec les jolies femmes et leurs beaux chevaliers servants. Les conversations allaient bon train.

— Un de ces jours, dit-il tranquillement après un instant de réflexion, il vous faudra choisir.

— Que voulez-vous dire ?

— Je crois que vous le savez, lâcha Gardella en faisant signe à la serveuse.

17

Ty O'Dea sirotait un mélange de vodka et de jus d'ananas en guise de petit déjeuner. Il eut un sourire gêné lorsque Rita O'Dea pénétra dans la cuisine avec ses longs cheveux noirs flottant derrière elle et l'un de ses seins qui débordait de son ample robe et s'offrait aux regards comme une cible. Elle prit une tasse, se versa du café et s'attabla en face de lui en faisant grincer son fauteuil en rotin. Il la regardait du coin de l'œil. Autrefois elle lui interdisait de lui adresser la parole tant qu'elle n'avait pas fini son café. Il s'efforça de s'éclaircir la voix pour lui demander :

— C'était comment Las Vegas ?
— Pas terrible.
— T'as dû perdre au jeu, dit-il avec compassion.
— J'ai gagné. Je gagne toujours.
— Et Alvaro ?
— Il a perdu. Tu sais bien que c'est un loser. Regarde qui il est obligé de se coltiner — moi !

Ty O'Dea ne savait plus où se fourrer. C'était la première fois qu'il l'entendait se rabaisser ainsi elle-même. Elle arrangea ses cheveux et ajusta sa robe de façon à se rendre plus présentable. Son visage était bouffi.

— Au cours de notre dernière nuit là-bas j'ai fait des mauvais rêves et je me suis réveillée en sueur. J'ai perdu le sommeil, Ty. Des fois je reste allongée les yeux ouverts et j'entends des voix qui paraissent venir de l'au-delà. J'entends celle de m'man, toute petite, et puis celle de p'pa beaucoup plus forte. J'te jure devant Dieu que c'est vrai.

Ne sachant quoi dire il se tut. L'espace d'une seconde il se vit tel qu'il était : veule, inutile, toujours à la remorque des autres.

— C'est la façon dont ils sont morts que je n'arrive pas à accepter, poursuivit-elle.

— Au moins ils sont partis ensemble, dit-il d'une voix hésitante pour la consoler. Ils étaient pas tout seul...

— Comment tu le vois toi le paradis, Ty ?

— Je suis pas sûr de le voir, avoua-t-il pris de court. Et toi ?

— Rose et bleu — des couleurs de bébé... Un voile descendit sur son regard qui s'embua. Tu comprends ce que je veux dire ? Il ne comprenait rien mais il acquiesça tout en se disant qu'il aurait vraiment mieux fait de rester au lit. Il leva son verre et le vida.

— Tu vas te tuer à boire des trucs pareils ! lança-t-elle.

Il eut un sourire penaud.

— Si tu meurs, ça sera un sale coup pour le gosse. Comment Sara ferait pour se débrouiller avec lui toute seule ?

— J'ai pas l'intention de mourir...

— Es-tu prêt à aimer cet enfant ?

— Oui, répondit-il solennellement comme s'il était en train de prêter serment devant une cour d'assises. L'envie le démangeait de se servir un autre verre mais il n'osait pas.

— Tu m'aimes toujours, Ty ?

La peur était le seul sentiment profond qu'elle lui eût jamais inspiré. En fait, bien plus qu'une épouse, elle avait été pour lui une sœur cynique et incestueuse qui pouvait se montrer d'une générosité exubérante et l'instant d'après faire preuve de la tyrannie la plus avilissante.

— Entre nous il y aura toujours quelque chose, minauda-t-il.

— On pourrait recommencer comme avant. D'un mouvement brusque par-dessus la table elle lui attrapa la main et la serra. Non ! En fait je veux dire : on pourrait faire mieux !

— Tu me fais mal ! gémit-il comme une fillette. Aussitôt elle relâcha son étreinte impitoyable. Son regard était presque tendre ; sa poitrine tout entière débordait par-dessus sa robe lâche.

— Je suis grosse, Ty. Comme un éléphant... mais je suis fragile — tu comprends ça ? Il ne voulait rien comprendre du tout mais pour rien au monde il le lui aurait avoué... Il éprouva un léger soulagement quand elle retira sa main. Quelle heure est-il ? demanda-t-elle. Regarde sur la montre que je t'ai offerte et dis-le moi.

Il s'exécuta.

Elle hocha la tête et agrippa le bord de la table.

— Où est Sara ? Toujours au lit ? Je crois qu'il est temps qu'on discute un peu toutes les deux...

194

— De quoi ? demanda-t-il l'air inquiet.

— De l'avenir, répondit Rita O'Dea.

Anthony Gardella reçut un coup de téléphone de Miami alors qu'il se trouvait dans le bureau de sa société immobilière. Victor Scandura lui passa le combiné en annonçant : « C'est Skeeter. » La voix rocailleuse de Skeeter lui résonna dans l'oreille :

— Devine qui j'ai vu dans le coin ?

— Je préfère que tu me le dises, répondit Gardella.

— Je me demande combien ça vaut une information pareille...

— Arrête ton baratin ! s'impatienta Gardella.

— C'est le gosse, dit Skeeter. Celui que tu recherches ! Il est planqué chez Jo, la taule à côté de la mienne...

— Ça c'est une bonne nouvelle !

— J'me disais aussi qu'ça te plairait ! Gardella entendit une toux déchirante à l'autre bout du fil :

— Comment tu vas, Skeeter ?

— j'ai les éponges mitées. A part ça tout va bien !

— J'imagine que tu connais déjà le nouveau qui travaille pour moi dans ton secteur. Dis-lui de te payer comme d'habitude et de rajouter une prime.

— Il est nouveau, Anthony, il est peut-être pas au courant du tarif...

— Personne n'est nouveau à ce point là, lâcha Gardella avant de raccrocher. Scandura attendait, impassible. Augie, souffla Gardella d'une voix sourde.

— Ça n'a pas traîné ! s'exclama Scandura tout surpris.

Ralph Roselli, qui était assis près de la fenêtre, posa son journal et souleva sa grosse carcasse.

— Non ! intervint Gardella, pas toi Victor ! Roselli se laissa retomber dans son fauteuil et se pencha vers la fenêtre pour écraser une bestiole qui se promenait sur l'appui. Scandura lança un regard intrigué à Gardella qui lui répondit avec un petit sourire : Tu ne vois pas qui, Victor ?

— Si ! devina soudain Scandura. Ça ne sera que justice !

— Alors qu'est-ce que t'attends !

Scandura quitta l'immeuble, traversa la rue et remonta le long de l'église Saint Léonard en direction du magasin de pompes funèbres. Sammy Ferlito était en train de disposer des fleurs autour d'un cercueil qui contenait le corps d'une bonne sœur d'âge moyen, revêtue des habits de sa congrégation et parée pour l'éternité avec le crucifix, le chapelet et le missel qu'on lui avait glissés entre les mains. Son visage brillait d'un tel éclat qu'il paraissait être en cire.

— Rosie Riciputti, soupira Ferlito en ébauchant un geste de commisération. Cancer... A l'âge de neuf ou dix ans elle avait l'habitude de montrer sa chatte en échange d'une barre de chocolat, et puis elle a grandi et elle s'est faite bonne sœur ! Comment t'expliques ça ?

— Y'a des choses qu'il faut pas chercher à comprendre, se contenta de répondre Scandura.

Ferlito laissa les fleurs et s'écarta du cercueil ; une odeur écœurante flottait dans son sillage et lui donnait un air malsain.

— Y'a quelque chose qui tourne pas rond ? demanda-t-il. J'le lis sur ta figure. C'est Augie ?

Scandura fit signe que oui :

— Il est à Miami.

— Je vais m'en occuper ! Je vais descendre là-bas et le foutre dans le premier avion pour l'Alaska !

— Ça peut pas se régler comme ça, déclara Scandura. Il est recherché et tôt ou tard les fédéraux lui mettront le grappin dessus. Il leur donnera pas beaucoup de fil à retordre ce qui veut dire qu'il finira par s'arranger avec eux...

— Ça va, j'ai compris, soupira Ferlito en se tenant aussi raide que ses clients. Vous savez mieux que moi ce qu'il vous reste à faire...

— Anthony veut que ça soit toi.

Ferlito sursauta :

— Victor, je t'en supplie, pas mon propre sang !

— Pleurniche pas, ça me dégoûte ! Scandura s'agenouilla devant le cercueil de la bonne sœur et marmonna une prière. Puis il se signa avant de se relever. Toi et Scat vous lui donniez des barres de chocolat ! Moi je l'ai jamais fait...

— Victor, ça fait vingt ans que j'ai pas buté quelqu'un !

— Ça revient vite...

Les larmes montèrent aux yeux de Ferlito :

— J'ai même pas de flingue !

— T'en auras pas besoin.

— Bordel ! de quoi je vais me servir — de mes mains ?

— Non, laissa tomber Scandura. Un peu de came trafiquée suffira.

196

— Je ne comprends pas pourquoi vous avez l'air si remonté, dit Russel Thurston. Je vous ai retiré cette corvée, pas vrai ? Vous devriez être content !

— Je suis content, dit l'agent Blue.

— Si on me posait la question, je jurerais que vous avez quelque chose en travers de la gorge bien qu'il m'arrive parfois de me tromper. Je pensais sincèrement que ça vous plaisait de vous occuper de la femme de Wade. Une si jolie femme... Vous avez dû vous rincer l'œil de temps en temps en regardant à travers ses fenêtres, non ?

— Décidément vous ne me comprendrez jamais !

— J'en sais suffisamment sur vous, notamment que votre boulot vous plaît à cause du statut d'agent fédéral et du salaire, et aussi de la façon dont vos voisins vous regardent — ils vous respectent même s'ils n'en pensent pas moins, pas vrai Blue ?

— Je n'ai guère apprécié ce que vous avez fait.

— Ne m'accusez pas à la légère, rétorqua Thurston en pointant l'index sur Blue. Et souvenez-vous d'une chose mon ami : dans ce métier il faut avoir les nerfs solides et être prêt à faire ses preuves à chaque instant !

— Vous avez essayé de me piéger !

— Plutôt maladroitement, je l'admets...

— Non ! c'était bien joué et vous le savez !

Thurston sourit :

— Merci Blue. Et maintenant permettez-moi de vous confier un petit secret : je suis peut-être le seul vrai copain que vous ayez ici... Qu'est-ce que vous en dites !

— Rien de particulier, répondit Blue. Je sais exactement à quoi m'en tenir.

— Non, vous l'ignorez, lança Thurston d'un air étrange. Moi aussi à vrai dire... A présent laissez-moi ! Il y a du travail qui vous attend, vous et Blodgett.

Christopher Wade prit le petit déjeuner avec ses filles dans une espèce de boui-boui près de l'Université de Boston. L'aînée, Cindy, qui laissait ses longs cheveux crépus flotter librement, se pencha au-dessus de son assiette d'œufs brouillés pour lui annoncer qu'elle allait partir en Israël avec son petit ami.

— Je vois, dit Wade en s'efforçant de paraître dans le coup, mais aussitôt il ajouta : Pourquoi Israël ?

— Philip est juif.

197

— On risque de se faire tuer là-bas !

— Dans ton travail aussi, papa. Quand tu tardais à rentrer à la maison on craignait que tu sois mort ! Tu te souviens de ces habits que maman avait dû brûler parce qu'ils étaient pleins de sang !

Oui, il s'en souvenait, mais il n'en revenait pas qu'elle s'en rappelât aussi car elle était encore toute petite quand ça c'était passé. Il était chargé d'infiltrer un réseau de dealers du côté de Worcester. En se mélangeant avec la racaille et en achetant lui-même de la drogue il avait fini par s'incruster jusqu'au jour où il avait fait une gaffe, une réflexion sur quelqu'un en passant qu'un junkie du groupe avait mal prise. Tout ce dont il se souvenait ensuite c'était de s'être retrouvé assis entre deux poubelles avec une tache de sang rouge vif qui s'élargissait sur sa chemise. La douleur irradiait tout son corps, jusque dans ses plombages qui lui vrillaient les dents. Un flic de Worcester s'était penché sur lui et avait estimé que sa blessure pouvait être mortelle mais il avait pris son temps pour appeler l'ambulance, croyant avoir affaire à un junkie. Ce retard avait failli lui coûter la vie.

— Je ne pense pas avoir déjà rencontré ton Philip, dit Wade.

— Il te plairait, déclara-t-elle. Du moins je le crois. Il veut devenir avocat. Mais ce n'est pas « mon » Philip ! Personne n'appartient à un autre. On ne s'appartient qu'à soi-même.

— N'empêche que j'aimerais bien quand même plaider ma cause devant lui, à savoir qu'il vaut mieux éviter Israël actuellement, insista Wade tout en mâchonnant son toast.

— Papa, il est grand et costaud ! Je pense que tu n'as pas à te faire de soucis !

— Ça ne sert à rien d'être taillé comme un colosse quand on a des fusils en face de soi, répliqua Wade sans toutefois parvenir à ébranler la conviction de sa fille. Il chercha du regard le soutien de sa cadette Barbara qui était distante et taciturne, probablement par timidité. Il avait un faible pour elle, sans doute parce qu'à sa naissance elle était si laide alors qu'elle était à présent comme sa sœur d'une beauté à couper le souffle.

— Je suis désolé d'avoir à te faire remarquer que Tel Aviv est certainement plus sûr que Kenmore Square la nuit, renchérit-elle.

— Et toi, à qui n'appartiens-tu pas ? lui demanda-t-il avec un sourire.

— Il s'appelle Larry, se contenta-t-elle de répondre.

Ça lui faisait de la peine de se dire qu'elles souhaitaient partager le moins de choses possible avec lui et qu'elles n'étaient guère pressées de lui faire rencontrer leurs amis. Sa tristesse ne fit que

198

croître quand elle se dépêchèrent de finir leurs assiettes en gardant un œil sur leur montre.

— Je me demande si on ne pourrait pas se donner de nouveau rendez-vous pour prendre comme ça le petit déjeuner ensemble, risqua-t-il. Mais ce fut pour apprendre aussitôt que Cindy partait avant la fin de la semaine pour Israël et que Barbara avait trouvé un travail pour l'été dans une station des White Mountains. Peut-être en septembre alors, risqua-t-il. Tous les quatre avec votre mère.

— Il faudrait mieux que tu vois ça d'abord avec elle, suggéra avec tact Cindy.

Barbara vint à sa rescousse :

— Maman n'aura rien contre, assura-t-elle avant d'ajouter, après un silence tendu : Je suis contente qu'elle ne voit plus ce M. Benson. Je détestais son accent bidon !

Il la regarda tendrement, conscient qu'ils venaient de partager tous les deux quelque chose d'important. Il prit l'addition et fit la queue pour payer tandis qu'elles l'attendaient à l'extérieur. Il les observa à travers la vitrine : Cindy avait dépassé sa mère en taille et elle était admirablement proportionnée ; Barbara était plus petite mais tout aussi élégante. Elles avaient en commun ce petit air mondain qui l'irritait parfois. Quand il sortit du restaurant, Cindy le prit à part :

— Papa, je me demandais si...

— Bien sûr ! dit-il en s'en voulant de ne pas y avoir pensé avant. Tu as besoin de combien ?

Rita O'Dea réveilla Sara Dillon : « Assieds-toi ! » ordonna-t-elle. « Je t'ai apporté du jus d'orange — du vrai, pas cette cochonnerie qu'on fait avec du concentré ! » Sara Dillon se redressa lentement, cala son oreiller dans son dos et accepta à contrecœur le verre que lui tendait Rita O'Dea. Elle avait le teint brouillé et sa main tremblait. Elle aurait bien fumé une cigarette mais elle n'osait pas. Puis brusquement elle lampa le verre avec avidité en en renversant quelques gouttes sur le haut de son pyjama que Rita O'Dea ne put s'empêcher de toucher :

— Tu grossis ! Bientôt tu seras comme moi !

— Pourquoi m'avez-vous réveillée ? demanda Sara Dillon en louchant sur sa montre. Il est si tard que ça ?

— Tu peux rester au lit autant que tu veux. T'es enceinte ma petite, c'qui fait qu'on doit te traiter comme une reine ! C'est moi qui le dis !

Sara Dillon ne savait plus quoi dire. D'un air gêné elle remonta les couvertures sur elle et fit remarquer d'une voix tendue :

— Ça arrive à presque toutes les femmes de tomber enceintes...

— Mais c'est de toi qu'il est question. Rita O'Dea approcha du lit un fauteuil capitonné et s'affala dedans. Tu t'es faite avorter combien de fois ? Une ? Deux ? Au moins deux, pas vrai ?

— Une seule fois. J'étais très jeune.

— Quel âge ?

— Treize ans.

— Mais ça t'a pas bousillée comme moi...

— D'une certaine façon, lâcha Sara Dillon.

— Le côté psychologique et toutes ces conneries ça ne m'intéresse pas ! Ce que je veux c'est te faire comprendre quelque chose, alors écoute-moi bien : tant que t'es ici tu te la coules douce, tu fais tout ce qui te plaît. Mais dès que le gamin est né, Ty reste. Toi tu t'en vas...

— Vous avez déjà parlé de ça à Ty ?

— Pas besoin ! Je suis prête à te donner une somme rondelette... D'une voix incertaine Sara Dillon lui demanda :

— Vous voulez dire que vous avez l'intention de m'acheter mon mari ?

— Non, répliqua Rita O'Dea. Je t'achète ton bébé.

18

Le sénateur Matchett s'immobilisa au pied du mât planté devant sa maison de Rye Beach et salua d'un geste martial la Bannière Étoilée qui ondulait au gré des caprices d'une brise trop chaude pour venir de l'océan.

— Je suis patriote, déclara le sénateur d'une voix saccadée. J'ai voté pour Reagan et je recommencerai. Je suis plein d'admiration pour cet homme. Je suis démocrate, bien sûr, mais pour moi le pays passe avant les opinions politiques. Il eut un sourire engageant. Le chaud soleil de juin éclairait son visage rasé de près et ses cheveux blancs séparés par une raie impeccable. Sa figure était large et bouffie avec des yeux sombres profondément enfoncés dans sa chair molle. Soudain il fronça les sourcils : Écoutez inspecteur, je n'ai rien à cacher !

— Mais je n'en doute pas, dit Christopher Wade.

— Je n'ai rien à craindre non plus.

— En tout cas pas de ma part, Sénateur.

— Appelez-moi Joe, dit-il avec un sourire prudent. Vous comprenez mon embarras : il y a des gens qui pensent que tous les politiciens sont des gibiers de potence !

— J'ai estimé qu'il valait mieux vous rencontrer ici dans le New Hampshire, déclara Wade. C'est moins gênant pour nous deux.

— Je vous en suis reconnaissant. Dieu sait ce que le *Globe* irait raconter sur moi s'il savait ça ! De nos jours les choses ne sont pas faciles pour ceux qui veulent demeurer honnêtes ! Dites-moi, vous permettez que je vous appelle Chris ?

— Bien sûr.

— Venez, dit le sénateur en prenant Wade par le bras. J'aimerais vous présenter ma femme.

Mme Matchett était agenouillée au milieu d'un parterre de fleurs fraîchement plantées et qui étaient déjà épanouies. Elle les avait choisies dans les tons roses, blancs et bleus ; cette dernière couleur était particulièrement réussie et donnait à ses plates-bandes une allure royale. Elle se releva en les apercevant.

— Magnifique ! lança le sénateur, fier de faire admirer son jardin aussi bien que sa femme ; elle portait un chapeau de coton maintenu par un élastique et des taches de rousseur parsemaient ses épaules dodues sous ses cheveux laqués. Le sénateur fit les présentations.

— Doux Jésus, minauda-t-elle, j'espère que vous n'êtes pas venu nous arrêter !

Le sénateur éclata de rire :

— Il me demande un entretien privé pour profiter de mes lumières.

— Si ça touche de près ou de loin la politique du Massachusetts vous avez choisi l'interlocuteur idéal, inspecteur !

— Appelle-le Chris, chérie.

— J'adore ce nom ! Mme Matchett retira ses gants de jardinage que ses travaux avaient à peine salis et tendit une main douce à Christopher Wade. C'est une journée idéale pour aller à la plage. J'espère que vous viendrez nager avec nous tout à l'heure !

— Excellente idée, intervint le sénateur. Et il faut aussi qu'il reste à dîner !

— Les amis de Tony sont nos amis, dit Mme Matchett d'un air entendu en repoussant ses lunettes de soleil au-dessus de son front. N'est-ce pas Joe ?

Le sénateur et Wade pénétrèrent dans la maison par un passage couvert et allèrent s'installer dans une grande pièce rectangulaire dominée par une baie vitrée qui filtrait les rayons du soleil tout en offrant une vue panoramique sur la plage. Tandis que le sénateur débouchait une bouteille de cognac qu'on lui avait offerte et qui portait encore une carte de visite attachée par un ruban autour du goulot, Wade s'assit près d'un secrétaire couvert de factures. Certaines d'entre elles étaient barrées de l'inscription DERNIER AVIS. Wade avait lu quelque part dans un dossier que le sénateur était mauvais payeur. Plus les sommes qu'on lui réclamait étaient petites, moins il y avait de chances pour qu'il les réglât.

Ils trinquèrent en portant un toast :

— Aux États-Unis, à l'État du Massachusetts et à celui du New Hampshire ! lança avec emphase le sénateur avant de se rasseoir. Demandez-moi ce que vous voulez !

D'une voix théâtrale et en rythmant soigneusement ses phrases

202

il nia toute irrégularité dans l'adjudication de marchés entre le comté et les entreprises dans lesquelles Gardella avait des intérêts. Il s'offusqua à l'idée qu'on ait pu croire qu'il avait négocié la vente de certaines propriétés publiques au profit de la société Aceway Development :

— Seigneur Dieu, il y a des gens pour penser ça ?

— C'est un bruit qui court...

— Les rumeurs sont comme des rats, il est impossible de s'en débarrasser. Même une vieille frégate comme l'*USS Constitution* a conservé les siens ! Je le sais pour l'avoir visitée le mois dernier.

— Il y a d'autres rumeurs qui disent que vous et certains de vos collègues avez recours aux services de Gardella afin de dissimuler une partie de vos revenus au fisc... On dit même que tout cet argent transite par vous...

— Complètement ridicule !

— C'est bien ce que je pensais, assura Wade tout en poursuivant son interrogatoire. D'un revers de main le sénateur balaya l'accusation selon laquelle il aurait possédé des intérêts dans le commerce porno de Gardella, et Wade s'empressa d'ajouter : Je suis désolé d'avoir dû vous poser cette question !

— Ne vous en faites pas ! Ça fait partie de votre métier !

— Je vous remercie de votre compréhension.

— Mais je tiens à préciser une chose, Chris. Bien que je n'aie jamais rien eu à voir avec l'industrie du porno je mets un point d'honneur à ne pas me voiler les yeux dès qu'on aborde la question. La pornographie a un rôle à jouer. Mon épouse et moi-même pensons que chaque chose sur terre à sa raison d'être.

— Voilà un argument qu'il est difficile de réfuter, Sénateur !

— J'ai l'impression que vous ne souhaitez pas m'appeler par mon prénom.

— Disons que ça ne me vient pas naturellement, répondit Wade. Je crois que j'éprouve un trop grand respect pour vous.

Le regard du sénateur s'embua :

— Ce que vous venez de dire me touche beaucoup !

Un léger bruit leur fit tourner la tête. Mme Matchett venait d'entrer dans la pièce, vêtue d'un maillot de bain noir et coiffée d'un bonnet à franges en cahoutchouc qui lui allongeait le crâne et donnait à son allure une touche exotique. On retrouvait sur le haut de sa poitrine les mêmes taches de rousseur que sur ses épaules. Elle avait des fossettes au creux des genoux.

— Alors ? demanda-t-elle avec un grand sourire.

Le sénateur se tourna vers Wade :

— Je vais vous chercher un maillot de bain.

Wade, qui avait un micro dissimulé sur lui, déclina son offre.

— Mais j'accepte votre invitation à dîner, ajouta-t-il.

A peine Sammy Ferlito eut-il mis les pieds hors du terminal de la compagnie Delta à l'aéroport de Miami que la chaleur s'abattit sur lui au point de le suffoquer. Trois minutes plus tard, le corps trempé de sueur sous son costume, il se réfugia dans un taxi et savoura la fraîcheur de son air conditionné. « Bordel ! Comment vous faites pour tenir le coup par ici ? » Le chauffeur, qui était cubain, ne répondit pas. Ferlito lui lança d'une voix âpre : « Dinty, sur les docks — vous savez où ça se trouve ? »

Curieusement, malgré sa nervosité et son inconfort, il s'assoupit pendant le trajet, basculant dans un sommeil agité et juste assez profond pour qu'il ébauchât un rêve où quelqu'un — peut-être le curé de la paroisse ou alors la bonne sœur qu'il avait enterrée — lui toucha la nuque et le bénit d'une main noire tandis qu'il se retournait. « Jésus ! » hurla-t-il en sursautant. Il mit quelques instants avant de reprendre ses esprits et finit par sortir de sa poche pour payer le chauffeur un billet neuf et craquant retiré le matin même d'un distributeur automatique de Boston. En descendant du taxi il se prit les pieds dans un sac d'ordures et chuta. Il se releva sans une égratignure mais étouffa un sanglot comme un enfant.

Chez Dinty l'air était toujours aussi froid avec son odeur de renfermé. Il regarda tour à tour le barman obèse et le serveur boiteux avant de passer lentement en revue la brochette de clients installés au bar. Il finit par repérer parmi leurs visages inquiétants celui de Skeeter qu'il tarda à reconnaître. Il n'avait plus que la peau sur les os. Il s'installa à une table et le serveur lui apporta une bière en traînant la jambe.

— De la part de Skeeter, laissa tomber le serveur.

— J'veux aussi un coup de whisky, dit Ferlito.

Le serveur revint avec un verre qu'il lampa aussitôt. Skeeter le rejoignit en sortant des toilettes et déclara :

— J'paie pas le whisky !

— Personne t'a rien demandé !

Un sourire illumina le visage de Skeeter :

— T'es toujours dans les pompes funèbres ? Dans un an ou deux au plus tard tu m'auras comme client !

Ferlito étouffa de nouveau un sanglot, non par pitié envers Skeeter ou lui-même, mais en pensant à son neveu. Il soupira :

— Tu sais pourquoi je suis venu...

— J'aurais jamais pensé qu'ils t'enverraient mais après tout ça s'explique...

— C'est pas juste !

— Je ne veux pas le savoir ! trancha Skeeter avant de prendre une gorgée de bière dans le verre de Ferlito. Maintenant c'est le mien — tu te risquerais pas à boire après moi, pas vrai ? Il s'essuya la bouche. Le gosse n'est plus chez Jo. Il s'est mis à la colle avec une gonzesse.

D'un air désespéré Ferlito nota l'adresse.

— Skeeter, fais-le pour moi, je te paierais ce qu'il faut !

— Y'a pas assez d'argent pour ça dans tout Miami !

— Et je t'enterrerais à l'œil, je réglerais tous les frais pour te faire ramener à Boston !

— Y'a de l'eau par ici, Sammy. Tout ce que j'ai à faire c'est tomber dans le port !

Ferlito baissa la tête. Il avait attrapé froid et mal au crâne, avec en plus des crampes d'estomac. Skeeter le mit au pied du mur :

— Au fait, tu peux y aller à pied.

— Quoi ?

— Là où tu vas.

Ferlito remonta en plein soleil une rangée d'entrepôts et s'arrêta un peu plus loin devant une petite maison à la façade en crépi toute délabrée et qui paraissait à peine plus grande qu'un appentis. Il appuya sur ce qu'il restait de la sonnette puis martela du poing la porte qui s'ouvrit en grand sur une cuisine crasseuse où il pénétra en trébuchant sur des canettes de bière vides. Des restes de repas pourrissaient dans des assiettes en carton. Il aperçut dans l'évier le plus gros cafard qu'il eût jamais vu. Il finit par les trouver dans la chambre qui comptait pour tout mobilier un ventilateur vrombissant et un matelas jeté à même le sol. Son neveu, mal rasé et pratiquement nu, dormait d'un sommeil profond et bruyant. A ses côtés une fille à peine plus vêtue que lui ouvrit un œil :

— Qui êtes-vous ?

Ferlito ne la regarda pas. Il n'avait d'yeux que pour son neveu avec ses bras musclés, son ventre rebondi et ses jambes fortes et poilues.

— Je suis son oncle, finit-il par articuler. Ne le réveillez pas.

La fille, qui ne devait pas avoir plus de seize ans, se redressa et appuya son dos nu contre le mur tout en se couvrant avec ce qui avait dû être un jour un drap. Ses yeux améthyste avaient du mal à se fixer sur quelque chose de précis. Un bouton de fièvre gonflait sa lèvre inférieure.

Ferlito, en proie au vertige, murmura :

— Il avait cinq ans, je l'ai emmené au zoo de Stoneham, c'est au nord de Boston...

— J'suis du Wisconsin, lança la fille sur un ton presque joyeux.

— Il avait neuf ans quand je l'ai emmené voir les Sox jouer contre les Tigers mais sans doute qu'il a oublié... J'veux dire, la gratitude, vous savez ce que c'est la gratitude ?

— On m'a prise en photo avec la vache de mon père, celle qu'avait remporté un prix à la foire du Wisconsin, dit la fille.

— Ferme-la ! aboya Ferlito. Je te demande simplement de la boucler ! Sa tête tomba sur sa poitrine. Il était épuisé. On est tous dans le pétrin, pas vrai ? bredouilla-t-il.

La fille sourit d'un air absent :

— Vous avez de l'argent ?

— Non mais j'ai ça — il fouilla dans la poche de sa veste et en ressortit un tube en plastique qui avait contenu de l'aspirine. Il le lança sur le lit. Des amphés. Il va en avoir besoin.

La fille serra le tube dans sa main.

— Merci !

— Ne me remercie pas... Il fouilla de nouveau dans sa poche. Prend ça aussi. Un peu de coke. Tu lui diras que c'est la dernière chose que je fais pour lui.

— Y'en a assez pour nous deux ! déclara-t-elle avec un petit rire.

— Ouais, murmura-t-il en reculant machinalement, assez pour tous les deux...

Alors qu'il se promenait dans un jardin public, Russell Thurston s'arrêta à deux reprises pour jeter un coup d'œil par-dessus son épaule. Un peu plus loin il s'attarda devant un parterre de fleurs, admirant l'éclat de leurs pétales qui s'épanouissaient au bout de leurs longues tiges. Quand quelqu'un passa à côté de lui en sifflotant un air sur un ton trop haut, il tendit l'oreille. C'était une chanson des années cinquante et il essaya de deviner l'âge de celui qui la sifflait. Un bref coup d'œil lui apprit qu'il ne s'était pas trompé.

Il trouva une cabine téléphonique dans Arlington Street et appela les agents Danley et Dane pour leur donner rendez-vous au bar du Ritz. Arrivé sur place, il commanda un cocktail qu'il mélangea pendant un long moment comme s'il ne se décidait pas à le goûter. Le serveur, dont il appréciait les manières obséquieuses, revint voir s'il avait besoin de quelque chose d'autre. Danley et Dane arrivèrent au moment où il commençait à s'impatienter. En toussant à cause d'une cacahuète avalée de travers, il leur dit : « Je vais sortir, descendre la rue en direction de Beacon et retourner au bureau. Je veux que vous vérifiez si je suis suivi. »

Il prit tout son temps. Il avait de bonnes jambes et se sentait en pleine forme. Dans Beacon Street sa vanité le poussa à s'arrêter pour admirer son reflet dans une vitrine qui lui renvoya en même temps l'image brouillée par la chaleur de la circulation qui s'écoulait lentement. Il finit par presser le pas tout au long de la montée sans pour autant s'essouffler grâce à son entraînement sportif. En haut de Beacon il se campa jambes écartées et contempla le dôme doré du Capitole comme s'il se sentait de taille à défier tout à la fois le gouverneur, le procureur et l'ensemble des élus. Parvenu dans son bureau au vingt-quatrième étage du Kennedy Building il attendit Danley et Dane.

— Personne, dit Danley qui arriva le premier. Dane ne tarda pas à le rejoindre.

— Vous êtes certains, absolument certains ? demanda Thurston. Ils hochèrent tous les deux la tête. Ah bon, j'ai pu me tromper, dit-il en haussant les épaules.

L'agent de police Hunkins arrêta sa voiture de patrouille au bord de la route et alla uriner dans les bois. Sous le couvert des arbres l'air était chaud et moite, et les moustiques pullulaient dans une odeur fétide. L'un d'eux le piqua. Il l'écrasa et essuya le sang sur sa joue. Après quoi il ouvrit sa braguette et arrosa un buisson de myrtilles. En ressortant du bois il aperçut une voiture garée derrière la sienne avec deux hommes à bord qui paraissaient l'attendre.

— Tu nous as fait peur, lança celui qui était blanc. Il présenta des papiers au nom de Blodgett. On a cru que t'allais te faire sauter le caisson !

— Et pourquoi diable j'aurais fait ça ? demanda Hunkins d'une voix tremblante.

— On connaît des flics qui ont préféré choisir cette solution, intervint l'agent Blue. Des flics qui en avaient gros sur la conscience...

— Le rapport qu'on nous a donné sur toi dit que tu portes un magnum mais je vois que ça c'est un .38, remarqua Blodgett.

— Peut-être qu'il a perdu le magnum, suggéra Blue.

— Ou peut-être que quelqu'un lui a piqué. Qu'est-ce qui t'est arrivé à la figure, Hunkins ? T'as glissé et t'es tombé ?

— Bon Dieu, qu'est-ce que vous me voulez les gars ? !

— On veut savoir ce que tu foutais dans les bureaux de la société immobilière d'Anthony Gardella, déclara Blodgett. C'est en dehors de tes attributions sans parler de ton secteur !

— Je sais pas de quoi vous voulez parler.

— Tu veux une preuve ? On a une photo.

— J'me fous de ce que vous avez ! rétorqua Hunkins trahi par son anxiété. Sa bouche se tordit lorsqu'il voulut esquisser un petit sourire arrogant.

— Faut pas faire le malin avec les caïds de Boston, dit Blue. Ils te boufferont. Ils t'ont déjà croqué un bout de la figure !

— Peut-être que tu ferais mieux de tout nous raconter, ajouta Blodgett en se rapprochant de lui. Sinon on risque d'avoir à te repêcher un jour au fond du port de Boston.

— On tue pas les flics !

— Tu crois ça ? Blodgett plongea la main sous sa veste et en ressortit un revolver à canon court qu'il flanqua dans le ventre d'Hunkins. J'pourrais te descendre aussi sec ! Qui le saurait ? Qui s'en soucierait ? Et puis écoute bien ça : t'es pas un flic pour ces types-là, t'es un péquenot. Et les péquenots n'ont aucun droit. Même les Noirs ont davantage de droits que toi, pas vrai Blue ?

Blue acquiesça et Hunkins grimaça comme si on lui hurlait dans les oreilles.

— Allez vous faire foutre tous les deux ! lança-t-il.

— Qu'est-ce que t'as dit ?

Hunkins recula en chancelant ; sa casquette tomba. Il ne prit pas la peine de la ramasser.

— J'ai pas peur ! cria-t-il.

Ils le regardèrent sauter dans sa voiture de patrouille et démarrer sur les chapeaux de roues en faisant plusieurs embardées avant de redresser sa trajectoire.

— D'abord il perd son flingue, maintenant c'est sa casquette ! ricana Blodgett.

— Je crois qu'on s'y est mal pris, laissa tomber Blue.

— Comment ça ?

Blue ramassa la casquette :

— Je crois qu'il est en train de perdre les pédales.

Après le dîner Christopher Wade insista pour aider Mme Matchett à débarrasser la table.

— Je n'ai jamais aidé ma femme à le faire, expliqua-t-il. Parfois je n'étais même pas là pour dîner ! C'est pourquoi j'éprouve un certain sentiment de culpabilité...

— Il ne faut pas vous sentir coupable, déclara Mme Matchett en dardant sur lui ses yeux violets. C'est la nature humaine qui veut ça, nous ne devons pas nous laisser entraîner par de tels sentiments même si quelques-uns le font — mais pas vous, Chris !

Il lui sourit.

Elle répondit par un sourire encore plus grand :

— Le Seigneur aime ceux qui s'aiment eux-mêmes !

— Vous êtes gentille ! dit-il en le pensant presque.

— Je l'ai toujours été — vous pouvez demander à Joe !

Dans la cuisine il l'aida à remplir le lave-vaisselle. Elle semblait posséder tous les accessoires et gadgets ménagers possibles et imaginables, du dernier modèle de four à micro-ondes à la batterie étincelante de couteaux en acier japonais qu'elle avait vue sur une publicité à la télévision et qui était disponible uniquement sur commande. Elle promena le doigt sur l'un de ces couteaux :

— Ils ne sont pas aussi bons qu'on voudrait nous le faire croire !

— C'est souvent comme ça...

— Depuis combien de temps êtes-vous séparé de votre femme, Chris ?

— J'ai l'impression que ça date du jour de notre mariage !

— Mais vous m'avez dit que vous aviez des enfants et que vous étiez restés ensemble pour ça.

— C'est toujours une bonne excuse !

— Elle vous manque, Chris ?

— Aujourd'hui plus que jamais bien que je commence à me faire une raison !

— A partir de maintenant vous pourrez toujours compter sur Joe et moi, déclara-t-elle sur un ton enjôleur. Je voulais que vous le sachiez.

Il rejoignit le sénateur dans la pièce où ils avaient eu leur entretien en tête-à-tête. Le sénateur, un verre de cognac à la main, était assis les pieds posés sur un pouf et contemplait la plage où les ombres s'allongeaient :

— C'est gentil de lui avoir donné un coup de main, dit-il d'une voix douce. Je vous en prie, servez-vous du cognac !

Wade s'en versa un doigt sur un glaçon et s'assit en jetant un coup d'œil à sa montre :

— Je ne vais pas tarder... annonça-t-il au sénateur qui lui lança un regard peiné.

— On espérait vous garder pour la nuit ! A vrai dire on a tout préparé et un lit vous attend !

— Ça pourrait faire des histoires...

— Qui le saurait ?

— On ne sait jamais.

Le sénateur s'enfonça un peu plus dans son fauteuil et croisa les pieds sur le pouf :

— Je traverse une période particulièrement faste. J'espère qu'il en va de même pour vous, Chris.

— Je n'ai pas à me plaindre.

— Il ne tient qu'à nous-mêmes d'être bien, heureux et en bonne santé. C'est ça qui est important, pas le pouvoir, et pourtant Dieu m'est témoin que je le détiens ! Mais il ne m'intéresse pas. Ce qui m'intéresse c'est un verre de cognac et ce que j'éprouve comme sensation quand j'étire mes doigts de pieds ou quand ma femme me chuchote des mots doux à l'oreille. Et vous, Chris, qu'est-ce qui vous intéresse ?

— Les mêmes choses je pense, plus ou moins.

— Je suis content d'entendre ça car la vie est courte quel que soit votre âge. Vous avez dû participer à des réunions d'anciens collégiens et vous en connaissez le principal sujet de conversation : *qui n'est plus là ?*

— J'espère que tu n'es pas en train de devenir macabre, chéri ! dit Mme Matchett en feignant de le gronder tandis qu'elle se glissait à pas feutrés dans la pièce. Elle avait modifié sa coiffure laquée qui lui donnait davantage l'air d'une matrone. Son regard se posa sur la bouteille de cognac : « Il ne va tout de même pas nous faire le coup de s'endormir, hein Chris ? »

Le sénateur allongea le bras afin de saisir la main de sa femme qu'il serra doucement :

— Je me disais qu'on aurait pu montrer à Chris un des films vidéo de Tony pour l'amuser mais je ne voudrais pas qu'il prenne ça mal : il y a des personnes que ça choque...

— Je ne pense pas que Chris fasse partie de ces gens-là, assura Mme Matchett en regardant Wade du coin de l'œil comme s'ils étaient devenus complices depuis leur discussion dans la cuisine.

La pièce sombrait dans le noir à mesure que Mme Matchett baissait les stores sur les panneaux de la baie vitrée, les isolant de l'océan et du reste du monde. Elle dégagea un écran à l'autre bout de la pièce et mit en marche un magnétoscope. Puis elle parut se diriger en flottant vers un fauteuil placé plus près de Wade que de son époux et s'y installa en repliant ses jambes sous elle. Sur l'écran apparurent des femmes plantureuses et des hommes musclés.

— Dites-le si vous voulez qu'on arrête, chuchota le sénateur en se penchant vers Wade.

— Non, répondit Wade. Ça m'intéresse.

— Gardella ne visionne même pas sa propre marchandise, dit le sénateur avec un reniflement de mépris. Il trouve ça dégoûtant !

Du plus profond d'elle-même Mme Matchett avoua :

— Moi je trouve ça beau !

Le sénateur avait déjà vu la cassette et anticipait chaque scène avec des gloussements :

— Ça c'est bon... regardez ça... elle est terrible cette fille ! Sur l'écran une jeune femme nue et excitante s'offrait, d'abord à un seul homme puis en groupe. C'est elle la meilleure ! confia le sénateur en proie à une excitation qu'il ne parvenait pas à dissimuler comme si il était bouleversé au plus profond de lui-même.

— On se demande ce qu'ils vont pouvoir aller chercher après ça ! murmura Mme Matchett après un long silence.

— Chut ! lança le sénateur, et ses yeux demeurèrent rivés à l'écran jusqu'à ce qu'il redevînt blanc. Puis sa tête bascula en arrière comme s'il était épuisé. Mme Matchett se leva sans faire de bruit dans la pénombre. Elle lui ôta des mains son verre de cognac et lui caressa les cheveux sans qu'il parût se rendre compte de quoi que ce fût.

— Il est vraiment chou !

Wade se leva à son tour, stupéfait par la rapidité avec laquelle le sénateur avait plongé dans le sommeil.

— C'est un homme bon et plein d'égards pour les autres, Chris. Mais il ne jette pas l'argent par les fenêtres et je n'ai jamais manqué de rien pas plus que les enfants. Nous en avons un qui est à Harvard, vous savez...

Wade s'appuya sur le dossier de son fauteuil, guettant l'instant propice pour prendre congé. Elle s'approcha à petits pas tout près de lui comme si elle désirait toucher son visage.

— Vous ne restez pas ? demanda-t-elle. Il secoua la tête. C'est peut-être mieux ainsi, ajouta-t-elle. Nous vous faisons confiance, Chris. Peut-être avons-nous tort mais c'est ainsi. Ne nous décevez jamais ! Promis ?

Wade, malgré un brusque sentiment de honte, le lui promit.

Une des fenêtres de la maison était allumée mais quelque chose lui disait qu'elle ne se trouvait pas à l'intérieur. Laissant sa Camaro au bord de la route il fit le tour jusqu'à la véranda d'où sa voix lui parvint, portée par l'obscurité :

— Pourquoi m'importuner à nouveau, inspecteur ?

Il ne distinguait qu'un côté de son visage et la pointe de son nez délicat. Une brise surgie de l'océan vint lui rafraîchir le visage tandis qu'il s'approchait d'elle.

— Je n'avais pas prévu de venir vous voir, dit-il.

— Mais vous êtes là !

— J'ai rendu visite aux Matchett.

— Vous avez dû vous amuser !

Il ne releva pas l'allusion. A présent il la distinguait mieux et pouvait admirer l'éclat de ses cheveux blonds et la courbe molle de son bras. Elle abritait dans le creux de sa main une cigarette dont il devinait la nature.

— Je peux m'asseoir ? demanda-t-il.

— Pas longtemps — mais ne vous approchez pas de moi.

Il chercha à tâtons un transat et se laissa tomber dedans.

— Comment va votre pied ?

— Bien.

— Apparemment vous n'avez rien raconté à votre mari.

— Qu'est-ce que j'aurais dû lui dire ? Que vous m'avez fait une petite bise sur la bouche ?

— Pour moi c'était bien davantage...

Elle ne fuma pas son joint jusqu'au bout et le jeta d'une pichenette dans l'obscurité. Ils demeurèrent assis sans se parler ; leur silence, troublé uniquement par le bruit de l'océan, menaçait de les submerger.

— Pourquoi essayez-vous de coucher avec moi ? demanda-t-elle. C'est vraiment idiot de votre part !

— Pourquoi idiot ?

— Trouvez la réponse vous-même.

Il glissa la main sous son blouson pour vérifier que son Beretta était toujours là. Il avait besoin de se rassurer.

— Je dois admettre que votre mari me fait peur, confia-t-il, mais il devrait vous faire encore plus peur. C'est un génie du mal !

— Vous le voyez d'une façon, moi d'une autre. Son sourire resplendissait dans l'obscurité comme un cadeau qu'elle offrait mais qu'elle ne destinait à personne. Quand je le regarde je pense aux chevaliers d'autrefois...

212

— Vous croyez sincèrement que c'est la comparaison qui convient ?

— Oh oui ! lança-t-elle avant de se taire comme si trop de sentiments l'assaillaient à la fois.

— Vous l'attendez ? demanda-t-il.

— Si je vous réponds oui... ?

— Je m'en vais.

— Je l'attends.

— Vous mentez !

— Peut-être mais vous n'en êtes pas certain — et vous savez pourquoi ? Parce que vous ne me connaissez pas.

Elle le raccompagna jusqu'à sa voiture. Par instants des faisceaux de phares surgis du boulevard balayaient leurs visages qui paraissaient se figer. Ils évitaient de se regarder. En découvrant la Camaro elle s'exclama :

— Je vous vois mal dans une voiture pareille !

— Il y a des jours où je me vois mal dans ma peau — enfin c'est l'impression que ça me fait !

Il fit le tour de sa voiture et se dépêcha de monter dedans à cause de la circulation. Il était en train de fouiller dans sa poche en se demandant où ses clefs avaient bien pu passer lorsqu'elle se pencha pour le dévisager à travers la vitre opposée :

— Rendez-moi un service.

— Lequel ?

— Dites à Thurston qu'il m'en demande trop. Dites-lui que c'est un sale fils de pute !

Wade la dévisagea d'un air ahuri.

Elle acheva de le désemparer :

— Bonsoir Cœur Tendre !

19

L'homme que Victor Scandura rejoignit sur le rond-point de Copley Square avait le visage rond, les cheveux bien coiffés et un costume d'été frippé par la transpiration et le rebord en ciment sur lequel il était resté assis jusqu'au moment où il avait éprouvé le besoin de se lever pour se gratter le derrière. Il s'appelait Deckler et sa voiture, qui portait des plaques immatriculées à New York, était garée à proximité.

— Quoi de neuf ? lui demanda Scandura.

— J'ai mis quatre gars dessus, dit Deckler. Quatre : vous savez pourquoi ? Parce que je le respecte. Il est malin.

— Pour le prix qu'on vous paye vous pourriez en mettre huit ! Scandura regarda autour de lui. Des promeneurs prenaient le soleil près de la fontaine — les jeunes avaient ôté leurs chemises, les hommes d'affaires desserré leurs cravates et les femmes relevé le bas de leurs jupes. Quand peut-on s'attendre à un résultat ? demanda Scandura.

— Jamais peut-être — on ne garantit rien comme on vous l'a déjà dit.

— Mais vous, qu'est-ce que vous en dites ?

— Thurston est un drôle de type, très secret. Je l'ai connu quand j'étais aux stups — je lui ai rendu un service...

— Le monde est petit ! dit Scandura.

— Plus petit que vous ne le pensez ! reprit Deckler avec le sourire : J'ai fait mon service avec votre patron ! Je ne l'ai pas revu depuis. J'm'étais toujours dit que nos chemins finiraient par se rencontrer mais ça s'est jamais fait.

— Aujourd'hui c'est fait !

— Ouais, c'est vrai — vous lui direz, d'accord ?

214

Scandura le lui dit une demi-heure plus tard dans les bureaux de la société immobilière. Anthony Gardella avait allumé la télévision et regardait les informations de midi. Il écouta Scandura sans quitter des yeux la jolie présentatrice mais l'expression de son visage se modifia imperceptiblement, la nostalgie faisant place à la déception.

— On ne sait jamais comment les gens vont tourner, hein Victor ?

— J'ai peut-être commis une erreur en le choisissant.

— Non, le rassura Gardella. Je crois que ce gars va mettre un point d'honneur à réussir ça pour moi.

Lors d'un déjeuner avec les agents Blodgett et Blue à la cafétéria du Kennedy Building, Russell Thurston posa sur la table une coupure du *Miami Herald* datée de la veille :

— On l'a perdu, lâcha-t-il sur un ton de reproche. Blodgett lut l'article le premier, lentement, puis ce fut au tour de Blue qui mit beaucoup moins de temps. On le tenait, vous le savez, ajouta Thurston. Tout ce qui nous restait à faire c'était de le trouver.

— On pensait pas qu'il aurait pu descendre en Floride, dit Blodgett sur la défensive. Pas en cette période de l'année.

— On aurait pu le presser comme un citron, reprit avec colère Thurston. Gardella le savait et c'est pour ça qu'il l'a trouvé le premier.

Blodgett relut la coupure et annonça :

— Overdose. C'est ce qu'ils donnent comme explication.

— La fille n'avait que quatorze ans, nota Blue.

Thurston avait choisi pour unique plat une assiette de salade qu'il remuait du bout de sa fourchette. Il dit :

— Il nous reste Hunkins — enfin j'espère ! Répondez-moi vous deux !

Blodgett affirma avec assurance :

— Je pense qu'il va venir nous manger dans la main, ce n'est qu'une question de temps.

— Et vous, qu'est-ce que vous en pensez Blue ? demanda Thurston.

— Il va tenter quelque chose mais j'ignore quoi.

— OK alors serrez-le d'encore plus près !

— Blue pense qu'il va craquer, dit Blodgett.

— Je pense qu'il a déjà craqué, laissa tomber Blue.

Le commissaire Scatamacchia quitta son bureau situé dans le secteur D du quartier Sud et remonta plusieurs rangées de maisons, en jetant de temps en temps un coup d'œil dans son rétroviseur, jusqu'à une blanchisserie où il paria sur un cheval appelé « Laura's Boy ». « Je le sens bien ce bourrin » annonça-t-il au bookmaker qu'il quitta avec un grand sourire. En se rendant à Dorchester il repéra dans son rétroviseur une voiture qui se faufilait derrière les autres à quelque distance de la sienne et comprit alors qu'il était suivi.

Il gara sa voiture dans une allée, fit le tour d'un immeuble vétuste et délabré et entra par la porte de derrière d'un petit bâtiment en parpaings qui servait de club privé. Au bar il n'y avait que deux clients, des pompiers qui venaient en dehors des heures de service discuter de baseball. Il s'assit à une table le long du mur ; la serveuse prit son temps pour venir le rejoindre. Elle avait les cheveux roux, les yeux verts et sept enfants à élever.

— Ça boume ? lui demanda-t-il en glissant la main sous sa jupe.

— Toi tu sais que tu reviens de loin ! répondit-elle d'un air sinistre.

— Qu'est-ce qui t'arrive, t'es devenue dingue ?

— Ça fait un mois que j'ai pas vu ta tête !

— J'avais du boulot.

— Je vois ça d'ici... Tu veux une bière ?

— C'est pas de refus, dit-il, et tu m'amèneras aussi un hot dog avec un tas de moutarde — y'a de la choucroute ? Mets-en aussi.

Lorsqu'elle revint avec sa commande elle s'assit à ses côtés. Le hot dog était bourré de choucroute et dégoulinait de moutarde. Il n'en fit qu'une bouchée tandis qu'elle fumait une cigarette.

— Comment va ton mec ? lui demanda-t-il en cherchant une serviette en papier qu'elle poussa vers lui.

— Trouve-lui un boulot, lança-t-elle. Ça changerait tout pour moi !

— J'pourrais lui en trouver vingt qu'il serait pas foutu d'en garder un seul ! C'est un poivrot...

— Pas la peine de me le rappeler...

— J'vais lui écrire un mot — je l'adresse où, au centre de désintoxication ?

— Ne sois pas méchant !

Il finit sa bière et reprit une serviette pour s'essuyer la bouche avant de lui demander :

— T'es occupée ?

— Ça n'en a pas l'air, répondit-elle en haussant les épaules. Il lui sourit :

— T'as envie ?

— C'est comme tu veux.

Ils se levèrent de table et se dirigèrent vers le fond de la salle où se trouvait un escalier qui les conduisit dans une pièce étroite avec un lit de camp soigneusement bordé. Une litho de chez Currier et Ives ornait l'un des murs et une reproduction d'un tableau de Norman Rockwell lui faisait face sur l'autre mur. Il consulta sa montre et prévint :

— Je n'ai pas beaucoup de temps.

Elle se débarrassa de ses chaussures, fit glisser son panty blanc et s'allongea sur le lit. Pour toute caresse, il promena le doigt sur ses ongles de pieds qu'elle avait recouverts de vernis rose. Il ne lui fit pas l'amour — il la défonça comme avec un marteau-piqueur. Après un tel traitement elle éprouva du mal à se relever et encore plus à remettre ses vêtements.

— Ça t'a plu ? lui demanda-t-il en se rajustant.

— Bon sang si tu pouvais éviter de me demander ça à chaque fois ! Un de ces quatre je vais te répondre et ça mettra fin à notre merveilleuse amitié !

— Amitié mon cul ! s'exclama-t-il. Ramène-toi !

Elle s'approcha et il lui fourra un billet de vingt dollars dans son soutien-gorge élimé.

Il emprunta la même porte pour quitter le club, l'air plus content de lui que jamais. Sous le soleil aveuglant sa méfiance se réveilla. Il scruta une par une les fenêtres de l'immeuble avant de le longer. Il aborda l'allée par un autre côté, courbant le dos à mesure qu'il s'approchait de l'endroit qu'il savait être le plus propice à un guet-apens. Un homme s'y trouvait. Il lui tournait le dos mais il l'identifia aussitôt.

— Espèce d'enculé ! lui lança-t-il.

L'agent de police Hunkins fit volte-face, un revolver P .38 à la main, mais il n'eut pas le temps d'appuyer sur la détente. Scatamacchia venait de faire feu, le tuant avec le magnum qu'il lui avait volé.

Rita O'Dea rendit une visite surprise à son frère au siège de sa société immobilière. Elle salua Victor Scandura, assis sur une chaise sans ses lunettes, et embrassa son frère à moitié sur la bouche. Ce baiser fougueux et humide le mit mal à l'aise. Elle portait une robe d'été jaune à volants et un chapeau de paille verni. Elle l'ôta et le laissa tomber sur le bureau de son frère.

— Ça t'ennuierait Victor de nous laisser seuls ?

Scandura attendit pour se lever un signe discret de Gardella qui s'arma de patience afin d'écouter ce que sa sœur avait à lui dire. Elle approcha un fauteuil et s'y installa en croisant ses grosses jambes.

— J'ai l'air heureuse Tony ? Je sais que oui et je vais te dire pourquoi. Mais j'aimerais d'abord qu'on parle affaires. Il la dévisagea avec circonspection. J'ai parlé avec Rizzo, poursuivit-elle. Il m'a dit que tu n'avais pas l'intention de vendre G & B.

— J'y ai pensé, confia négligemment Gardella, mais la compagnie n'est plus dans le collimateur des flics et Rizzo a des contrats juteux en cours. Dans ces conditions il vaut mieux la conserver.

— Tony, G & B m'appartient n'est-ce pas ? En grande partie je veux dire. C'est toi qui l'as dit !

— C'est vrai, répondit-il. Je m'assure simplement que tout marche comme il faut.

Elle se pencha vers lui :

— Tony, à partir de maintenant, j'aimerais diriger cette affaire sans combines.

— Si on commence à respecter les règlements on ne s'en sortira plus ! Tu le sais parfaitement ou du moins je pensais que tu le savais ! Mais qu'est-ce qui t'arrive Rita ?

— Je veux que tu me dises où on se débarrasse des déchets maintenant.

Il la dévisagea d'un air méfiant :

— Dans un endroit perdu du New Hampshire, tellement au nord que les habitants du coin ne parlent que le français — ce qui ne les empêche pas de comprendre le langage du dollar ! Ils guident nos camions le long de chemins forestiers jusqu'à des carrières. C'est là qu'on décharge le poison, mais il ne fait de mal à personne !

— Tony les gens là-haut boivent l'eau des puits !

— Pas où on décharge. Personne n'habite dans les environs.

Elle secoua la tête :

— Les produits ne se contentent pas de rester là où on les jette. Ils se promènent dans le sol !

— Ça n'a tué personne dans les environs.

— Pas encore ! Son regard s'assombrit. Des gosses à Woburn sont en train de mourir du cancer. T'aurais dû voir ça à la télé !

— Woburn n'a rien à voir avec moi ! Tu te ramènes pour me

dire que t'es heureuse et puis tu me balances ça à la gueule ! Qu'est-ce que ça signifie ?

— C'est simple, déclara-t-elle sur un ton solennel : Je me sens concernée par les enfants, les petits bébés. Je vais en avoir un. Il lui jeta un regard incrédule et demeura bouche bée. En fait c'est Sara Dillon qui le porte, précisa-t-elle, mais il sera à moi.

Il avait baissé les yeux et faisait rouler un crayon sur son bureau, comme pour gagner du temps, puis mit de l'ordre dans un tas de papiers couverts de chiffres.

— Tony, j'y ai droit !

— Ça risque de t'attirer des ennuis.

— Il n'y en aura pas, je le promets.

— Comment faire pour t'en dissuader ?

— Tony, je t'en prie !

Quelque chose dans le ton de sa voix lui fit lever les yeux. Il se mit debout et lui tendit les bras.

Lorsque Russell Thurston regagna son bureau après son déjeuner à la cafétéria, il trouva Christopher Wade qui l'attendait dans la grande salle, appuyé contre une table, une grande enveloppe sous le bras et le regard fixé sur le mur.

— Donnez ! dit Thurston en s'emparant de l'enveloppe qui contenait un rapport sur l'enquête de Wade et l'enregistrement de ses conversations avec le sénateur Matchett. Vous auriez dû me remettre tout ça dès neuf heures !

— Je me suis levé tard, très tard...

— Et vous auriez dû charger Danley ou Dane de me l'apporter. Vous ne respectez pas nos arrangements !

— J'ignorais qu'on en avait conclu ! répliqua Wade en le suivant dans son bureau. Il referma la porte derrière lui sous le regard inquisiteur de Thurston.

— On a un problème à régler ?

— Jane Gardella, lâcha Wade en se plantant derrière une chaise dont il agrippa le dossier comme s'il avait besoin d'être soutenu. Il retint son souffle. Parlez-moi d'elle.

Thurston déchiffra soigneusement le regard de Wade avant de s'asseoir avec nonchalance :

— Je vois que vous êtes au courant. Elle vous l'a dit. Je me doutais qu'elle finirait par le faire.

— Pourquoi ne m'en avoir pas parlé ?

— Peut-être parce que je trouvais ça plus amusant comme ça.

Thurston tendit le bras derrière lui vers un classeur à soufflets. Ça vous intéresserait de voir son dossier ? Son nom de code c'est Chérie.

— Je veux que ce soit *vous* qui m'en parliez !

— Vraiment ? Vos bras tremblent — pourquoi ?

— Ça ne vous regarde pas ! jeta Wade sur un ton menaçant.

— OK fit Thurston. Détendez-vous et asseyez-vous.

Wade ne bougea pas et garda les yeux rivés sur Thurston. Il paraissait découvrir cet homme pour la première fois comme s'il n'avait jusqu'à présent eu affaire qu'à sa voix.

— Quand on l'a recrutée elle s'appelait Jane Denig et elle était hôtesse de l'air sur une ligne desservant la Floride et empruntée régulièrement par Gardella. C'était l'année où il avait monté son opération avec son cousin Sal Nardozza. C'est également cette année-là qu'il a perdu sa femme. On m'a dit qu'il en avait chialé comme un gosse ce qui m'a plutôt surpris. J'ignorais que ces gens-là pouvaient éprouver les mêmes sentiments que nous ! Quoiqu'il en soit c'était un homme seul et Chérie était — elle l'est toujours bien sûr — une jolie femme. Je pense qu'on pourrait même dire magnifique — c'est votre avis Wade ?

— Oui, murmura Wade. Magnifique...

— Gardella l'avait remarquée, on s'en est aperçu tout de suite. Il se débrouillait toujours pour aller lui parler. A cette époque elle sortait avec son copain pilote, un gars nommé Charlie et qui était enfoncé dans les dettes jusqu'au cou. Ils dissimulaient de la drogue dans l'avion et l'acheminaient jusqu'à Boston. On était au courant mais Gardella, lui, ignorait tout ça. J'ai demandé à la brigade des stups de les coincer et de me les laisser. Ça a marché comme sur des roulettes. D'ailleurs je vois mal comment ça aurait pu se passer autrement — vous voulez entendre la suite ?

— Oui, répondit Wade. Continuez.

— Je lui ai proposé la chose suivante : son petit ami pourrait s'en tirer à condition qu'elle accepte de travailler pour moi en répondant aux avances de Gardella. Savez-vous quel nom de code j'avais choisi pour cette opération ? Cupidon ! Le mot sauta de la bouche de Thurston comme un bouchon d'une bouteille. Il paraissait très content de lui. Le jour où elle est venue me dire qu'il voulait l'épouser, je ne l'ai pas crue. Je pensais qu'elle délirait ! Mais ils étaient tombés amoureux, vous vous rendez compte !

— Oui, acquiesça Wade. Je me rends parfaitement compte.

— Pendant un moment je me suis demandé quelle direction elle allait prendre. Une ou deux fois elle est devenue folle après moi, menaçant de lâcher le morceau. J'en courais le risque à chaque instant, se souvint Thurston avec exaltation.

— On dirait que ça vous a plu...

— J'adorais ça ! Inutile de le cacher à un gars malin comme vous !

— C'est un jeu très dangereux. Si jamais Gardella découvre quelque chose, il la tuera ! Il n'aura pas le choix...

— Personne n'est à l'abri sur cette terre. Si ce n'est pas une voiture qui vous attrape, c'est vous qui attrapez le cancer !

Wade lui lança un regard glacial :

— Je ne veux pas qu'elle meure !

— Bien entendu ! Ça serait malheureux et nous allons tout faire pour éviter ça !

— Je vais la protéger.

— Protégez-la tant que vous voudrez du moment que vous ne découvrez pas votre jeu. J'ai travaillé trop dur sur ce coup pour voir Gardella me filer entre les doigts !

— Alors mieux vaut que je vous avertisse : elle compte beaucoup pour moi.

— Vous croyez que je ne m'en étais pas aperçu ? Il y avait quelque chose de vide dans le sourire de Thurston et une certaine torpeur dans sa façon de se tenir assis derrière son bureau. Dès l'instant où vous avez quelque chose dans le slip, pourquoi ne vous exciterait-elle pas ?

— C'est plus profond que ça...

Thurston crispa la mâchoire avant de parler :

— Je vous crois sincèrement. Et j'apprécie tout le sel de la situation mais j'ai du travail qui m'attend. Il se pencha sur les papiers qui encombraient son bureau. A plus tard, Wade.

— Quelque chose me dit qu'on risque de se retrouver tous les deux en enfer ! laissa tomber Wade en se levant.

Deux agents de police arrivèrent dans une vieille fourgonnette. Celui qui conduisait fit doucement marche arrière dans l'allée et s'arrêta tout près de la voiture banalisée du commissaire Scatamacchia. D'un bond ils furent dehors et tirèrent d'un coup sec sur les portes arrières de la fourgonnette. Scatamacchia ouvrit en grand le coffre de sa voiture où se trouvait placé le cadavre recroquevillé de l'agent de police Hunkins.

— Débarrassez-moi de ça, peut importe où ni comment !

Les deux policiers extirpèrent péniblement le corps du coffre et le déposèrent à l'arrière de la fourgonnette dont ils refermèrent aussitôt les portes.

— Sa voiture est garée au coin de la rue, dit Scatamacchia. Faites-la disparaître également — conduisez-la dans une casse.

Vingt minutes plus tard il quitta le boulevard central et laissa sa voiture dans Commercial Street. Il se dirigea d'un pas nonchalant vers le bord de l'eau, croisant en chemin des touristes et des enfants avec des ballons. Arrivé sur le quai, il s'assura que personne ne l'observait et jeta à contre-cœur le magnum dans le port de Boston.

De retour à son bureau au commissariat du secteur D, il décrocha le téléphone et appela le bookmaker à la blanchisserie :

— Qu'est-ce qu'il a fait Laura's Boy ? demanda-t-il.

— T'es un putain de veinard, Scat ! Il a gagné à douze contre un !

— C'est pas de la veine, affirma Scatamacchia, c'est de l'instinct.

20

Russell Thurston, tout essoufflé, en sueur et l'air renfrogné, quitta le fronton d'un club de sports de Cambridge. Il prit dans son casier une bouteille d'eau minérale et en but une longue gorgée. Son adversaire, un jeune garçon athlétique qui l'avait nettement battu, lui demanda :

— On dirait que vous n'aimez pas perdre, n'est-ce pas ?

— C'est tout à fait exact, répondit Thurston en rangeant la bouteille et en retirant son T-shirt trempé. C'est pas mon genre !

— Il ne s'agit que d'un jeu !

— C'est pour ça que c'est si important ! répliqua Thurston d'un air énigmatique. Laissez-moi m'entraîner encore un ou deux jours et je vous battrais.

Le jeune homme sourit :

— Vous êtes prêt à parier de l'argent là-dessus ?

— Tu pourrais perdre mon gars !

— Je suis plus rapide !

— Mes réflexes sont meilleurs, rétorqua Thurston en regardant son interlocuteur droit dans les yeux : Vous êtes étudiant à Harvard, n'est-ce pas ? Vous tenez le monde par les couilles — j'espère que vous en êtes conscient !

— J'ai l'impression que je vous dois des excuses...

— Ça serait con de votre part ! Apprenez simplement quand et comment serrer ces couilles et vous aurez toujours raison !

Ils entrèrent dans la salle de douches. Une femme en blouse blanche passa la tête dans l'encadrement de la porte et leur sourit. Thurston lui demanda si elle avait des serviettes ; elle en rapporta deux.

— L'un de vous aura besoin de moi après ? demanda-t-elle. Le jeune homme secoua la tête.

— Je pense que oui, dit Thurston.

Quelques instants plus tard il courba la tête sous le jet de la douche. Il avait réglé la température de l'eau à la limite de ce qu'il pouvait endurer, jusqu'à ce qu'il eût l'impression de s'enflammer sous ses aiguilles brûlantes. Puis il la refroidit progressivement tout en relevant la tête. Quand sa main lâcha le robinet l'eau était devenue glaciale et il était tout engourdi.

— Comment vous arrivez à supporter un truc pareil ? s'étonna le jeune homme.

— Il faut être spécial.

La femme en blouse attendait dans la pièce d'à côté. Sans un mot il s'allongea sur la table matelassée. Elle se mit de l'huile sur les paumes et commença à le masser :

— Vous avez de beaux muscles, dit-elle avec un coup d'œil professionnel, presqu'aussi beaux que ceux du petit jeune.

— Quand j'avais son âge, lança Thurston, vous n'auriez pas pu nous comparer !

— Seigneur ! s'exclama-t-elle sur un ton sarcastique, on devait vous appeler Superman !

Il ne daigna pas répondre.

Quand elle eut fini, elle lui glissa un oreiller sous la tête et il ferma les yeux :

— Réveillez-moi dans vingt minutes, dit-il.

Ty O'Dea rentra en taxi. Le chauffeur dut le réveiller. Il réagit aussitôt, écarquillant ses yeux bleus qui saillaient sur son visage écarlate. Il paya la course avec un billet roulé en boule et se dirigea vers la maison en balançant les bras de façon à conserver son équilibre tout au long de l'allée pavée de briques. Alors qu'il cherchait sa clef, la porte d'entrée s'ouvrit en grand et Sara Dillon le tira à l'intérieur. Ses lèvres tremblaient.

— Bon sang, Ty ! Ne me fais pas ce genre de coup !

— J'vais bien, bredouilla-t-il, parfaitement bien !

— Non ! c'est pas vrai, cria-t-elle en l'agrippant par le bras. T'es bourré ! Comment discuter dans ces conditions ?

— De quoi faut-il qu'on discute ?

— D'elle. De nous. Elle referma la porte et le poussa devant elle. Du bébé — elle ne l'aura pas !

— Chut ! supplia-t-il en roulant les yeux.

— T'inquiète pas, on est seuls ! affirma-t-elle sans pour autant le convaincre tout à fait. Il lançait des coups d'œil craintifs à droite et à gauche comme s'il s'attendait à voir Rita O'Dea fondre sur eux. Il faut que tu prennes une décision, insista Sara Dillon.

— J'ai déjà décidé. Il serra sa main dans les siennes et l'embrassa. Je t'aime. Ce bébé est à nous !

— Qui dit ça, Ty ? Toi ou l'alcool ?

— Moi !

— Alors on fait nos valises et on s'en va maintenant. Loin d'ici !

— C'est pas si facile, murmura-t-il tristement, crois-moi...

— Alors qu'est-ce qu'on fait ?

— J'ai un plan ! déclara-t-il en frissonnant. Laisse-moi faire.

La journée était particulièrement chaude avec des températures grimpant allègrement au-dessus des trente degrés et une moiteur étouffante qui faisaient apprécier à Christopher Wade l'air conditionné du Saltonstall Building. Installé dans son bureau, il lut les journaux, le magazine *Sports Illustrated* et les deux tiers d'un roman d'espionnage sur un tueur professionnel qui ne savait pas très bien s'il travaillait pour la CIA ou pour le compte d'un groupement d'entreprises américaines. Le téléphone sonna à plusieurs reprises dont une fois avec insistance mais il ne répondit pas. En milieu d'après-midi il s'allongea sur le lit de camp dans la pièce d'à côté et fit la sieste pendant une heure. Il se réveilla en entendant les agents Danley et Dane taper des rapports destinés à Thurston. Lorsque l'un d'eux entra dans la pièce et l'aperçut dans son cac de couchage, il lui lança : « Mettez dans votre rapport que vous avez trouvé votre boss en train de faire la sieste ! »

Après leur départ il se rendit aux lavabos pour se passer de l'eau sur le visage et lissa ses cheveux avec ses mains mouillées. Il ne savait pas trop quoi faire. Il envisagea de partir se balader mais la perspective d'avoir à affronter la chaleur le rebuta. Il reprit son roman et tâcha de se mettre dans la peau du héros. Il était en train de terminer un chapitre quand la porte d'entrée s'ouvrit. Sa femme entra.

— J'ai essayé de t'appeler mais ça ne répondait pas, lança-t-elle tandis qu'il se levait pour l'accueillir. Elle portait une simple tunique que sa transpiration tachait par endroits. Tu n'as même pas de secrétaire ? lui demanda-t-elle en jetant un coup d'œil autour d'elle. Il fit signe que non. Ce bureau ne te ressemble pas... en fait on dirait qu'il est inoccupé.

Il avança une chaise mais elle préféra rester debout. Elle était simplement venue pour lui annoncer une chose et n'avait pas l'intention de s'attarder — une chose qu'il n'était pas sûr de vouloir entendre.

— J'aimerais vendre la maison, Chris. Ça t'ennuie ?

Ça l'ennuyait énormément mais il s'efforça de ne pas le laisser paraître.

— Où habiteras-tu ? demanda-t-il en fixant sa femme qui lui semblait distante et énigmatique comme si elle était devenue une étrangère à ses yeux.

— J'ai envie de changer d'air pendant quelque temps, dit-elle. Je pense à la Californie... pour moi ça sera un monde complètement nouveau. Il sentit un froid l'envahir :

— De quoi vivras-tu ?

— Partout où j'irai je trouverai du travail, Chris. Voilà au moins une chose sur moi que j'ai apprise ces derniers temps.

— On dirait que tu as complètement changé.

— Pas tout à fait.

— Pourquoi veux-tu partir ?

— Ici j'ai l'impression de vivre dans ton ombre, Chris. J'ai l'impression d'être mêlée à ce que tu fais même si je ne sais plus de quoi il s'agit au juste.

— Je ne comprends pas ce que tu veux dire.

— Ça n'a pas d'importance, répliqua-t-elle d'un ton ferme. Ils s'observèrent derrière leurs masques impénétrables.

— C'est vraiment indispensable de vendre la maison ? demanda-t-il. Elle hocha la tête. Je suppose que tu veux également divorcer ? ajouta-t-il en baissant la voix.

— Dès que tu te sentiras prêt à l'accepter.

Il détourna le regard ; des rides se creusèrent sur son front :

— S'il te plaît, rends-moi un service.

— Lequel, Chris ?

— Sors d'ici, dit-il d'une voix douce.

Dès qu'elle se retrouva dehors toute la chaleur de la ville parut fondre sur elle mais cela ne l'empêcha pas de se sentir le cœur léger et de se laisser gagner par une grisante sensation de liberté qui lui donnait l'impression de flotter dans la foule. Elle se laissa emporter par elle jusqu'au rond-point de Kennedy Building. Elle ne reconnut pas tout de suite le Noir qui s'avançait vers elle. Il portait des lunettes de soleil et sa veste par-dessus l'épaule. Ils se frolèrent.

— Je vous connais ! lui lança-t-elle. C'est vous qui étiez chargé de me surveiller !

226

— Alors comme ça vous m'avez repéré, dit-il sans avoir l'air autrement surpris. Son visage était luisant de sueur. Au passage des gens leurs lançaient des regards en coin.

— J'ai prévenu la police de Wellesley quand j'ai été certaine que vous surveilliez ma maison. Ils m'ont dit de ne pas m'inquiéter, que vous étiez là pour éviter les cambriolages dans le quartier. Cela m'a rassurée même si je savais que c'étaient des histoires !

— Alors à votre avis j'étais là pourquoi ?

— Ça a quelque chose à voir avec mon mari. Peut-être que quelqu'un essayait de l'atteindre à travers moi. J'ai été une femme de flic pendant longtemps comme vous pouvez le constater ! Mais il est possible que je me trompe complètement — qui êtes-vous ?

— Un agent spécial du FBI.

Le visage de Susan Wade s'assombrit :

— Mon mari est en danger ? demanda-t-elle. Blue secoua aussitôt la tête. Nous sommes séparés, ajouta-t-elle, mais je me fais toujours du souci pour lui.

— Je comprends, murmura Blue. La foule les avait rapprochés. Deux adolescentes qui se traînaient dans leurs sandales s'arrêtèrent net pour le dévisager un instant comme si elles pensaient avoir affaire à une célébrité quelconque, un chanteur ou un acteur comique.

— J'aimerais vous inviter à dîner, déclara Susan Wade. Je ne me sens pas le courage de rentrer chez moi et de me faire à manger.

Il baissa les yeux.

— Je suis désolée, dit-elle aussitôt, j'aurais dû vous demander si vous étiez marié !

— Oui, confia-t-il en croisant son regard, je le suis.

— Votre femme pourrait venir, ça serait sympa ! Elle hésita, soudain embarrassée. Non... je pense qu'elle se poserait des questions.

— Pas du tout ! affirma Blue en lui offrant son bras.

Le soleil avait disparu mais l'air était toujours aussi étouffant. Dans le quartier Nord les gens s'étaient installés sur des chaises de cuisine devant chez eux et s'éventaient. En quittant les bureaux de sa société immobilière Anthony Gardella salua ses connaissances c'est-à-dire pratiquement tout le monde. Une femme lui lança un sourire fier. Elle était assise avec dans les bras un gros bébé chauve qui faisait penser à un masseur nain. Son corps vêtu d'une simple couche était couvert de boutons repoussants ce qui n'empêcha pas Gardella de lui tapoter le crâne.

— C'est affreux ce qui est arrivé à Augie ! s'apitoya la femme.

— Oui, terrible, dit-il en jetant un regard sévère à une jeune fille brune qui passait à leur hauteur et dont le short fin et moulant laissait transparaître un slip où fleurissaient des marguerites. C'était la nièce de la femme au bébé. Dis-lui que si elle quitte le quartier comme ça elle va au-devant d'embêtements, avertit Gardella.

Il traversa la rue, échangea quelques mots avec d'autres personnes et entra au café Pompei. Une table lui était réservée au fond de la salle où on lui apporta un verre de citronnade avec de la glace pilée. Incommodé par la fumée d'une cigarette, il demanda à l'homme assis à la table d'à côté de déplacer son cendrier. Au lieu de cela l'homme s'empressa d'écraser sa cigarette. Alors qu'il était en train de boire il sentit une présence à ses côtés et releva aussitôt les yeux.

— Que faites-vous ici ?

— J'ai le droit...

— Bien sûr, concéda-t-il tandis que Christopher Wade s'asseyait. Je suis simplement surpris. Il fit signe au garçon. Habituellement je recommande le cappuccino mais par une soirée comme...

— Ce que vous buvez m'a l'air bon, interrompit Wade et on lui apporta une citronnade. Il entoura le verre de ses mains comme pour les rafraîchir.

— C'est une jolie bague que vous avez là, remarqua Gardella. J'avais déjà songé à vous le dire.

Wade la regarda et parut l'étudier :

— Une émeraude, ma pierre zodiacale. Ma femme me l'a offerte il y a des années...

— OK Wade, qu'est-ce qui se passe ? Il y a un problème ?

— Non.

— Vous voulez me dire ou me demander quelque chose ?

— Je ne pense pas.

— Je vois, dit sèchement Gardella. Vous êtes passé comme ça...

— Je n'avais pas envie de rentrer à mon appartement — il n'a pas l'air conditionné...

— Je vais vous dire ce qui ne va pas chez vous, déclara Gardella. C'est ce que je vous avais dit une fois : aucun homme ne devrait vivre seul. Quand on est seul on mange n'importe quoi, on ne fait plus son lit, on se laisse aller. Bientôt vous commencerez à avoir l'air négligé — vous voulez que je vous dise une chose ? Vous avez déjà l'air négligé...

— C'est à cause de la chaleur.

— Demain il fera encore plus chaud et ça restera comme ça pendant toute la semaine. Moi je vais me mettre au frais : je pars demain après-midi pour Rye. Si vous êtes malin vous viendrez avec moi ! Quelques jours de repos ne vous feront pas de mal.

Wade tarda à répondre. Il portait sur lui un micro relié à un magnétophone. Brusquement il fut sur le point de céder à une pulsion folle et d'ouvrir sa chemise pour le montrer. Mais il se contenta de demander :

— Vous êtes sûr que je ne dérangerais pas ?

— Si c'était le cas, je vous le dirais, répondit Gardella en riant.

Russell Thurston gara sa voiture à l'ombre des arbres de Dewey Square et se rendit à pied jusqu'à la gare du Sud dont la majesté était à présent réduite à ses colonnes ioniques et à l'aigle patiné perché sur son toit. A l'intérieur il trouva sur son chemin des vagabonds qui vinrent à sa rencontre en traînant les pieds puis s'évanouirent comme des fantômes grisâtres après avoir compris à son expression qu'il n'était pas du genre à donner. Le sol du hall était crasseux et fendillé. Les rideaux des boutiques étaient baissés, les uns pour la nuit, les autres pour toujours. Quelques voyageurs attendaient les rapides de l'Amtrak. Thurston repéra tout de suite la femme coiffée d'un foulard qu'il cherchait. Se laissant tomber sur le banc à ses côtés il demanda :

— On se connaît ?

— Ça ne saurait tarder, répondit-elle de la même voix lente et laborieuse qu'elle avait eue plus tôt au téléphone et qui avait éveillé la curiosité de Thurston tout autant que ce qu'elle avait à lui dire.

— Qu'est-ce qui vous est arrivé, demanda-t-il en la dévisageant.

— Une fracture de la mâchoire. Il y a encore du fil de fer dedans.

— Vous ne m'avez toujours pas dit votre nom.

— Appelez-moi Laura, ça suffira.

Il la détailla soigneusement et ouvertement, de ses lèvres fardées jusqu'à ses pieds chaussés d'escarpins. Il estima le prix de ses vêtements, de ses bagues et du bracelet qui entourait son poignet incroyablement fin. Son parfum subtil lui donna une indication supplémentaire sur sa personnalité. Il finit par rendre son jugement :

— Vous me paraissez trop intelligente pour le métier que vous faites !

— Vous ignorez quel métier je fais !

— Vous voulez que je vous le dise ?

Elle évita son regard implacable en détournant le sien vers un endroit de la gare où le marbre avait été démoli à coups de masse comme si un ouvrier qui passait par là avait soudain voulu se libérer d'un trop plein d'énergie. Un contrôleur de l'Amtrak jeta dans les gravats le papier de la barre de chocolat qu'il finissait de mâcher.

— Êtes-vous prêt à m'écouter ? demanda-t-elle.

— Je suis venu pour ça.

Sans le regarder elle se mit à parler toujours aussi laborieusement de sa voix entrecoupée de sifflements et qui s'étranglait soudain, l'obligeant à s'interrompre. Sa bouche eut bientôt l'air de la faire souffrir puis la douleur gagna son visage tout entier.

— Reposez-vous si vous voulez, dit Thurston. Mais elle continua son récit. Quand elle eut fini, il la dévisagea de nouveau mais cette fois avec considération comme si elle avait grandi dans son estime.

— Ça dépasse le simple cas de Scatamacchia, vous l'imaginez bien, dit-il. Si vous le balancez il faut aussi me donner Scandura et peut-être même Gardella !

— Non, répliqua-t-elle, c'est à prendre ou à laisser.

— On va arranger quelque chose, dit-il. On va prendre notre temps et goupiller ça proprement, OK ?

— A une condition, précisa-t-elle. Quand vous l'arrêterez je veux être là. Je veux qu'il me voit.

Un sourire illumina aussitôt le visage de Thurston :

— Vous voulez que je vous dise une chose, Laura ? Vous allez finir par me plaire !

Christopher Wade quitta le café Pompei pour regagner le Saltonstall Building qui était désert à l'exception d'un vigile qui lui ouvrit et l'accompagna jusqu'à l'ascenseur. Quand il apprit que Wade allait passer la nuit là il ne put s'empêcher de plaisanter :

— Qu'est-ce que vous avez là-haut, un lit ?

— Non, répondit Wade. Un sac.

Arrivé dans son bureau il jeta un bref coup d'œil à sa montre et décrocha le téléphone, composant un numéro tout en maintenant l'écouteur contre son oreille. Il compta les sonneries. Lorsque Jane Gardella répondit au bout de la cinquième il annonça :

— C'est Cœur Tendre. Il y eut un silence au bout du fil. Il ajouta : Votre mari va venir vous retrouver demain.

— Pourquoi m'annoncez-vous quelque chose que je sais déjà ? Et puis d'abord pourquoi m'appelez-vous ?

— Je serai là également.

— Non ! s'écria-t-elle. Je ne veux pas vous voir dans les parages !

— Vous ne pouvez pas m'en empêcher.

— Alors je partirais !

— Vous ne pouvez pas faire ça non plus.

— Pourquoi ?

— Vous avez besoin de moi, murmura-t-il.

Le cadavre, qui était censé reposer au fond de l'eau pour l'éternité, échappa aux poids qui le retenaient et remonta tranquillement à la surface où il se laissa emporter par le courant. Deux garçons qui pêchaient le brochet mais n'attrapaient que des anguilles l'aperçurent flottant au clair de lune sur la rivière Shawsheen du côté d'Andover.

Ils alertèrent la police qui dégagea à l'aide de longues perches le corps empêtré dans les roseaux et le guida vers la berge où on l'allongea. Un agent de la police de l'État qui venait d'arriver d'Andover se pencha dessus et éclaira le visage avec sa torche.

— Il n'a pas dû rester longtemps dans l'eau, estima-t-il. En agitant sa main libre pour chasser les moustiques déchaînés, il dirigea le faisceau de sa lampe sur la chemise trempée et ajouta : On dirait une blessure par balle. Qu'est-ce que vous en pensez ?

— Possible, répondit un policier local qui n'avait jamais vu de blessure par balle de sa vie.

L'agent de la police de l'État, qui n'était autre que le caporal Denton, éclaira de nouveau le visage :

— J'ai été un temps en poste à Lee, déclara-t-il. Je jurerais qu'il y a un flic de Greenwood qui ressemble trait pour trait à ce type-là !

21

Christopher Wade et Anthony Gardella se promenaient côte à côte sur la plage, laissant derrière eux leurs empreintes sur le sable mouillé. Celles de Gardella étaient plus larges et plus profondes. Wade se sentait détendu après s'être débarrassé de son matériel d'enregistrement. Il était en maillot de bain mais avait conservé sa chemisette pour se protéger du soleil. Elle était ouverte et flottait librement. Gardella était torse nu ; sa peau bronzée le mettait à l'abri des coups de soleil.

— Alors, comment vous sentez-vous à présent ? demanda-t-il.

— Je revis ! s'exclama Wade en regardant les gens autour de lui : une mère qui sortait des sandwiches d'un panier pour les distribuer à ses enfants tandis qu'une jeune fille apportait une dernière touche à son bronzage.

— Parfait ! dit Gardella. Je veux que vous vous détendiez.

— Vous avez une raison particulière ?

— Il en faut une ?

— Parfois ça aide...

Gardella obliqua vers l'eau où il pataugea en s'aspergeant avant de piquer une tête dans une vague qui déferlait. Wade ôta sa chemise et le suivit mais il hésita avant de plonger, sentant contre ses jambes un courant froid. Il se décida quand il s'aperçut que Gardella l'observait et affronta les vagues après s'être mouillé le visage. Lorsqu'ils sortirent de l'eau Gardella lui confia :

— Je pourrais vivre ici !

— Ce n'est pas la première fois que vous dites ça...

— A longueur d'année... pour toujours ! Gardella lorgna Wade avec une lueur d'ironie dans le regard. Mais je me fais peut-être des illusions !

232

— On s'en fait tous, nota Wade en remettant sa chemise sur son dos mouillé tandis que Gardella secouait les bras et laissait au soleil le soin de le sécher.

— Depuis la mort de ma première femme il se peut que je me sois fait beaucoup d'illusions...

— Ce qui veut dire ?

— Que je pense tout haut, Wade. Ne faites pas attention.

Ils croisèrent des enfants avec des pelles et des seaux. Sur le sable des mouettes s'étaient alignées comme si elles s'apprêtaient à charger ; à leur approche elles se dispersèrent en rouspétant mais ne tardèrent pas à se regrouper, faisant admirer leur génie de la tactique.

— Quand mes garçons étaient petits ils n'avaient pas la patience d'attendre pour venir ici, se souvint Gardella. Ils connaissaient la plage dans ses moindres recoins. Et puis ils ont grandi et il a fallu presque les traîner de force pour les faire venir ! Comment expliquez-vous ça ?

— C'est pareil avec tous les enfants j'imagine.

— Mon fils aîné, le Marine, il en a dans le ventre ! Mais parfois ça lui joue des tours : il a été promu et dégradé la même semaine ! Deux Noirs l'ont cherché au mess et il ne s'est pas gêné pour leur rentrer dedans — il aurait pu se faire tuer ! Mais je ne m'en fais pas pour lui : c'est un coriace ! C'est plutôt Tommy qui me préoccupe, celui que vous avez rencontré. Sa mère a toujours cru que j'étais dur avec lui parce que je trouvais qu'il ne s'affirmait pas assez, mais la vérité c'est que j'ai un faible pour lui...

— Qu'est-ce qui ne va pas avec lui ?

— Rien, répondit froidement Gardella. Rien de particulier.

De retour à la maison ils prirent place dans la véranda où Jane Gardella avait préparé un déjeuner improvisé. Elle avait disposé sur la table des serviettes bleu vif assorties aux assiettes. Elle portait un ample sweatshirt sur un short qui mettait en valeur ses longues jambes galbées. Gardella la prit par la taille et lança un sourire à Wade :

— Vous ne croyez pas que je suis un sacré veinard ! dit-il avec dans sa voix quelque chose d'ambigu qui poussa Wade à détourner les yeux.

— J'espère que vous aimez le crabe, s'empressa de demander Jane Gardella.

La table était légèrement bancale et elle bougea tout le long du repas tandis que Gardella animait la conversation, se montrant tantôt terre à terre, tantôt captivant et spirituel. Sur le ton de la plaisanterie il déclara à propos de Ronald Reagan :

— J'ai fini par comprendre ce qu'il reproche avant tout aux Russes : c'est d'exister ! Il enchaîna par une blague en forme de devinette : C'est quoi un amour sans fin ? Ray Charles et Stevie Wonder qui jouent au tennis ! Après s'être remis de son fou rire il fit signe à son épouse : Passe-moi un peu de pain ! Elle lui tendit la corbeille, les yeux baissés.

A la fin du repas Wade les pria de l'excuser. Il n'avait plus de cigarettes, expliqua-t-il, et il allait faire un saut chez Philbrick pour en acheter.

— Ramenez-moi le journal, demanda Gardella.

Devant chez Philbrick il vérifia sa monnaie et appela Thurston qu'il obtint presque aussitôt :

— Au cas où vous vous poseriez des questions je suis à Rye, prévint-il. Je vais y rester quelques jours.

— C'est une bonne chose, répondit Thurston. Pendant que vous y êtes demandez à Gardella pourquoi il a bousillé Hunkins.

Malgré la chaleur Wade frissonna.

— Qu'est-ce que vous racontez ? !

— Lisez le journal : tout est dedans. Curieusement Thurston avait l'air d'être de très bonne humeur ce qui ne fit que glacer Wade davantage. Écoutez, poursuivit le responsable du FBI, je suis content de vous avoir au bout du fil. J'aimerais que vous vous souveniez de votre première visite à Rye, lorsque Gardella vous avait invité à dîner. Il s'était arrangé pour vous coller une fille dans les pattes, une certaine Laura...

— Je vous ai fait un rapport complet sur cette soirée.

— Certes mais maintenant j'ai des questions à poser...

Les agents Danley et Dane conduisirent Laura dans un hôtel Holiday Inn situé à trente miles de Boston et où tous trois descendirent sous de faux noms, dans deux chambres communicantes. Dane enleva ses chaussures et s'allongea sur son lit pour regarder la télévision. Danley ouvrit la porte qui séparait les deux chambres et demanda à Laura si elle avait besoin de quelque chose. Elle était en train de se déshabiller.

— La prochaine fois frappez bon Dieu ! protesta-t-elle en plaquant sa robe contre sa poitrine.

— Je m'excuse, dit Danley. Je me disais que vous aviez peut-être faim — si vous n'aimez pas la cuisine de l'hôtel je peux aller vous chercher quelque chose ailleurs.

— Je ne peux pas mâcher. Tout ce que je peux avaler c'est de la soupe ou de la bouillie.

— Dites-moi ce qui vous ferait plaisir, je vous le ramène.

— Ce que j'aimerais c'est savoir combien de temps je vais rester ici !

— Il faut demander ça au patron. Ça risque de durer un peu mais vous aurez tout ce que vous voulez. Suffit de demander ! C'est lui-même qui l'a dit.

— Je veux les couilles du commissaire Scatamacchia sur un plateau ! s'exclama-t-elle.

Danley répondit en rougissant un peu :

— D'accord m'dame !

— Mais de personne d'autre — je me demande si votre patron s'est bien fourré ça dans le crâne !

— Entendu m'dame, j'lui ferai la commission, promit Danley en se retournant vers la porte.

— Autre chose, lui lança-t-elle. Ne me traitez pas comme une gamine !

Sara Dillon s'immobilisa sur le palier et écouta Rita O'Dea qui donnait des ordres dans la pièce qu'elle était en train de faire transformer en chambre d'enfant. « Je veux des jolies choses aux murs et plein de couleurs gaies ! Dès qu'ils ouvrent les yeux les bébés sont sensibles à tout ça ! » La voix de Rita O'Dea était haut perchée, tonitruante et agressive. Elle donnait des consignes à un décorateur arrivé avec un sourire triomphant mais qui n'avait pas tardé à se faner. « Et des mobiles, compris ? Quant aux meubles il faut qu'ils soient blancs. J'aime le blanc. »

Sara Dillon entendit un bruit dans l'escalier derrière elle et se retourna pour se retrouver nez à nez avec Alvaro. Lui aussi écoutait.

— Je parie que vous vous posez des questions sur nous, lança-t-il. Moi et Rita.

— Non, je me pose aucune question !

— J'voulais dire quand on est au lit — c'est une sacrée expérience, je ne vous dis que ça !

— Ça ne m'intéresse pas.

Il la dévorait des yeux :

— Votre ventre commence à grossir sérieusement, dit-il en passant la main dessus.

— Ne faites pas ça !

— Quand ma mère était enceinte elle nous laissait toujours la toucher... sentir et écouter... on mettait l'oreille juste là — elle disait que c'était un miracle qui était en train de se produire !

— C'en est un, acquiesça Sara Dillon, mais je ne suis pas votre mère.

— Ma mère nous montrait aussi ses tétons — elle les secouait devant nous ! A l'époque ça me dégoûtait mais aujourd'hui j'arrête pas d'y penser !

— Je suis désolée, dit-elle, mais je ne peux rien faire pour vous.

— Je vous paierais...

— Allez-vous-en Alvaro ! s'exclama-t-elle avec un haut-le-cœur. Ses jambes étaient lourdes et son dos lui faisait mal. Elle vacilla.

— Allez-y, tombez, je vous rattraperais ! lança-t-il. Elle s'agrippa à la rampe tandis qu'il ajoutait : Avec moi vous auriez toujours droit à votre petit plaisir, croyez-moi !

— Avec vous j'irais pas loin !

La voix tranchante de Rita O'Dea jaillit de la chambre :

— Qui est là ? C'est toi Sara ? Viens ici, je veux que tu me donnes ton avis.

— Elle est cinglée vous savez, chuchota Alvaro.

— Non, rectifia Sara Dillon en jetant sur lui un regard triste. Elle est aussi normale que vous...

Le commissaire Scatamacchia était assis devant son bureau, au commissariat du secteur D. Il avait retiré la chemise de son uniforme pour ne conserver qu'un T-shirt d'un gris austère comme certains survêtements d'athlètes. Une boîte de Pepsi à moitié vide était posée devant lui. Il était occupé à feuilleter le bulletin de la police lorsqu'il sentit un regard posé sur lui. Un homme sur le pas de la porte l'observait.

— Vous vous souvenez de moi ? demanda Russell Thurston. L'agent Blodgett se tenait derrière lui. On passait dans le quartier et on s'est dit qu'une petite visite vous ferait peut-être plaisir...

— Ouais, j'me rappelle. Le fédéral avec une grande gueule ! Vous voulez me voir ? Désolé mais j'ai pas le temps !

Thurston écarta le pouce et l'index :

— On a un dossier épais comme ça sur vous !

— Vous autres vous avez des dossiers sur tout le monde comme la Gestapo ! Tout ce que vous savez sur moi c'est le nombre de voyelles qu'il y a dans mon nom !

236

Thurston sourit, plus sûr de lui que jamais :

— Je sais des tas de choses sur vous ! Dans une semaine, peut-être deux, je donnerai tout ça au ministre de la Justice qui le confiera à une commission spéciale. Entre-temps, mon ami, vous ferez dans votre froc !

— Vous êtes complètement dingue ! hurla Scatamacchia, le visage décomposé.

— Savez-vous pourquoi je prends mon temps ? Je veux vérifier tout ce que j'ai accumulé contre vous de façon à présenter un dossier en béton ! Quand il sera bouclé je connais une fille qui paierait cher pour voir la tête que vous ferez mais c'est moi que vous verrez, Scatamacchia, *moi* ! Vous ramperez à genoux pour me supplier de trouver un arrangement !

D'un bond Scatamacchia se leva, renversant sa boîte de Pepsi ; il se figea derrière son bureau.

— J'préférerais plutôt me flanquer la tête dans un baquet de merde !

— L'un n'empêche pas l'autre ! répliqua Thurston. Et au bout du compte vous balancerez Gardella.

En quittant le commissariat sous le regard intrigué des policiers, Blodgett dit d'un air perplexe :

— Peut-être que vous n'auriez pas dû le prévenir...

— C'était la meilleure chose que je pouvais faire, assura Thurston.

Anthony Gardella et sa femme ruisselaient de sueur dans les vapeurs du sauna lorsque Christopher Wade tambourina à la porte.

— Entrez ! lança cavalièrement Gardella en plaçant sa main en porte-voix. Jane n'est pas timide !

Elle lui jeta un regard à la fois surpris et peiné :

— Arrête Tony ! Elle attrapa une serviette et l'enroula autour d'elle. Pourquoi me fais-tu ça ?

— Faire quoi ? demanda-t-il d'un air innocent sous le feu de son regard.

— Ta façon de te comporter vis-à-vis de moi — elle a changé ces derniers temps.

— Je n'avais pas remarqué ! Désolé. Il haussa la voix : Attendez ! Finalement je crois qu'elle est timide ! Il vous faudra attendre...

— Je n'avais nullement l'intention d'entrer, rétorqua Wade. Je veux simplement savoir si vous en avez pour longtemps.

— Pourquoi ?

— Il se passe des choses...

— Vous voulez me parler ?

— Oui.

Cinq minutes plus tard ils déambulaient au bord de l'eau où une jeune fille bondissait en criant dans les vagues, poursuivie par son ami qui l'éclaboussait. Wade avait un journal de banlieue sous le bras. Il le déplia et le tendit à Gardella en lui indiquant un gros titre. Dans le ciel des nuages noirs s'amoncelaient. Gardella plissa les yeux en jetant un coup d'œil à l'article dont il ne lut que deux paragraphes :

— Je vous jure devant Dieu que je ne suis pas au courant !

— Je ne vous crois pas, répliqua Wade.

— Je mens quand j'estime ça nécessaire et ça ne m'empêche pas de dormir. Mais là je n'ai aucune raison de le faire. C'est la vérité Wade !

— Mais vous savez quelque chose...

— Non ! Rien... Je ne peux que faire des suppositions...

— Lesquelles ?

— Ça ne vous regarde pas ! Il flanqua le journal dans les mains de Wade qui tourna la tête pour regarder les deux jeunes dans l'eau. Les nuages avaient dû refroidir leur ardeur car ils avaient cessé de s'ébattre. La fille faisait la planche et ses cheveux flottaient autour de son visage. Gardella les observa à son tour et demanda brutalement :

— Pourquoi font-ils ça ?

— Quoi ?

— S'exhiber comme ça ! Gardella tendit la main : Redonnez-moi le journal, je vais l'emporter avec moi.

— Où allez-vous ?

— A Boston. Je ne serai pas de retour avant tard ce soir ou peut-être même demain matin, ça dépend.

— Je vais y aller aussi.

— Vous n'y êtes pas obligé.

— Alors je reste, dit Wade.

Gardella roula à tombeau ouvert sous les éclairs et les coups de tonnerre mais aucune goutte n'était encore tombée lorsqu'il atteignit le quartier Nord moins d'une heure plus tard. Il quitta à regret l'air conditionné de la Cadillac pour affronter la chaleur étouffante de la rue. Il téléphona à Victor Scandura du café Pompei et l'attendit installé à sa table habituelle. Quand il arriva il lui jeta le journal :

— Tu aurais dû me tenir au courant de cette histoire immédiatement ! explosa-t-il en regardant Scandura reposer tranquillement le journal sur la table.

— Je suis désolé mais j'ai passé pratiquement toute la journée à l'hosto...

— Qu'est-ce qui t'arrive ?

— Mon estomac, tu sais bien Anthony...

— Et alors, ça va ?

— Ouais... Le garçon s'approcha et Scandura lui demanda un verre de lait.

— C'est Scat qui a fait le coup ? demanda Gardella.

— Ouais.

— Putain de connard ! murmura Gardella sans desserrer les dents. Scandura but son lait qui lui dessina des moustaches blanches.

— Il a dit qu'il lui avait pas laissé le choix. Tu sais que j'aime pas particulièrement Scatamacchia mais sur ce coup je pense qu'il dit vrai. Dommage que le corps soit remonté...

— S'il s'en était occupé correctement ça serait pas arrivé. Autrement est-ce qu'il l'a liquidé proprement ?

— C'est ce qu'il dit.

Gardella posa un coude sur la table et se frotta les sourcils avec la paume comme s'il avait la migraine. Maintenant qu'est-ce qu'on va faire ?

— Je n'en sais rien, Anthony. Je pense qu'il faudrait simplement laisser les choses se tasser.

Gardella releva la tête et regarda une famille de touristes attablée un peu plus loin et dont la mère passait son temps à essuyer la bouche de ses gosses qui se débattaient avec leurs spaghettis.

— T'aimerais être jeune à nouveau, Victor ? Tout recommencer à zéro ?

— Je ne sais pas, répondit Scandura. Ça ne me vient pas à l'idée.

— Donne-moi des bonnes nouvelles, Victor, remonte-moi le moral !

— Nos affaires en Floride sont plus prospères que jamais. Le nouveau qui s'en occupe connaît son boulot.

— Et ceux de Providence, ils sont contents de leur part ?

— Elle est méritée, Anthony, c'est eux qui nous ont trouvé le gars. Dans ces conditions y'a pas de quoi mégoter.

— Je ne mégote jamais ! Je souhaite à tout le monde d'être heureux et riche ! D'avoir de beaux enfants...

— Tu te sens bien Anthony ?

— Tout à fait ! Si je me sentais pas bien je serais à la maison au lit avec un thermomètre. C'est plutôt toi qui n'as pas l'air en grande forme — rentre chez toi Victor, et excuse-moi de t'en avoir fait sortir.

Scandura ne se fit pas prier. Il avait le visage terreux et ses yeux paraissaient tout petits derrière ses lunettes. En se levant il demanda :

— Et toi ? Tu retournes à la plage ?

— Non, j'ai encore du pain sur la planche, répondit Gardella.

Les membres du club de sports de Cambridge se rassemblèrent autour du fronton pour assister à la partie disputée avec acharnement comme si c'était une question de vie ou de mort. La balle n'était plus qu'un éclair qui ricochait entre les murs et le plafond. Certains parièrent. La masseuse affirma : « C'est le plus vieux qui va gagner, vous allez voir ! »

Thurston réussit un retour dans un angle impossible et s'exclama : « Tu n'arriveras pas à me battre mon gars, je suis trop fort pour toi aujourd'hui ! » Il avait perdu le premier jeu au tie-break mais il menait dans le second après avoir imposé un rythme infernal ponctué de coups fantastiques. Il le remporta haut la main. Au milieu du troisième il se foula la cheville mais il continua tout en boitant à accumuler les points jusqu'à ce que son adversaire n'en puisse plus.

— J'arrive pas à y croire ! balbutia le jeune homme à bout de souffle.

— Et pourtant c'est vrai ! rétorqua Thurston avant de réussir un service imparable.

Ils quittèrent le court sous les applaudissements. Thurston boitait bas. Dans les vestiaires le jeune homme lui demanda :

— Je peux vous faire un chèque ?

— Pas de chèque ! répondit Thurston en examinant sa cheville. Disons plutôt un dîner.

Le jeune homme demeura quelques instants à le contempler :

— Je voulais juste vous demander... Comment vous faites ?

— Question de volonté, répondit Thurston.

— Quelque chose a changé entre nous, remarqua Jane Gardella installée dans un transat sous la véranda. Les nuages avaient disparu et la plage qui miroitait au clair de lune paraissait s'étirer à l'infini. L'air était humide. J'ignore ce que c'est, reprit-elle d'une voix caverneuse comme si quelque chose venait de mourir au plus profond d'elle-même. Assis sur son transat Christopher Wade ne la quittait pas des yeux :

— Peut-être que vous vous faites des idées.

— Il est peut-être au courant, rétorqua-t-elle.

— Non ! s'exclama Wade. On ne serait pas là assis tranquillement !

Un sourire étrange se dessina sur ses lèvres tandis qu'elle le toisait d'un œil sévère :

— Il vous aime bien, vous savez. Ça ne vous dérange pas ?

— Si, répondit Wade, ça me dérange.

— Mais pas suffisamment ! lança-t-elle en serrant les accoudoirs de son transat. Il ne répliqua pas. Il m'aime mais je ne me fais pas d'illusions : c'est un amour où tout est calculé et qui ne laisse pas de place à l'imprévu ! Tout ça est bien étrange, vous ne trouvez pas Wade ? Si au moins ça pouvait également être irréel ! Elle eut de nouveau son sourire bizarre : Je me demande si il le sent parfois, le couteau qui est pointé dans son dos !

— On ne pourrait pas parler d'autre chose ?

— Je n'ai rien d'autre à vous dire. Elle se redressa ; ses cheveux blonds frissonnaient dans la brise. On va se baigner ? Vous en avez envie inspecteur ?

Il secoua la tête.

— Ça vous ennuie si j'y vais ? demanda-t-elle. Ça me démange de nager au-delà des bouées !

Il la dévisagea d'un air inquiet :

— Vous plaisantez ? !

— Juste un fantasme...

Il se pencha pour prendre sa main qu'elle lui abandonna sans réagir. Elle se rassit sans un mot, enfermée dans ses pensées indéchiffrables. Son silence l'effrayait ; il avait l'impression qu'elle n'était plus tout à fait là.

— Je peux peut-être vous aider, glissa-t-il.

— Pourquoi vous ferais-je confiance ? Et que pouvez-vous faire pour moi ? Rien ! C'est Thurston qui tire toutes les ficelles ! Elle retira sa main et se leva. Il l'observa avec émotion tandis qu'elle nouait ses cheveux, bras dressés au-dessus de la tête, comme si elle lui offrait de partager un instant son intimité.

241

— Vous avez besoin de moi !

— C'est à moi d'en décider, répliqua-t-elle en ôtant ses sandales. Pour le moment je vais me baigner...

— Ne commettez pas d'imprudence ! supplia-t-il.

L'agent Blue venait de quitter le drugstore et s'apprêtait à regagner son appartement lorsqu'une voix, surgie de l'obscurité, l'appela. Un homme descendit d'une voiture et s'approcha de lui sur le trottoir où un lampadaire éclaira ses traits.

— Vous savez qui je suis ? demanda Anthony Gardella.

— Bien sûr que oui ! répondit Blue.

— Vous connaissez ma femme ?

— Personnellement ? Non...

— Mais vous possédez des photos d'elle...

Blue sourit :

— On a des tas de photos d'elle, toutes en train de vous donner le bras, la plupart prises à la sortie d'un restaurant — vous aimez le bon temps !

— Je veux parler des photos qui sont dans le tiroir de votre bureau.

— Qu'est-ce que vous racontez ! Je n'en ai pas dans mon bureau.

Après un long moment d'hésitation, Gardella murmura :

— J'aurais dû m'en douter...

Blue était interloqué. Il réfléchit vite mais parla lentement :

— Je crois que j'y suis ! C'est quelque chose que mon patron vous a raconté ?

— Ouais, c'est quelque chose que Thurston a dit.

— Alors vous avez raison ! lança Blue. Vous auriez dû vous en douter !

Allongé en slip sur son lit, une main glissée sous la tête, Wade regardait la télévision. De temps à autre il entendait une voiture mais le grondement de l'océan ne parvenait pas jusqu'à lui car sa chambre donnait sur le boulevard. On frappa à la porte. Il plongea pour attraper de quoi se couvrir mais Jane Gardella était déjà dans la pièce et le regardait :

— Ça ne me dérange pas ! dit-elle.

Elle referma la porte et s'approcha du lit.

— Est-ce vraiment raisonnable ? demanda-t-il.

242

— Tony porte les mêmes, remarqua-t-elle en guise de réponse. Ils sont également un peu juste !

La tête inclinée, elle se tenait sur la pointe des pieds comme si le plancher était collant. La serviette dont elle s'était entourée était humide et épousait les formes de son corps.

— Vous me désirez, n'est-ce pas ? murmura-t-elle.

— Vous le savez parfaitement, répondit-il, mais la question c'est de savoir si vous aussi !

— Non, répliqua-t-elle, la question n'est pas là. Elle jeta un coup d'œil à la télévision. Qu'est-ce que vous regardez ?

— Rien.

En l'éteignant elle plongea la chambre dans l'obscurité. Il chercha à la suivre des yeux mais sa silhouette s'estompa. Soudain il la sentit qui se glissait derrière lui.

— Je finis par ne plus très bien savoir qui je suis, soupira-t-elle.

— Chérie, murmura-t-il tandis qu'elle s'allongeait. Vous êtes Chérie.

La rumeur de la circulation sur le boulevard s'amplifia — ou peut-être avaient-ils davantage conscience du bruit de chaque voiture qui grossissait comme une menace avant de s'éloigner. Une bande de motocyclistes passa en faisant rugir ses engins et en poussant des hurlements de déments. Puis une trêve s'instaura, dictée par l'heure tardive.

— Qu'est-ce qui arriverait s'il nous surprenait ? demanda Wade en caressant le corps de Jane Gardella, collé contre le sien.

— Alors on serait morts, répondit-elle. Ça résoudrait tout...

Une peur viscérale l'envahit mais il ne bougea pas.

— En somme vous préféreriez qu'il croit que vous l'avez trahi de cette façon plutôt que de l'autre ?

Couchée sous lui elle ne bougeait pas non plus et gardait ses genoux serrés l'un contre l'autre. Elle laissa le silence répondre à sa place.

Anthony Gardella ne regagna pas Rye avant le matin. En se dirigeant vers la maison il aperçut Wade sur la plage et lui fit signe. Puis il monta directement dans sa chambre et s'approcha à pas feutrés du lit où sa femme était allongée sur le ventre. Retirant le drap qui la recouvrait, il promena doucement les ongles le long de son dos nu. Elle tressaillit.

— Réveille-toi ! murmura-t-il.

— Je suis réveillée, dit-elle sans bouger, les yeux grands ouverts.

— Je voudrais que tu me pardonnes, lui chuchota-t-il à l'oreille. J'ai un tas de choses à me faire pardonner ! Sa main glissa jusqu'au creux de ses reins. Parfois je me comporte vraiment comme un imbécile !

La tête enfouie dans l'oreiller, elle lui demanda :

— Pourquoi dis-tu ça, Tony ?

— Un de ces quatre, quand on sera tous les deux allongés sur la plage, je te le dirai, répondit-il en se redressant. Elle leva les yeux. Il se déshabillait et lui adressa un clin d'œil en souriant :

— Si tu veux aller à la salle de bains vas-y maintenant !

— Pourquoi ?

— Je vais te faire l'amour ! lança-t-il. Elle se mit à pleurer.

Deux heures plus tard, tandis qu'il prenait son petit déjeuner en compagnie de Wade sous la véranda, il avoua : « Je vais vous confier quelque chose : j'ai cinquante ans et je ne comprends toujours rien aux femmes ! »

22

Deckler, le détective privé venu de New York, attendit dans la voiture tandis que deux de ses hommes entraient dans le bel immeuble en briques où habitait Russell Thurston. Le voisin qui occupait seul l'appartement d'à côté était un ingénieur électricien deux fois divorcé et plongé dans les dettes jusqu'au cou à cause des pensions alimentaires qu'il devait verser. C'est lui que les deux détectives appelèrent à l'interphone et chez qui ils se rendirent. Il les laissa entrer après qu'ils lui eurent présenté des cartes où était inscrit *Services Fiscaux*. Il se doutait qu'elles étaient fausses mais ça lui était égal. Ils lui offrirent cinq mille dollars en échange de son appartement pendant une semaine. Au cas où ils repartiraient plus tôt, ce qui était possible, il garderait néanmoins tout l'argent. Pensant qu'il accepterait cette proposition, ils lui avaient réservé une chambre à l'hôtel Colonnade et tout payé d'avance.

— Mon Dieu, soupira-t-il, du moment que ce que vous faites est légal !

Ils le lui certifièrent et l'aidèrent à faire ses valises.

— Je ne veux pas avoir d'ennuis !

— Vous n'en aurez pas.

En le voyant s'éloigner au volant de sa voiture Deckler descendit de la sienne et ouvrit le coffre. Il en ressortit des valises pleines d'équipements spéciaux qu'il monta jusqu'à l'appartement avec l'aide de ses assistants. Tandis qu'ils triaient le matériel il alla fouiner dans la cuisine où il ne trouva qu'un bout de saucisson pour se faire un sandwich. Tout en le mâchonnant il se rendit dans la chambre à coucher où ses assistants l'attendaient. Ils avaient écarté une commode du mur. Il décrocha le téléphone installé sur la table de chevet et composa le numéro personnel de Thurston. Après l'avoir laissé longtemps sonner, il raccrocha.

— OK, fit-il, commencez à percer.

Devant le Capitole une main se posa sur l'épaule du sénateur Matchett et une voix lui dit : « Vous avez une mine resplendissante, Sénateur ! » Le sénateur fit volte-face avec un sourire machinal qui s'évanouit lorsqu'il vit à qui il avait affaire.

— Ah ! fit-il avec l'air de se triturer les méninges comme s'il cherchait à mettre un nom sur le visage de son interlocuteur.

— Cette chaleur n'en finira jamais ! déclara Russell Thurston. Vous auriez dû rester à la plage !

— Je dois faire face à mes obligations, répliqua le sénateur d'un air hautain qui fit place à la surprise et à l'inquiétude quand il sentit autour de son bras la poigne d'acier de Thurston.

— Je peux vous parler ?

— Maintenant ? Tout de suite ? J'ai un vote qui m'attend ! Malgré ses protestations il se sentit entraîner dans l'ombre du bâtiment jusqu'à une balustrade où il se cramponna.

— Ecoutez-moi bien, Sénateur, je n'ai pas de temps à perdre ni vous non plus ! J'ai des amis à la police du New Hampshire. Il suffit que je décroche le téléphone et dans vingt minutes on perquisitionnera dans votre maison de Rye où on saisira tout votre matériel pornographique, et on embarquera votre femme. J'ai un copain à la chaîne de télévision *Channel Nine* à Manchester qui se fera un plaisir d'envoyer un cameraman sur place !

Le sénateur devint rouge de colère :

— Vous êtes complètement malade !

— Je sais que la camelote est là. Il y en a suffisamment pour inculper votre femme de détention illégale et tentative de trafic. Il faut dire que c'est une véritable collection que vous avez constituée ! Bien entendu il y aura aussi un mandat d'amener contre vous. Thurston s'éclaircit discrètement la voix : A propos, j'ai un enregistrement de vous deux, pas pour servir de preuve mais pour mon propre plaisir ! C'est l'inspecteur Wade qui me l'a donné.

Le sénateur ne broncha pas mais l'une de ses mains tremblait :

— Tout ça ne tient pas debout ! La cour ne retiendra aucun de vos motifs d'inculpation !

— Qu'est-ce que ça peut me faire ? rétorqua Thurston. Le mal sera fait, vous ne croyez pas ? !

— Espèce de salaud !

— Sénateur ! protesta mollement Thurton. Je sais que Gardella blanchit de l'argent pour vous et pour au moins une demi-douzaine de vos collègues. Je sais aussi qu'il le fait pour un juge haut placé ainsi que pour des fonctionnaires du centre des impôts, sans parler d'une brochette d'hommes d'affaires issus des plus grandes familles de Boston et qui dirigent plus ou moins cette ville. Je vais vous dire aussi une autre chose que j'ai apprise, Sénateur : c'est vous qui êtes chargé de collecter tout cet argent et de le transmettre à Gardella, des sommes colossales ! Vous ne lui remettez pas directement de la main à la main mais il finit par lui arriver. Je ne peux rien prouver pour l'instant, Sénateur, mais ce n'est qu'une question de temps !

— Tout ça est insensé ! Je crois que je ferais mieux d'en parler à mon avocat !

— Faites ça, Sénateur, et je donne ce coup de téléphone ! Quand ça sera fait ne venez pas me rendre responsable des conséquences que cela pourrait avoir sur l'équilibre nerveux de votre épouse et que vous imaginez mieux que moi. Pensez aussi au vôtre : c'est votre carrière et votre réputation qui sont en jeu !

Les lèvres du sénateur tremblèrent ; il les pinça. Contrairement à ce que Thurston avait prévu il ne s'effondra pas. Il ne pleura pas davantage comme le responsable du FBI l'avait espéré. Il finit par dire simplement :

— C'est à ma femme que je pense.

— C'est tout naturel.

— Que voulez-vous ?

— Votre coopération.

— A savoir ?

— Tous les noms — à l'exception du vôtre bien entendu ! s'empressa d'ajouter Thurston avec un petit sourire. Vous ne serez pas inquiété.

— Vous me garantissez l'immunité ?

— Mieux que ça, Sénateur : on va laisser croire aux gens que vous avez toujours travaillé pour moi !

Sur la plage Jane Gardella toucha sans le faire exprès le pied nu de Christopher Wade avec le sien qu'elle retira aussitôt :

— Si vous restez ici plus longtemps je vais devenir folle ! lança-t-elle.

— Il me faut un prétexte pour partir.

— Non, pas besoin !

Ils étaient assis sur des chaises basses en toile, près du bord. Anthony Gardella était parti nager en eau profonde, affrontant sans crainte les vagues grâce à son crawl athlétique au style impeccable.

— Je préférerais rester, avoua Wade.

— Vous faites ça exprès pour me faire mal ?

— Vous savez bien que non ! répliqua-t-il sans parvenir à distinguer ses yeux. Elle portait une visière pour se protéger du soleil et son visage était baissé. Elle le releva pour regarder son mari :

— Je l'aime ! murmura-t-elle.

— Je vous aime ! rétorqua Wade, surpris par sa propre intonation. Que dites-vous de cet imbroglio ?

— Je ne veux pas de votre amour ! Je ne veux même pas que Tony m'aime ! Vous rendez-vous compte combien j'ai peur ! Sa tête retomba. Et combien je suis fatiguée ?

— Ça ne se voit pas, dit Wade. Sauf quand vous êtes seule avec moi !

— J'ai prévenu Thurston que je ne pouvais pas continuer mais il ne m'a pas crue... ou peut-être qu'il s'en fiche — oui, c'est ça : il s'en fiche !

— Il faut que vous teniez le coup !

— Non, justement, je ne peux pas ! gémit-elle.

Gardella sortit de l'eau en rajustant son maillot, ses cheveux argentés plaqués contre son crâne. Wade, qui l'attendait au bord, lui lança une serviette qu'il attrapa mais faillit relâcher. Il regarda derrière Wade :

— Où est Jane ?

— Le soleil était trop fort pour elle.

Gardella s'essuya vigoureusement. Non loin de là un garçon de treize ou quatorze ans aux cheveux dorés était en train d'inscrire une obscénité sur le sable mouillé, traçant profondément les lettres de façon à ce qu'elles ne fussent pas effacées à la première vague. Gardella lui jeta un regard choqué et l'apostropha :

— Eh mon gars ! Tu crois que c'est bien ce que tu fais là ?

Le garçon releva brusquement la tête, jeta son bâton et s'éloigna au petit trop en lançant :

— Allez vous faire foutre !

Gardella et Wade échangèrent des sourires embarrassés. Celui de Gardella était de loin le plus crispé :

— Je le laisse s'en tirer comme ça ? Peut-être que je devrais lancer mes gars à ses trousses !

— A son âge il peut tout se permettre !

— ·A cet âge, rétorqua Gardella, je n'aurais même pas songé à insulter mes aînés ! Le respect, c'est ce qui comptait le plus. J'ai été élevé comme ça.

— Ce gosse, ne put s'empêcher de lui faire remarquer Wade, va probablement devenir un jour informaticien, jeune cadre ou professeur de collège — regardez ce que vous vous êtes devenu !

Gardella éclata de rire et passa la serviette autour de son cou :

— Je comprends votre façon de voir !

— Et moi, ajouta Wade, regardez ce que je suis devenu !

— Holà ! Ne vous emballez pas ! Ce que je me dis c'est qu'il y a des gens pires que nous, des tas de gens ! Venez, le soleil commence à taper trop fort pour moi aussi.

Ils glissèrent leurs pieds dans des sandales et quittèrent la plage pour remonter le boulevard jusqu'au magasin de Philbrick. Ils s'installèrent devant la buvette et sourirent à la jeune fille qui la tenait. Gardella commanda un milkshake au café et Wade l'imita.

— Et un hamburger, ajouta Gardella, si ça ne vous ennuie pas.

Wade en prit un aussi. Ils mangèrent avec appétit et prirent leur temps pour déguster les milkshakes. Gardella, qui avait déjà utilisé une serviette en papier et tendait la main pour en prendre une autre, demanda :

— Ça va comme vous voulez ?

— Oui, répondit Wade.

— Moi aussi je me sens bien.

Quand ils repartirent le soleil leur parut plus chaud et plus éclatant. Ils marchaient nonchalamment, tantôt sur les pelouses tantôt sur le gravier, et profitèrent d'un ralentissement de la circulation pour traverser le boulevard. En approchant de la maison Wade remarqua qu'une nouvelle voiture était garée dans l'allée.

— Nous avons une visite surprise, dit Gardella. Ma sœur.

L'agent Blodgett expliqua :

— Il a appelé environ une demi-heure après que vous soyez parti. Il n'a pas voulu donner son nom mais il a dit qu'il ne parlerait qu'à vous et à personne d'autre. C'est peut-être un dingue...

— Vous n'avez pas reconnu sa voix du tout ? demanda Russell Thurston.

— Non, mais je peux vous faire écouter la bande si vous voulez.

— Je n'ai pas le temps : je dois rendre une petite visite à Quimby dans une heure à l'Union Bank. Thurston consulta sa montre et ramassa un journal. Il faut que j'aille aux chiottes ! Si ce type rappelle dites lui que je suis prêt à le rencontrer à condition que ce soit dans le quartier.

Thurston revint un quart d'heure après avec le journal ouvert à la page des mots croisés qu'il avait achevés. Blodgett lui annonça aussitôt :

— Il a rappelé. Il veut vous rencontrer maintenant. Il avait l'air complètement paniqué !

Thurston jeta un coup d'œil à sa montre :

— Ça nous laisse peu de temps ! Où est-il ?

— En bas dans le hall. Autre chose : il m'a donné l'impression d'avoir bu quelques verres de trop !

— Merde, on ferait peut-être mieux de laisser tomber ! dit Thurston en y songeant. Venez avec moi : on ne sait jamais en face de quel genre de dingue on risque de se trouver !

Dans l'ascenseur Thurston remplit sa bouche de pastilles à la menthe et les croqua bruyamment. Blodgett sortit le revolver qui était dissimulé dans un holster sous son costume et vérifia s'il était bien chargé. En le voyant faire Thurston s'exclama :

— Si c'est un dingue flanquez lui ça dans le cul et appuyez sur la détente !

Blodgett remit son arme en place quand l'ascenseur s'immobilisa et sortit le premier lorsque les portes s'ouvrirent avec un sifflement. Tandis qu'ils se dirigeaient vers l'entrée, il donna un léger coup de coude à Thurston :

— Ça doit être lui ! chuchota-t-il en désignant un homme vêtu d'un blaser bleu pâle et planté derrière un arbre en pot comme s'il cherchait à se dissimuler.

Thurston l'observa attentivement :

— Je crois que je le connais.

— Qui est-ce ?

— Il s'appelle Tyrone O'Dea.

De retour chez lui Anthony Gardella chercha Rita O'Dea et finit par la trouver dans la véranda en compagnie de Sara Dillon et de sa femme qui leur désignait des emplacements sur la plage. Sara Dillon l'aperçut la première et baissa les yeux alors qu'il la regardait sans marquer de surprise. Elle avait l'air épuisée par sa grossesse et presque trop vieille pour la supporter, surtout à côté du visage lisse et bronzé de Jane Gardella. Quand sa sœur le vit elle se jeta sur lui avec la force d'un ours et faillit l'étouffer en l'embrassant.

— Doucement Rita ! supplia-t-il en se débattant entre ses gros bras moites. Il fait chaud !

— Pas ici ! répliqua-t-elle en relâchant progressivement son étreinte. C'est un endroit magnifique à côté de Boston qui est devenu invivable ! C'est pour ça que j'ai amené Sara. Elle veut pas me croire mais elle supporte pas la chaleur — regarde-la ! Vêtue d'une robe d'été qui se couvrait de plis au moindre mouvement, elle s'approcha de Sara Dillon et lui prit la main :

— Le voyage ne t'as pas arrangée ! Tu as besoin d'une bonne sieste — Jane, montre-lui sa chambre !

Gardella regarda Sara Dillon obéir sans discuter et quitter la pièce avec sans doute un certain soulagement, guidée par sa femme qui se montrait pleine d'attentions pour elle. En se retournant lentement vers sa sœur il lui dit :

— Je n'ai pas l'impression que ça l'emballe d'être ici.

— Je sais ce qui est le mieux pour elle, répliqua Rita O'Dea.

— Non ! dit-il l'air préoccupé. Tu sais simplement ce qui te fais plaisir.

— C'est un reproche que tu me fais là, Tony ? Tu m'engueules, c'est ça ?

Il posa doucement la main sur son épaule :

— Voilà une chose que j'aurais dû faire beaucoup plus souvent ! Mais maintenant c'est trop tard !

Les yeux de sa sœur furent attirés par quelqu'un qui se trouvait derrière lui. Il se retourna pour regarder à son tour. Christopher Wade était entré silencieusement dans la véranda et attendait l'air embarrassé comme s'il craignait de déranger.

— Rita, c'est...

— Je sais qui il est ! coupa-t-elle. Elle déferla sur Wade comme si elle voulait l'encercler et l'engloutir, avec paradoxalement une grande délicatesse dans ses gestes. Son visage s'éclaira. Mes parents... bredouilla-t-elle. Je ne vous ai jamais remercié pour votre aide ! Comme sa voix s'étranglait, elle agrippa la main de Wade et l'embrassa.

— Rita, arrête ! lança sèchement Gardella avant de glisser à Wade : Je suis navré !

— Ce n'est rien, assura Wade. Je comprends.

Dans une chambre tapissée de rose Sara Dillon desserra le devant de sa robe de grossesse, une de la série que Rita O'Dea avait choisie pour elle, et s'assit au bord du lit afin de défaire ses chaussures qu'elle eut du mal à retirer tant ses pieds étaient enflés. Elle les frotta tandis que Jane Gardella lui sortait des serviettes.

— Nous avons un sauna, dit-elle. Ça vous fera du bien après la sieste.

— Ne vous dérangez pas ! lança Sara.

— Et l'océan peut aussi faire des miracles pour vous ! ajouta Jane.

— Vous avez une cigarette ?

Jane fouilla dans la large poche de son peignoir de plage.

— Je n'ai que ça...

— Peut-on se le partager ?

Derrière la porte close, la fumée emplit la pièce de ses volutes colorées et parfumées. Assise de l'autre côté du lit, Jane guettait le moindre bruit, le visage tendu. Elle croisa ses jambes fines.

— Vous êtes très belle ! ne put s'empêcher de lui dire Sara.

Elles se repassaient le joint.

— C'est ce qu'on m'a dit...

— Pendant une heure ou même une seule minute j'aimerais être belle, simplement pour voir ce que ça fait !

— Parfois ça donne l'impression d'être de la merde ! lança Jane sous la pression des sentiments qui bouillonnaient en elle. Elle grimaça un sourire. Ce n'est pas très beau ce que je dis, hein ?

— Vous êtes préoccupée... Je l'ai senti dès que je vous ai vue. Rita aussi d'ailleurs.

— Qu'elle aille se faire foutre, Rita !

Sara tira lentement sur le joint et savoura sa bouffée.

— Ne la sous-estimez pas ! lança-t-elle comme un avertissement qu'elle-même ne comprit pas. Profondément pâle, elle luttait contre la fatigue et commençait à lorgner le lit.

Jane l'observait et lui demanda :

— Qu'est-ce que ça fait d'être enceinte ?

— On se sent envahie, ligotée et chamboulée !

— Je veux dire moralement...

— Responsable !

— Vous vous êtes déjà demandée si ça valait le coup ?

Sara s'apprêta à s'allonger :

— J'aurais trop peur de la réponse !

Anthony Gardella et sa sœur pataugeaient au bord de la plage, avec le sable mouillé qui formait comme une gangue autour de leurs pieds nus. Les cheveux de Rita O'Dea flottaient librement sur toute

252

la largeur de son dos. De temps à autre elle prenait le bras de son frère, fière d'être vue en sa compagnie lorsque les autres femmes levaient les yeux de sous leurs parasols ou par-dessus leurs magazines pour les regarder passer.

— J'ai apporté un gâteau à la banane, Tony, annonça-t-elle. Je l'ai mis sur la table de la cuisine.

— Merci !

— Et j'ai mis une pinte de crème fraîche dans le frigo. J'ai dit à Jane de la fouetter pour ce soir.

— Ne lui dis pas ce qu'il faut faire, Rita ! *Demande*-lui !

— Ne me houspille pas sans arrêt ! protesta-t-elle d'une voix de petite fille en retirant son bras. Jane et moi on s'entend bien, et ce depuis le début — bien qu'aujourd'hui... enfin je ne sais pas — qu'est-ce qui ne va pas avec elle, Tony ?

Il s'arrêta net, l'air ennuyé :

— Tout va bien avec elle ! Ne commence pas à imaginer des choses !

— D'accord, je ne dirai plus rien ! promit-elle en remontant se robe d'été au-dessus de ses gros genoux blancs pour s'aventurer dans l'eau. Elle laissa la marée lui lécher les pieds puis recouvrir le bas de ses jambes. Elle se retourna vers son frère et lui dit : C'est froid, trop froid, mais ça fait du bien !

— Rita ! viens ici, lui lança-t-il. Elle regagna le bord en soulevant des gerbes d'eau. Pourquoi Ty n'est pas venu ?

— Ça ne lui disait rien... C'est pour Sara que c'était nécessaire.

— Sur le fait que tu récupéreras l'enfant, comment réagit-elle ?

— Elle n'en parle pas et je comprends pourquoi. Au fond d'elle-même elle sait que je pourrais mieux m'en occuper. On va se retrouver Ty et moi avec le bébé, voilà comment ça va se passer !

— Et dans cette histoire, que devient Alvaro ?

— Il redevient garçon de plage à Key Biscayne. Plus je l'observe, plus je m'aperçois que c'est un parasite !

— Il était temps ! dit Gardella avec un profond soupir. Maintenant il faut que je te dise quelque chose au sujet de ce petit enfoiré !

En quittant la chambre elle se heurta à Wade qui l'attendait.

— Ça suffit ! lui lança-t-elle en essayant de le repousser. Il lui saisit le bras.

— Vous avez fumé ! Je sens ça dans vos cheveux et sur vos vêtements.

— Je me laverai ! Je me changerai ! Ne vous occupez pas de moi !

— Je m'en vais, annonça-t-il.

— Bien, dit-elle. Vous avez prévenu Tony ?

— Il est sur la plage avec sa sœur. Dites-lui que je ne voulais pas les déranger. Il lui tenait toujours le bras, doucement. Je peux vous embrasser ?

— Bien sûr, pourquoi pas ?

Son baiser fut léger et chaste, sans passion. Il aurait pu le prolonger car elle paraissait totalement indifférente. Il s'écarta pour lui dire :

— Tout va s'arranger !

— C'est ça ! répliqua-t-elle. Comme au cinéma !

Wade voulait rentrer à Boston aussi vite que possible mais sur l'autoroute 95, alors qu'il était toujours dans le New Hampshire, la courroie du ventilateur de la Camaro sauta et il dut s'immobiliser sur la bande d'arrêt d'urgence. En essayant de réparer il ne fit que se brûler les doigts et se salir les manches. D'un geste rageur il claqua le capot et fit signe aux voitures qui arrivaient mais personne ne s'arrêta. Entre le moment où il partit à pied pour trouver un téléphone et celui où il regarda le dépanneur remplacer sa courroie, le soleil avais disparu. Il était presque vingt-deux heures lorsqu'il arriva à Boston.

Il traversa la ville jusqu'à Chestnut Hill et perdit à nouveau du temps à rechercher une adresse qu'il dépassa. Quand il finit par garer sa Camaro devant le bon immeuble, il renversa la tête en arrière, ferma les yeux et réfléchit pendant plusieurs minutes. Puis il descendit — il avait faim, il se sentait fatigué et crasseux — et se dirigea vers l'appartement où habitait Russell Thurston.

23

Russell Thurston conduisit Christopher Wade dans la pièce qui lui servait de bureau et claqua la porte avant de se retourner vers lui empourpré de colère :

— Ne mettez plus jamais les pieds ici c'est compris ! Ma vie privée est sacro-sainte !

Sans rien dire Wade chercha des yeux le siège le plus confortable et finit par s'asseoir sur le plus proche. Thurston resta debout et lui jeta un regard incendiaire. Il était en manches de chemise et la poche de celle-ci portait ses initiales brodées en caractères sobres.

— Alors qu'est-ce que vous me voulez ? !

— On arrête, laissa tomber Wade. Jane Gardella et moi...

— Vous deux, hein ? lança Thurston avec un ricanement. Cœur Tendre et Chérie — un beau couple ! Il appuya sa hanche contre le bord sculpté de son bureau en teck et se croisa les bras. La réponse est non ! Pas question !

— D'accord, je continue, mais mettez-la en dehors du coup. Si vous ne faites pas ça elle se fera tuer. Elle ne fera rien pour l'empêcher, croyez-moi !

— Excusez ma franchise, Wade, mais les gens suicidaires m'ennuient. Vous, en revanche, ils ont l'air de vous fasciner !

— Je la sortirai moi-même de ce guêpier.

— Vous êtes fou ! s'exclama Thurston avec ce qui pouvait presque passer pour de la sympathie. Je la connais mieux que vous. C'est Gardella qu'elle veut sauver, pas vous ! Ça fait longtemps que j'ai compris ça...

— Alors pourquoi continuez-vous à l'utiliser ? Elle ne vous livrera rien d'important contre Gardella.

— C'est ce qu'elle croit, dit Thurston avec le sourire. Mais toutes les informations d'où qu'elles viennent sont bonnes à prendre et le moindre petit morceau me permet de reconstituer une partie du puzzle. A la fin tout s'emboîte, Wade, et ça fait un tableau merveilleux !

— Vous êtes content de vous, pas vrai ?

— J'ai de quoi ! Tout marche comme sur des roulettes, peut-être encore mieux que je ne l'avais prévu. Alors pourquoi faire le modeste ? Je connais mon métier, déclara-t-il en pesant chaque mot. Il s'écarta du bureau et demanda à Wade : Vous voulez boire quelque chose ? Je crois que ça vous ferait du bien !

Wade ne répondit pas et Thurston revint bientôt avec une bouteille de Peppermint et des verres à liqueurs. Il les remplit avec un sourire de contentement et en tendit un à Wade :

— Réfléchissez-y, dit-il. Rien de sérieux ne nous sépare en fait. Nous sommes des professionnels qui avons un boulot à faire, et je fais le mien mieux que la plupart des autres.

Il se heurta au regard vide de Wade qui déclara :

— Au fond vous n'êtes pas très différent de Gardella dans votre façon d'agir mais je crois que je pourrais lui faire confiance sur certains points — à vous, sur aucun !

— Bien envoyé ! reconnut Thurston en riant. Le Rital vous a mis dans sa poche, n'est-ce pas ? Ça n'a rien d'étonnant : ils sont tous très séduisant ! Mais laissez-moi vous dire une chose, lança Thurston en agitant son verre de liqueur. C'est une race de caïds en voie d'extinction. Ils n'ont plus la puissance qu'ils avaient autrefois et même alors ils en avaient moins qu'on leur en prêtait. Les Juifs les ont toujours surclassés ! Tandis que les Ritals attiraient l'attention sur eux les Juifs restaient dans l'ombre à récolter le plus gros des bénéfices. Vous avez déjà connu un Rital de l'envergure de Meyer Lansky, un type qui a vécu aussi longtemps que Mathusalem et qui a passé la plus grande partie de sa vie sous les cocotiers, à Hallandale et à Miami avec les Ritals aux petits soins pour lui ? Autre chose : vous connaissez beaucoup de Juifs qui en bavent comme les Ritals ? Mais pourquoi souriez-vous ?

— A qui voulez-vous faire croire tout ça ? Vous avez besoin d'idoles, dit Wade d'une voix douce. Meyer Lansky ce n'est pas un simple nom pour vous, c'est un dieu ! Vous vous dites qu'il est toujours là, quelque part dans le ciel, n'est-ce pas ? Et vous ne détestez pas les Italiens. Je crois au contraire que vous êtes amoureux d'eux et c'est pourquoi vous vous acharnez tellement sur Gardella — vous avez un faible pour lui pas vrai ?

— Vous avez l'esprit mal tourné, répliqua Thurston, quelque peu impressionné, et surtout borné ! Il vida son verre et se resservit. Vous en voulez aussi ?

— Ça ira comme ça.

— N'essayez pas de déjouer mes plans, Wade. Ce qui est en train de se passer m'arrive tout droit du ciel !

— Vous croyez ça ?

— En partie ! Thurston avait l'air de beaucoup s'amuser. Laissez-moi vous dire tous ceux qui sont déjà à ma botte. Il y a le commissaire Scatamacchia. Vous le connaissez, eh bien il est à moi à présent, empaqueté et ficelé ! Je contrôle cette fille, Laura, et vous comprenez maintenant pourquoi j'avais des questions à vous poser à son sujet. Je tiens le sénateur Matchett : je suis en train de transformer ce perverti en champion de la lutte contre le crime et après ça j'en ferai peut-être un gouverneur. Vous vous rendez compte, Wade, l'Etat du Massachusetts à mes pieds !

— Vous dites ça sérieusement ? demanda Wade l'air interloqué.

— Enfin, la moitié à mes pieds ! Non, disons plutôt les trois-quarts... Thurston était aux anges. J'ai mis aussi le grappin sur quelqu'un d'autre, sans m'y attendre car il n'était pas dans mon collimateur. Vous êtes prêt à écouter ça ?

Wade eut un geste las :

— Je vous écoute.

— C'est Tyrone O'Dea. Il m'a donné des tuyaux sur la sœur de Gardella qui remontent à loin.

Wade se redressa sur sa chaise :

— Vous allez faire tomber beaucoup de gens mais pensez-vous remonter jusqu'à Gardella lui-même ?

— Allez ! lança Thurston avec un sourire condescendant. Vous savez sûrement que ça n'a aucune importance ! Avec Chérie je le tenais dès le début. Lorsqu'il découvrira que la femme qu'il a épousée est un indic du FBI, un appât, alors je l'aurais anéanti moralement ! Et quand ceux de Providence sauront ça, je l'aurais anéanti professionnellement ! Qu'est-ce qu'il lui restera comme choix ?

— Aucun, répondit Wade avec un frisson d'effroi.

— Exactement.

— Et où se retrouvera Chérie dans toute cette histoire ?

— Au cimetière, laissa tomber Thurston.

Dans l'obscurité de la chambre Anthony Gardella se tourna dans son lit et secoua l'épaule de sa femme. « Réveille-toi » lança-t-il.

257

Elle tressaillit et lutta pour dégager ses bras des couvertures en grimaçant comme si quelqu'un cherchait à l'en empêcher. Elle le regarda en clignant les yeux.

— Qu'est-ce qu'il y a ?

— Tu parlais dans ton sommeil...

— Qu'est-ce que je disais ?

— Mon nom — tu le criais, c'est ce qui m'a réveillé !

— Je devais rêver que tu étais parti nager trop loin et je te hurlais de faire demi-tour...

— Je connaissais un gars, Chili Trignani, qui avait l'habitude de laisser tourner un magnétophone la nuit sous son lit au cas où sa nana parlerait comme ça dans son sommeil. Il se figurait qu'elle voyait quelqu'un, ce qui était la vérité, mais il s'agissait d'un psychiatre ! Il faut dire qu'il la rendait folle ! Il avait aussi la manie de lui soulever sa jupe quand elle rentrait à la maison pour s'assurer qu'elle portait bien un slip !

— Je t'aime Tony, murmura Jane Gardella.

Il leva le bras et le laissa retomber sur elle :

— Je le sais et je le saurais aussi si tu ne m'aimais pas... Il la caressa. Dans cette histoire avec Chili le plus drôle c'est que sa femme était laide comme un pou !

— Masse-moi le dos, Tony.

Il se pencha au-dessus d'elle et la massa entre les omoplates avant de lui demander :

— Et les fesses ?

— Oui, aussi... Elle était immobile, allongée à plat ventre, jambes écartées. Tu crois que je t'aime suffisamment Tony ?

— T'ai-je déjà réclamé davantage d'amour ?

Les rideaux se soulevèrent, gonflés par la brise marine qui répandit une odeur de sel dans la chambre. Le cri d'un oiseau de mer déchira la nuit. Gardella se rendormit, une main abandonnée entre les jambes de sa femme qui demeura éveillée.

Une seule lampe était allumée à l'intérieur de la maison de Rita O'Dea à Hyde Park. Son unique occupant était Ty O'Dea qui avait passé toute la soirée à boire. Son visage en portait les traces bien qu'il ne fût pas à proprement parler ivre et qu'il ne se sentît pas du tout fatigué. Trop sur les nerfs pour se détendre, il regardait la télévision rigide sur son fauteuil dans ce que Rita O'Dea avait récemment baptisé la salle familiale. Cela lui faisait du bien de se retrouver seul mais son plaisir fut de courte durée : le bruit de la porte d'entrée qui s'ouvrait le fit sursauter. Il entendit qu'on allumait des lumières et la voix rauque d'Alvaro lui parvint, suivie du rire brusque d'une femme. Lorsqu'elle se mit à parler il devina à la fois qu'elle était jeune et d'origine latino-américaine. Il écouta Alvaro qui lui disait de l'attendre là-haut dans la chambre avant d'entrer dans la pièce où il se trouvait.

— Tu es cinglé ! lui lança Ty O'Dea.

Alvaro eut un grand sourire :

— Rita est à la plage — qu'est-ce que je risque ?

— Avec les risques que tu prends, tu as de la chance d'être toujours en vie !

— Quand l'heure est venue, on meurt, mais en attendant on vit : voilà comment je vois les choses. J'ai essayé d'expliquer ça un jour à un gars qui était en train de crever : il n'a pas compris non plus !

— Qui c'est cette fille ? demanda Ty O'Dea.

— Une gamine, vraiment mignonne, elle débarque de Porto Rico. Demain matin je lui filerai cent dollars pour qu'elle ait l'impression d'être une reine !

Ils entendirent ses pas au-dessus de leurs têtes. Ty O'Dea déclara aussitôt :

— Pas dans la chambre de Rita !

— Pourquoi pas ? rétorqua Alvaro. Si elle le savait ça l'exciterait !

— Tu connais mal Rita.

— Je l'ai baisée des centaines de fois alors je peux en parler !

Le visage cramoisi, Ty O'Dea regarda la télévision qui passait une publicité à la gloire du dentifrice. Il sentait une boule au creux de son estomac. En rotant discrètement il observa Alvaro qui s'approchait avec un sourire affecté, le col de sa chemise ouvert et étalé sur sa veste voyante.

— T'as pris une cuite, hein ?

Ty O'Dea rougit encore plus et tortilla ses doigts.

— T'as eu une drôle de façon de faire dernièrement, lui dit Alvaro. Qu'est-ce que tu mijotais ?

— Laisse-moi tranquille !

Une lueur narquoise s'alluma dans le regard d'Alvaro :

— P't'être qu'il faudrait que je te flanque une volée pour savoir de quoi il retourne...

— T'aurais dû partir quand je te l'avais dit la première fois, murmura Ty O'Dea en clignant les yeux et à moitié paralysé. Tu devrais le faire maintenant, cette nuit, en profitant qu'elle a le dos tourné.

— Je vais toujours jusqu'au bout, combien de fois y faudra que je te le répète ?

— Tu vas mourir, lâcha Ty O'Dea.

— Enfoiré de salaud ! s'exclama Alvaro. Tout le monde finit par mourir !

En le raccompagnant à la porte Russell Thurston lui recommanda :

— Soyez ferme ! Et souvenez-vous d'une chose : vous et moi nous sommes différents des autres. Nous devons veiller au bon fonctionnement de cette société, par des méthodes qui ne regardent que nous. Vous pigez ?

— Je pense que oui...

— Dites-le que j'en sois bien convaincu !

— Je comprends, articula Wade en fronçant à peine les sourcils.

— Tant mieux ! ajouta Thurston, car je ne veux pas vous anéantir vous aussi !

24

La vague de chaleur n'en finissait plus. En milieu de matinée le soleil écrasait déjà la ville. Victor Scandura avait acheté des petits pains à la boulangerie du coin et prenait le petit déjeuner dans le bureau d'Anthony Gardella au siège de sa société immobilière. Il avait fermé la porte pour conserver l'air frais soufflé par la climatisation qui fonctionnait à plein rendement. Lorsque le téléphone sonna il s'essuya délicatement les doigts avant de répondre. C'était Quimby, de l'Union Bank de Boston, qui appelait.

— Anthony s'est absenté, dit Scandura. Si vous voulez, je peux faire le nécessaire pour qu'il vous rappelle d'ici un à deux jours.

— Arrangez-vous pour qu'il me rappelle au plus vite ! dit précipitamment Quimby. Dites-lui qu'il se passe des choses. Les gens commencent à se poser des questions en ville. Pour ma part j'ai un agent fédéral sur le dos et j'aimerais...

— Écoutez-moi un instant, intervint Scandura d'une voix impassible. Deux fois par mois on a des gars qui viennent ici pour faire le ménage en grand et s'assurer qu'il ne reste plus aucune trace de poussière. On n'est jamais trop prudent, vous voyez ce que je veux dire ?

— Oui, je comprends ce que vous me racontez, mais vous, vous comprenez ce que moi je vous dis ?

— Je vais dire à Anthony de vous rappeler.

— C'est ça !

Scandura raccrocha et consulta sa montre. Il ne voulait pas déranger Gardella trop tôt. Il termina son dernier petit pain. Après avoir bu son café il éprouva une envie de fumer pour la première fois depuis des années. Il se leva et se dirigea vers la porte en entendant quelqu'un pénétrer dans les bureaux. C'était Deckler, le détective privé de New York.

— Vous avez trouvé quelque chose ?

Deckler fit signe que oui :

— Je vais vous confier une chose : je suis partagé entre deux attitudes. Après tout, j'étais autrefois dans le camp opposé.

— J'ai entendu dire que vous vous étiez toujours tenu sur la barrière, à cheval entre les deux camps comme aujourd'hui, dit Scandura. Qu'est-ce que vous avez trouvé ?

— Je ne peux pas vous le dire. C'est quelque chose que Gardella doit entendre le premier.

— Ici tout passe par moi.

— Pas ça, croyez-moi, affirma Decker.

Scandura dévisagea le détective :

— Vous ne pouvez vraiment rien me dire ?

— Sur Thurston ? Si... Ce type est pas normal.

Anthony Gardella était seul. Sa femme, sa sœur et Sara Dillon étaient parties en excursion pour la journée aux îles de Shoals. Il attendait en maillot de bain sous la véranda. En entendant une voiture s'engager dans l'allée il sortit et fit le tour de la maison pour accueillir son visiteur.

— Tu n'as pas mis longtemps, lui dit-il.

— Les explications de Scandura étaient au poil, répondit Deckler en tendant la main. Ça fait un bail, Tony ! J'ai l'impression qu'on a dû pas mal changer tous les deux, hein ?

— Pas vraiment, répliqua Gardella, si on regarde bien !

— Tu te rends compte si on était resté dans l'armée, on serait devenu des généraux !

— Au moins ! acquiesça Gardella en le conduisant à la véranda. Deckler avait amené une grosse enveloppe qu'il posa sur ses genoux après s'être assis. Gardella servit à boire. A la tienne !

— A la tienne ! répondit Deckler. Il but une gorgée et claqua la langue. Pas mauvais ! Qu'est-ce que c'est ?

— Un apéritif. Du St Raphaël.

Une sonnerie retentit à l'intérieur de la maison. Deckler demanda :

— C'est le téléphone ?

— Laisse tomber !

L'enveloppe changea de main.

— Je voulais te la remettre personnellement. J'ai pensé qu'il valait mieux que ça ne passe pas par Scandura.

— Victor est mon bras droit, mon frère.

Deckler fit comme s'il n'avait pas entendu et continua :

— Je t'ai également apporté la note. Regarde au dos de l'enveloppe : c'est marqué en petit dans le coin.

Gardella retourna l'enveloppe, déchiffra l'inscription au crayon et leva ses yeux aux paupières tombantes :

— J'achète tes services, pas ton agence.

— Ça ne t'empêchera pas de payer, je crois. Après ça peut-être que tu me détesteras mais tu régleras l'addition ! Deckler indiqua l'enveloppe du regard : Il y a des photos dedans. Sors en une. Une seule : ça suffira.

Gardella ouvrit l'enveloppe et en retira un cliché 8 x 10 tiré sur papier brillant qu'il examina attentivement. Il reconnut les traits de Russell Thurston.

— Ça te va ?

— Tout à fait, dit Gardella, l'air réjoui. Mais ça ne vaut pas le prix que tu demandes.

— Il y a aussi une bande magnétique dans l'enveloppe. Thurston a reçu la nuit dernière un visiteur très spécial. Leur conversation t'intéressera au plus haut point ! A elle seule cette bande justifie le prix que je demande mais il y a encore plus fort, et c'est pourquoi je n'ai pas voulu passer par Scandura. Ça te touche de trop près.

Gardella attendit.

— Quand j'étais à la brigade des stups j'ai rendu un service à Thurston, confia Deckler. Ça concernait ta femme.

Christopher Wade essaya de joindre Jane Gardella. Il composa son numéro à Rye en s'apprêtant à raccrocher si jamais c'était son mari qui avait répondu mais personne ne répondit. Il essaya à nouveau plus tard mais sans davantage de succès. Il claqua le combiné, jeta un coup d'œil circulaire et décida de quitter son bureau. Cet endroit le déprimait. N'ayant pas l'intention d'y remettre les pieds, il commença à ramasser ses affaires, son sac de couchage dans l'autre pièce, sa trousse de toilette au-dessus du lavabo et son Beretta de rechange dans la classeur. L'idée d'avoir à regagner son appartement le déprimait aussi mais il n'avait pas d'autre endroit où aller.

Dans l'appartement l'air était irrespirable. L'unique climatiseur était en panne et Wade mit en marche un petit ventilateur devant lequel il s'installa après avoir enlevé ses chaussures et déboutonné sa chemise. Il finit par s'assoupir.

Sa femme le réveilla.

Penchée sur lui, fraîche et élégante dans son tailleur en crêpe, Susan Wade lui dit :

— J'allais sonner quand je me suis aperçue que tout était ouvert, même la porte d'entrée de l'immeuble.

— Ils s'en foutent ici, dit-il l'air surpris de la voir. Il se leva en prenant soudain conscience de sa tenue débraillée. Elle sortit des papiers du sac à main blanc qui était pendu à son épaule.

— La maison sera mise en vente demain, dit-elle, mais l'agent immobilier a besoin de ta signature.

Il lut le document et s'attarda sur la mise à prix.

— C'est plus de trois fois ce qu'on l'avait payée !

— C'était il y a une éternité, Chris !

— Oui, c'est vrai. Tu as un stylo ? Elle lui en tendit un qui portait le logo de l'agence Rodino Travel. Il griffonna sa signature à l'endroit indiqué. Lorsqu'elle se mit à parler il posa le doigt sur ses lèvres et murmura : Pas ici !

Il la conduisit à la salle de bain.

Avec un sourire gêné elle lui dit :

— Excuse-moi Chris mais je n'ai pas envie de faire pipi !

— Je n'aime pas parler de l'autre côté, ça me rend nerveux. Il ouvrit un robinet. L'appartement est sur écoute.

— Ça ne m'étonne pas, dit-elle, c'est d'ailleurs de ça dont je voulais te parler. J'ai dîné à deux reprises avec quelqu'un que tu connais. Un agent fédéral. Il s'appelle Blue.

Il la regarda droit dans les yeux :

— Comment l'as-tu connu ?

— Aucune importance. Il m'a raconté ce que tu faisais, cette affaire dans laquelle tu es impliqué. Il m'a demandé de te dire de tout laisser tomber, immédiatement. Tu ne peux faire confiance à personne, pas même à lui, a-t-il ajouté. Elle lui toucha le bras. Je ne veux plus jamais vivre avec toi, Chris, mais partout où je serai je voudrais être sûre que tu es vivant et en bonne santé !

Il lui sourit :

— Tu es en train de me dire que j'occupe une place à part dans ton cœur ?

— Oui, c'est vrai.

— Est-ce que... tu sors avec Blue ?

Ce fut à son tour de sourire :

— C'est un bel homme, plus jeune que moi, son corps noir a quelque chose d'excitant, mais non, je ne sors pas avec lui. La première fois c'est moi qui l'ai invité, la seconde c'est lui qui a payé. Et à chaque fois sa femme était présente. A propos, ils n'ont pas de secrets mais partagent tout y compris les frustrations de leurs boulots. Je crois que leur mariage tiendra le coup.

Il la regarda arranger ses cheveux d'un geste machinal et se sentit soudain bouleversé :

— Tu es toujours très belle, Susan. Tu n'auras pas de mal à te trouver quelqu'un.

— C'est également ce que je pense, Chris, mais cela n'aurait pas d'importance si ça ne se produisait pas.

— Tu envisages toujours d'aller t'installer en Californie ? demanda-t-il. Elle fit signe que oui. Tu pars avec ta voiture ? Elle acquiesça de nouveau. Il ouvrit sa trousse de toilette où il avait rangé le Beretta. Prends-ça s'il te plaît, dit-il. Si tu veux traverser le pays toute seule il te faut une protection.

— Non, répliqua-t-elle. Je ne saurais même pas m'en servir.

— Mais je t'avais montré, tu t'en souviens ?

— Non Chris, tu as toujours eu l'intention de le faire mais à chaque fois il y avait quelque chose de plus urgent... Elle écarta doucement sa main et l'embrassa. Je suis assez grande pour me défendre toute seule maintenant.

Les femmes étaient rentrées de leur excursion aux îles de Shoals. Jane Gardella avait encore besoin de se dépenser et elle partit se promener sur la plage. Elle avait demandé à son mari de l'accompagner mais il avait refusé sans dire un mot. Un peu plus tard Rita O'Dea alla s'acheter une glace chez Philbrick ce qui le laissa seul avec Sara Dillon. Il s'approcha sans bruit de la porte de sa chambre et l'ouvrit. Elle était dans le sauna, vêtue simplement d'une serviette qui entourait sa taille épaisse. Gardella fixa son dos nu où s'étalaient des taches disgracieuses et des boutons. En sentant son regard sur elle, elle jeta un coup d'œil par-dessus son épaule.

— Je n'ai pas droit à un peu d'intimité ?

— Vous avez cinq minutes pour partir d'ici, lança-t-il d'une voix calme. Un taxi va venir vous prendre. Il vous conduira à l'aéroport Logan où vous prendrez le premier avion pour la Floride. Il déposa de l'argent sur la commode. Je ne veux plus jamais vous revoir y compris quand il m'arrivera de descendre là-bas.

— Et Ty, qu'est-ce qu'il devient dans tout ça ? demanda-t-elle. Gardella lui jeta un regard glacial en guise de réponse.

Jane Gardella rentra de sa promenade alors que le soleil déclinait à l'horizon. Elle pénétra dans la véranda où elle se heurta au regard dur de Rita O'Dea qui était en train de manger de la glace dans un bol. Son mari était également là, debout et figé. Alors qu'elle se laissait tomber dans un transat il la retint brusquement par le bras.

— Allons à l'intérieur, dit-il. Il la laissa passer devant. Elle se rendit dans la cuisine. Lorsqu'elle se retourna pour lui faire face il lui demanda :

— Le mariage, ça faisait partie du scénario ?

Victor Scandura reçut une visite tardive au siège de la société immobilière. Il relâcha le téléphone où il avait laissé sa main posée comme s'il s'attendait à ce qu'il sonnât d'une seconde à l'autre. Levant lentement les yeux, il demanda :

— Fermez la porte. J'essaie de garder cette pièce au frais.

Russell Thurston lui lança joyeusement :

— Vous n'avez pas l'air surpris, vous avez l'air hors de vous !

Les verres des lunettes de Scandura étaient sales. Il les ôta et les essuya.

— Votre visite tombe mal : je m'apprêtais à aller manger...

— Il doit y avoir des tas de choses que vous ne pouvez pas manger ! dit Thurston en s'asseyant. Je connais votre dossier médical : on peut dire que vous avez un fichu estomac ! Un ulcère pareil ça peut vous tuer !

— Vous ne connaissez pas mon dossier médical.

— Qu'est-ce que vous pariez ! Ce Noir qui travaille pour moi, vous avez dû le voir dans les parages ; sa femme travaille au centre hospitalier du Massachusetts. Elle voit les dossiers. Elle a vu le vôtre...

Scandura remit ses lunettes.

— Vous êtes venu ici simplement pour me provoquer ou bien avez-vous quelque chose à raconter ?

— Je suis venu vous dire que beaucoup de gens viennent se confier à moi ces temps-ci... Leurs noms vous feraient frémir... Ce qui signifie que pour votre boss c'est le commencement de la fin !

— C'est gentil de m'avoir prévenu. Je lui ferai part de votre visite.

— Scandura, écoutez-moi ! Regardez-moi bien dans les yeux : c'est *vrai* !

— Excusez-moi, je vais me laver les mains avant d'aller manger.

Scandura quitta le bureau et se rendit aux toilettes. Il se courba au-dessus de l'évier et ouvrit le robinet. Comme il n'y avait plus de serviettes en papier il s'essuya les mains sur son pantalon. Thurston le regardait faire avec un large sourire :

266

— Vous ne ferez pas de vieux os, Scandura ! Vous espérez pouvoir tenir encore combien de temps mon pauvre vieux ? Vous ne voulez pas qu'on s'arrange tous les deux ?

Scandura lui claqua la porte au nez.

Christopher Wade gara sa Camaro sur le boulevard. Il coupa le moteur et l'écouta cliqueter en refroidissant. Il l'avait poussé à fond. Au-dessus de l'océan le ciel était couvert d'étoiles. Aucune lumière ne brillait à l'intérieur de la maison qui paraissait abandonnée tout comme l'unique voiture garée dans l'allée. C'était celle de Jane Gardella.

Il se décida malgré tout à tenter sa chance.

Il bondit hors de la Camaro, traversa le boulevard au pas de course et s'élança vers l'entrée de la maison. Il s'attendait presque à trouver un mot pour lui épinglé sur la porte mais il ne vit que son reflet fantômatique dans la vitre.

Dans la véranda il buta contre un bol, faisant tinter la cuillère qui était dedans. Une bouteille à moitié vide de St Raphaël, tiède au toucher, était restée sur la table.

Une pensée angoissante l'obséda tandis qu'il rentrait à Boston : il n'avait aucun plan, pas la moindre idée de ce qu'il fallait faire, rien qu'un mal de tête qui ne fit qu'empirer tandis qu'il franchissait à vive allure le pont Mystic Tobin sous les lampadaires qui éclairaient alternativement son visage. En roulant dans Hyde Park il dut freiner brutalement pour éviter un taxi dont le moteur fumait. Arrivé chez Gardella il laissa sa voiture devant l'entrée du premier box. Le garage était allumé. Le visage bouffi de Ralph Roselli se détacha de l'ombre.

— Vous n'avez pas besoin de frapper, dit Roselli. Entrez directement.

26

Christopher Wade pénétra dans la bibliothèque et s'immobilisa. Ralph Roselli, qui arrivait derrière lui, le fouilla rapidement.

— Regardez-moi ça ! dit Roselli d'une voix neutre, il a deux flingues. Des Beretta. Il se prend pour un putain de cow-boy solitaire !

— Laisse-lui en un ! lança Anthony Gardella sur un ton aussi impassible que celui de Roselli. Gardella et Scandura étaient installés dans des fauteuils en cuir. L'unique éclairage était voilé et provenait d'une lampe de bureau tournée vers le mur.

Jane Gardella était assise à l'autre bout de la pièce, dans une obscurité presque totale, comme si son mari ne voulait pas voir son visage. En la cherchant des yeux Wade lui lança :

— Comment ça va ?

Elle ne répondit pas.

— Qu'est-ce que ça peut vous faire ? intervint Gardella. Vous tenez particulièrement à elle ?

Il y eut un silence lourd de menaces.

Gardella se retourna sur son fauteuil et regarda sa femme :

— Il représente quelque chose pour toi ? Faute de réponse il dévisagea de nouveau Wade : Qu'est-ce que vous dites de ça ? Ma propre femme ne veut pas me parler !

— Elle ne témoignera jamais contre vous, vous le savez très bien, se contenta de répondre Wade.

— Vous feriez mieux de vous asseoir, lança Gardella. On dirait que vous tremblez ! Ralph, passe-lui une chaise.

— Non, je suis bien comme ça, dit Wade.

— T'entends ce qu'il dit, Ralph, il veut pas de chaise. Gardella se pencha pour ramasser l'épaisse enveloppe que Deckler lui avait remise et en sortit une cassette qu'il montra à Wade. Je pensais que vous étiez un type réglo mais maintenant je me pose des questions. Il fit sursauter Wade lorsqu'il brisa la cassette en deux. Des éclats de plastique volèrent et la bande magnétique se déroula. C'est une conversation entre vous et Thurston...

— Alors vous savez que ça va mal pour vous, dit Wade tout en essayant de capter le regard de Jane Gardella mais son visage se perdait dans l'ombre. Tout ce qu'il voyait c'étaient ses mains aux doigts écartés. Il se demanda un instant si elle était bien vivante.

— Vous voulez lui faire mal ?

— Quoi ? !

— Thurston. Si vous voulez vous le payer j'ai un cadeau pour vous. Il lança l'enveloppe à Wade qui l'attrapa d'une seule main avec une adresse surprenante et la contempla. Allez-y, ouvrez-la ! dit Gardella. Amusez-vous !

Après s'être escrimé quelques instants avec le rabat, Wade sortit les photos, en examina lentement quatre ou cinq et les remit dedans. Il sentait peser sur lui non seulement le regard de Gardella mais encore celui de Scandura.

— A présent j'ai un service à vous demander, dit Gardella.

— Je vous écoute.

— Quoiqu'il m'arrive, je veux que ma sœur s'en tire. Il faut qu'on la laisse tranquille. Donnez-moi votre parole ?

Scandura sursauta :

— Pourquoi tu lui demandes ça ? Qu'est-ce qu'elle vaut sa parole ?

— Ça va peut-être te surprendre, Victor, mais je crois bien connaître cet homme !

— Vous avez ma parole, dit Wade.

— Bien, murmura Gardella en détournant les yeux. Maintenant j'ai quelque chose de plus dur à vous annoncer...

L'air de la nuit était humide et des insectes frôlaient leurs visages tandis qu'ils se dirigeaient vers la maison de la sœur de Gardella. Wade et Jane Gardella marchaient en tête avec Ralph Roselli juste derrière eux. Gardella et Scandura fermaient la marche. Jane Gardella avançait d'un pas hésitant et à deux reprises Wade dut la soutenir.

— Hé Ralph ! lança Gardella. Dis-leur que si ils veulent se tenir par la main ça ne me dérange pas !

Scandura lui chuchota :

— Tu fais durer le plaisir, Anthony, on n'a pas de temps à perdre !

— Je sais ce que je fais, Victor !

Scandura connaissait également des problèmes d'équilibre, glissant sur l'herbe mouillée. D'une voix précipitée il déclara :

— Si tu ne la descends pas, c'est moi qui le ferais !

— Ah bon, c'est comme ça ? demanda Gardella sans se troubler. J'ai l'impression que t'as dû passer un coup de fil à Providence !

— Est-ce que j'avais le choix, Anthony ?

— On a toujours le choix ! rétorqua vivement Gardella. Je vais m'occuper de cette affaire à ma façon.

Ils pénétrèrent dans la maison de sa sœur et il les guida vers la porte de la cave. Ils descendirent l'escalier en file indienne, Wade en tête. Le sous-sol était recouvert de moquette et ses murs étaient lambrissés ; il comprenait une salle de jeux où les attendait Rita O'Dea. Elle jeta à Wade un regard inexpressif. Alvaro était enchaîné sous la cible d'un jeu de fléchettes, la tête pendante. Il avait l'air drogué.

— Vous le connaissez ? demanda Gardella.

— Non, répondit Wade.

— Approchez-vous de lui et regardez-le bien. Tandis que Wade s'exécutait Gardella tendit la main et Roselli lui remit le second Beretta. Ce petit trou-du-cul s'imaginait que je ne savais pas qui il était !

Wade fit volte-face et vit avec horreur Gardella placer le pistolet contre la tempe de sa femme. Jane Gardella demeurait pétrifiée, les yeux écarquillés et fixés sur la cible au centre de laquelle s'épanouissait un bouquet de fléchettes.

— Liquidez-le Wade ! dit Gardella. Faites ça pour moi. Vous le descendez ou moi je la descends !

Wade demeura bouche bée.

— Non ! finit-il par articuler.

— Vous avez votre feu, continua Gardella. Sortez-le !

Lentement, précautionneusement, Wade glissa la main à l'intérieur de sa veste et libéra le pistolet de son holster. Scandura et Ralph Roselli échangèrent un bref coup d'œil. Un petit sourire se dessina sur le gros visage de Rita O'Dea.

— Ne me poussez pas à bout ! lança Wade.

Alvaro eut un sourire suffisant :

— Personne ne va me descendre : mon heure n'a pas sonné !

— Je vous laisse une seconde, Wade ! cria Gardella. Et laissez-moi vous dire une chose : ça m'est complètement égal !

Rarement Wade ne s'était autant senti privé de choix bien qu'au plus profond de lui-même il sût qu'un doute subsisterait toujours.

270

Un éclair jaillit du Beretta avec une détonation assourdissante et l'odeur âcre de la poudre envahit la pièce. Le coup fit mouche.

Jane Gardella se cacha les yeux dans les mains. Scandura baissa les siens. Ralph Roselli avait sorti de sa poche un revolver nickelé de calibre .32 mais il ne savait pas trop quoi en faire. Rita O'Dea s'exclama :

— Seigneur, il l'a fait !

Gardella jeta sa femme dans les bras de Wade :

— Foutez le camp tous les deux !

— C'est pas normal ! protesta Scandura. Il faut qu'ils y passent eux aussi !

Gardella lui intima du regard l'ordre de se taire et il fit signe à Roselli de ne pas bouger.

— C'est toujours moi qui commande, lança-t-il.

26

Les deux hommes venus de Providence se rendirent au siège de sa société immobilière pour lui parler. Anthony Gardella lança à l'un d'entre eux :

— Tu devrais te foutre un peu au soleil bon sang ! Tu ressembles à un albinos !

L'homme au visage livide sourit :

— Tu me l'as déjà dit la dernière fois !

— C'est signe que je vieillis : je radote !

L'autre homme, qui avait le cou épais et des poches sous ses yeux sans éclat, intervint :

— C'est la merde, pas vrai Anthony ? Y'en a des tas qui vont déguster à ce qu'on a entendu !

— T'as pas besoin que je te fasse un dessin : j'imagine que Victor s'en est chargé.

— Il avait pas le choix. Raymond voulait savoir.

— On a toujours le choix, mon vieux ! Et parfois c'est plus simple de pas se décider.

L'homme au visage livide déclara :

— On a eu des nouvelles de Skeeter. Il a dit que la fille Dillon s'est pointée mais pas ton beau-frère.

— Les fédéraux le tiennent, tu le sais.

— On voulait juste s'assurer que tu étais au courant.

— C'est marrant que Skeeter se soit adressé à vous autres, remarqua Gardella. C'est vrai qu'il a toujours été l'œil de Raymond là-bas, et pas vraiment le mien. Enfin, c'est comme ça...

— J'aurais jamais cru ça de Scatamacchia ! s'exclama l'homme au cou épais. Ça prouve qu'on peut jamais vraiment faire confiance à un flic. Ils ont rien dans la tête !

272

Avec une irritation à peine perceptible dans la voix Gardella leur demanda :

— Vous avez l'intention de rester longtemps dans le coin ?

— On s'en va, dit l'homme au visage livide. Mais avant on aimerait manger un morceau. La dernière fois qu'on t'a vu on s'était arrêté dans ce chouette restaurant à Amesbury. Celui avec un menu international : le mardi ils vous servent des trucs suisses, le mercredi c'est italien !

— Tu peux bouffer italien tous les jours.

— Le jeudi c'est français, le vendredi allemand mais le meilleur c'est le samedi à ce qu'ils m'ont dit. Le menu hongrois.

Gardella observa ses mains, leurs ongles manucurés, son alliance qu'il portait toujours.

— Je suppose que vous tenez à ce que je vous accompagne ?

— T'es notre invité, Anthony !

— Y'aura qui d'autre ?

— Victor a dit qu'il viendrait.

Victor Scandura était déjà installé dans la voiture. Elle appartenait aux envoyés de Providence et les plaques du Massachusetts qu'elle portait venaient tout juste d'être posées. Gardella rejoignit Scandura sur le siège arrière. Les hommes venus de Providence montèrent devant et celui au visage livide prit le volant.

— Quel est le meilleur chemin pour sortir ? demanda-t-il.

— Tout droit et après tu prends la première à droite, expliqua Scandura.

L'homme au visage livide conduisait d'une manière décontractée, engageant la voiture, une Mercury Cougar qui sentait le déodorant, sans forcer l'allure sur l'autoroute 95. A deux reprises Gardella se retourna pour jeter un coup d'œil à travers la lunette arrière. A la troisième il déclara :

— J'ai l'impression qu'on est suivi...

— C'est rien, dit Scandura. C'est Ralph.

Gardella se carra contre le dossier de la banquette. Comme au ralenti sa main se posa sur le bras de Scandura :

— Veille à ce que Wade respecte notre marché au sujet de Rita.

— Si je peux, répondit Scandura.

— Qu'est-ce que ça veut dire « si tu peux » ? Je veux que tu le fasses !

Scandura acquiesça. Un sourire illumina progressivement son visage.

— Thurston croit que je me fais du souci à cause d'un ulcère, dit-il. Il se fout le doigt dans l'œil, Anthony ! C'est un putain de cancer que j'ai !

Gardella laissa aller sa tête en arrière et ferma les yeux. En se frottant les sourcils il sentit battre son pouls. Une peur panique l'envahit soudain mais elle se dissipa petit à petit.

— Victor, tu sais ce que j'ai lu un jour ?

— Quoi, Anthony ?

— La mort est notre ultime revanche sur ceux qui nous aiment et qui nous trahissent !

Christopher Wade ne pouvait détacher les yeux de Jane Gardella qui dormait dans une pose gracieuse. Il finit par la réveiller, inquiet de la voir dormir si longtemps. Il ne se souvenait plus à quand remontait son dernier repas. Elle s'assit sur le lit et lui demanda quelle heure il était. Il la renseigna.

— Je vais vous commander quelque chose à manger, ajouta-t-il, prêt à décrocher le téléphone.

— Plus tard ! dit-elle.

— Ou on pourrait peut-être aller manger un morceau dehors, suggéra-t-il.

— Non, ça ne me tente pas vraiment, répondit-elle en basculant les jambes par-dessus le bord du lit. J'ai envie de prendre une douche...

— Bonne idée ! dit-il aussitôt mais ses inquiétudes lui revinrent quand il la vit se diriger vers la salle de bains et redoublèrent lorsqu'elle verrouilla la porte derrière elle. Ils étaient descendus au motel Howard Johnson's de Kenmore Square. Depuis ce temps-là ils vivaient ensemble, se partageant chastement le même lit. Après ce qui s'était passé la nuit dans la cave de Rita O'Dea, elle n'avait plus tous ses esprits mais il ne désespérait pas de la voir retrouver son équilibre à force de soins attentifs.

Il s'approcha tout contre la porte de la salle de bains et entendit un bruit de chasse d'eau puis le jet de la douche, ce qui le rassura quelque peu. Il retourna faire le lit et lorsqu'elle sortit de la salle de bains son soulagement fut immense.

— Ça fait du bien ! lança-t-elle. Elle s'était lavé les cheveux et il s'assit près d'elle au bord du lit pour l'aider à les essuyer avec la serviette qu'elle avait amenée. Il la frottait tout doucement pour faire durer ce moment de bonheur.

— C'est bon ! murmura-t-elle. Est-ce que Tony a appelé ?

— Non ! répondit-il. Pas encore...

274

— Allumez la télé. J'aime bien la regarder.

Le seul programme potable qu'il pût trouver repassait *Les dossiers Rockford*. Tandis qu'il tripotait les boutons pour régler la couleur il l'entendit qui se remettait au lit.

— A la maison je regarde tout le temps cette émission, déclara-t-il. En se retournant il se rendit compte qu'elle s'était rendormie.

Rockford était juste en train de se terminer quand on frappa doucement à la porte. Wade quitta son fauteuil, écarta le rideau pour jeter un coup d'œil par la fenêtre et ouvrit aussitôt la porte. C'était la mère de Jane Gardella.

— Comment va-t-elle aujourd'hui ? demanda-t-elle.

— Mieux, mentit Wade.

Mme Denig regarda derrière lui et baissa la voix :

— Je ne veux pas la réveiller.

— Ne vous inquiétez pas ! Il faut la secouer pour y arriver !

— S'il y a quelque chose que je puisse faire...

— Je vous le ferai savoir.

— Je la ramènerai quand elle se sentira mieux mais pas tant qu'elle sera comme ça...

— Je comprends... Je prendrai soin d'elle.

Mme Denig se dirigea vers la porte et se retourna pour le dévisager :

— Vous êtes marié inspecteur ?

— Oui, répondit Wade. Je le suis.

— Eh bien, j'imagine qu'il y a des choses pires, soupira-t-elle avant de tourner les talons.

Russell Thurston, grisé par son succès, décida de le fêter en organisant un dîner surprise dans un restaurant français de Cambridge, aussi cher que limité en places. Les agents Blodgett et Blue arrivèrent et Wade les rejoignit plus tard, juste après que le garçon eut fait sauter le bouchon du champagne. Avec un sourire triomphant, Thurston ordonna :

— Versez-lui à boire, Blue ! On va trinquer à sa santé que ça lui plaise ou non !

Wade prit une chaise et s'assit. Thurston prononça un petit discours bien senti. Wade avait la tête qui tournait un peu à cause du champagne. Il dit au responsable du FBI :

— Je suppose que vous êtes heureux.

— Vous parlez que je suis content ! Il y a tellement de preuves que j'arrive pas à les rassembler toutes ! Le Ministre de la Justice en devient fou... de joie ! Des juges, des politiciens, des banquiers, des gens de la haute société — bon Dieu on croirait feuilleter le *Who's Who* du Massachusetts ! On a déjà prévenu la télé, la radio, les journaux et les magazines !

— Mais vous avez raté Gardella.

— Ouais, je l'ai manqué, reconnut Thurston avec un clin d'œil, mais ses amis eux on peut pas dire qu'ils l'ont raté ! Du vrai boulot de professionnels : une seule balle derrière la tête ! Le garçon apporta des assiettes de potage dont l'une était destinée à Wade. C'était de la soupe à l'oignon. Thurston déclara : J'ai commandé pour tout le monde afin de gagner du temps. Du *Sauté de veau aux champignons*. Il claqua la langue : Ici c'est une merveille !

Wade baissa le nez dans son assiette. Avec sa cuillère il perça la croûte de gruyère qui recouvrait sa soupe.

— Et Rita O'Dea, qu'est-ce qu'elle est devenue ?

— Avec elle j'ai voulu faire vite. On l'a déjà épinglée. Tyrone O'Dea nous a raconté sur elle de quoi la mettre à l'ombre pour vingt ans ! On lui a pas encore dit au sujet de son frère : on a peur qu'elle devienne enragée après nous !

Wade jeta un regard à Blue qui leva sa serviette et s'essuya la bouche. Thurston poussa Blodgett du coude :

— Mangez votre soupe, ne faites pas de manières !

— Il y a le problème de l'argent que Gardella m'a donné, dit Wade.

— Ouais, je suis au courant. Il est sur un compte à Genève.

— Il y restera. Vous autres vous ne pouvez pas le toucher, pas plus que moi. Seules mes filles le pourront, dans vingt longues années.

Thurston prit la carte des vins :

— On reparlera de ça plus tard.

— Parlez-en tant que vous voudrez, lança Wade, mais c'est comme ça que ça marchera !

Thurston eut un sourire condescendant et ne leva même pas les yeux. Wade ramassa la grande enveloppe qu'il avait apportée et posée au pied de sa chaise ; il la glissa sur les genoux de Blue.

— Jetez un coup d'œil dedans, murmura-t-il. Et passez-la à votre patron.

Thurston fronçait les sourcils en épluchant la liste des vins. Il finit par déclarer :

— Les rouges ne me disent rien. Ça vous ennuie si on prend du blanc ?

Blue, qui avait sorti les clichés de l'enveloppe, releva lentement les yeux :

— Vous êtes sûr que vous savez ce que vous faites ?

Sans lui répondre Wade saisit la première photo du paquet et, après avoir laissé Blodgett y jeter un coup d'œil, la laissa tomber à côté de l'assiette de Thurston.

Dans un silence terrible, sa réaction tarda à venir.

Thurston ne toucha pas la photo. Il était raide, livide, soudain accablé. Blodgett ne savait plus où se fourrer, tout comme Blue.

— Vous êtes un pédé, dit Wade. Vous vous envoyez en l'air avec des jeunes hommes et des petits garçons. Moi ça me dérange pas mais le FBI n'appréciera pas.

— Fichez le camp ! lança Thurston. Blodgett et Blue se levèrent aussitôt, trop contents de pouvoir s'éclipser. Il demanda à Wade :

— Que voulez-vous ?

— Laissez filer Rita O'Dea ! C'est ça la condition.

Thurston eut un sursaut de dignité. Sur un ton hautain il demanda :

— Qui est-ce qui vous donne les ordres ?

— Gardella, répondit Wade. D'outre-tombe.

Épilogue

Tard ce soir-là, alors qu'il était seul dans son appartement, Russell Thurston ouvrit la porte à un beau jeune homme brun qui lui rappelait vaguement quelqu'un. Il eut un geste d'abattement et soupira :

— Pas ce soir, je suis fatigué !

Mais le jeune homme restait planté sur le pas de la porte, le regard profond, les épaules légèrement tombantes. Thurston le regarda plus attentivement :

— On se connaît ?

— Non monsieur.

— Mais je vous ai déjà vu quelque part, pas vrai ?

Le jeune homme haussa les épaules et bredouilla qu'il était en ville simplement pour la soirée et qu'il devait retourner au Cap. Il avait un travail là-bas. Thurston sourit :

— Vous êtes élève dans une grande école, hein ? Mais pas à Harvard, ça je peux le dire. Vous êtes trop soigné, trop soucieux de votre apparence. De quelle école, mon gars ?

— Holy Cross.

— Eh ben, un catholique ! Thurston le fit entrer et prit sur un chariot de quoi préparer deux verres bien tassés. Un instant il fut pris d'un vertige en voyant soudain ressurgir dans sa mémoire les images du début de la soirée mais il ne tarda pas à se ressaisir. Il leva son verre et déclara :

— Un jour on gagne, le lendemain on perd, pas vrai mon gars ?

Le sourire du jeune homme était froid, indifférent pour le moins. Thurston avait beau l'étudier, il n'arrivait pas à le remettre et se trouvait perplexe comme devant une énigme.

— Je peux en avoir un autre, monsieur ?

Thurston prit le verre vide que lui tendait le jeune homme et tourna le dos :

— La vie a parfois de ces rebondissements étranges, mon petit gars ! Il faut faire avec !

Le jeune homme ouvrit sa veste et sortit un automatique Beretta qu'il avait trouvé caché dans la bibliothèque de son père.

— Oui, monsieur, il faut faire avec, acquiesça-t-il en appuyant sur la détente.

Achevé d'imprimer en juin 1987
sur presse CAMERON,
dans les ateliers de la S.E.P.C.
à Saint-Amand-Montrond (Cher)